LE
ONE TO ONE
Valorisez votre capital-client

Éditions d'Organisation
1, rue Thénard
75240 Paris Cedex 05
www.editions-organisation.com

L'édition originale de cet ouvrage a été publiée aux États-Unis, par Doubleday, une division de Bantam Doubleday Dell Publishing Group, Inc., New York, sous le titre :

ENTERPRISE ONE TO ONE :
Tools for Competing in the Interactive Age

ISBN : 2-7081-1725-4

Collection « Pratique du marketing direct »

Don Peppers Martha Rogers

LE ONE TO ONE

Valorisez votre capital-client

Traduction et Adaptation
par
Henri Kaufman et Laurence Faguer
hk1@club-internet.fr 101365.1605@compuserve.com

Troisième tirage 1998

LES ÉDITIONS D'ORGANISATION

COLLECTION « PRATIQUE DU MARKETING DIRECT »

Les Éditions d'Organisation

La collection « Pratique du marketing direct », dirigée par Bernard SIOUFFI, regroupe des ouvrages de référence sur les méthodes, les applications et l'environnement du marketing direct et de la vente par correspondance et à distance.

Écrits par des professionnels faisant autorité dans ces matières, les ouvrages apportent une connaissance essentiellement pratique de médias et de modes de distribution dont l'efficacité est unanimement reconnue dans le monde de la communication et de la vente.

DÉJÀ PARUS :

- A. DELBECQ : Vendre sur catalogue, 1996 (Grand Prix de l'Académie des Sciences Commerciales).
- S. de MENTHON : Le marketing de la réception d'appels, 1997.
- A. MICHEAUX : Marketing de bases de données, 1997.

PRÉFACE

Les hommes de marketing seraient-ils tous atteints du syndrome de Faust, à la recherche permanente de la connaissance, du pouvoir et de la jeunesse ?

Ils veulent transformer depuis quelques décennies, chaque individu en consommateur, chaque consommateur en client, chaque client en ambassadeur. Hélas, les impératifs de la production industrielle et de la productivité, aiguillonnés par une concurrence acharnée, conduisent à une production et à un marketing *de masse* aux antipodes des souhaits et désirs personnels des clients.

Dans cette affaire, la publicité parc des produits identiques d'atours séduisants qui sont autant de leurres sur le miroir aux alouettes. Néanmoins, peu importent les difficultés du défi, il est relevé : les masses de clients seront découpées en rondelles (en *segments*) contenant des populations qui se ressemblent. Comme elles partagent certains paramètres, les hommes de marketing pensent *a priori* qu'elles ont les mêmes besoins, les mêmes envies et qu'elles sont sensibles aux mêmes messages. La potion se révélant rapidement inefficace, ils augmentent la dose en segmentant les segments en strates.

Et encore les strates en niches, et encore les niches en groupes de clients puis… en client.

Hélas, cette redécouverte du client unique, individu aux réactions non programmées, n'a pas résolu le problème : rien à faire, un client individuel n'entre pas dans un modèle figé. De plus en plus préoccupé d'être davantage que de paraître, le consommateur est aussi plus versatile, infidèle et redoutable dans ses choix. Il ne supporte plus la médiocrité des offres ni les arguments faciles de ceux qui veulent lui vendre quelque chose. Il sait aujourd'hui ce qu'il veut, il compare, il choisit, il veut que l'on s'occupe, enfin, de lui et de ses désirs.

Un client n'a pas le comportement moyen de 1 000 clients ; ce problème de marketing est en fait un problème de physique. Les maquettes en réduction n'ont jamais des réactions identiques à celles du modèle !

Alors comment faire pour que le client essaie nos produits puis les achète régulièrement, comment garder un client que l'on s'épuise à recruter, c'est-à-dire comment le fidéliser ?

Le livre de Don Peppers et Martha Rogers répond à cette question fondamentale. La réponse est si simple d'ailleurs qu'on se demande bien pourquoi on a mis si longtemps à découvrir ce qui était si évident.

Tout passe donc par le dialogue entre l'entreprise et son client. Un dialogue où l'entreprise — et c'est là où les choses commencent à devenir délicates — se comporte comme un véritable interlocuteur.

Pour qu'il y ait dialogue, il faut qu'il y ait échange, mémoire, écoute, compromis, souplesse, désir de faire plaisir, etc... Le dialogue ne doit pas être subi par le client mais accepté et encouragé.

Avec la mise en place du dialogue, facilité par l'abaissement drastique des coûts informatiques, l'échange commercial retrouve paradoxalement quelque peu la spontanéité du dialogue personnalisé avec le marché et il est surprenant que ce soient les Américains qui aient retrouvé le sens du dialogue et non les latins. Il est vrai que cette « découverte » entraîne une nouvelle rentabilité des échanges commerciaux et ceci explique cela.

Bonne lecture et bon One to One !

Henri Kaufman
hk1@club-internet.fr

Président de l'agence
de communication et
technologies interactives
Communider
E.C.P. et Docteur
en Sciences économiques

Bernard Siouffi
bs12@calva.net

Délégué Général du Syndicat
des Entreprises de Vente par
Correspondance et à Distance
et de l'Union Française
du Marketing Direct
Maître de conférences associé
à l'Université de Paris I Panthéon
Sorbonne

SOMMAIRE

CHAPITRE 1

DES PRODUITS ET DES SERVICES INTELLIGENTS

LES RÈGLES DE BASE DE LA CONCURRENCE, REVUES ET CORRIGÉES À L'ÈRE DE L'INTERACTIVITÉ

Dans plusieurs siècles, il apparaîtra sans doute à nos descendants que l'innovation la plus caractéristique de la révolution de l'information est la reconnaissance vocale.
Quand ils étudieront le vingtième siècle, ils verront que c'est à cette époque que la faim et de nombreuses maladies ont été quasiment éradiquées dans tous les pays occidentaux. De ce fait, la durée de la vie humaine s'en est trouvée très sensiblement augmentée. Ils s'apercevront également que ce siècle a vu l'émergence de régimes totalitaires et de dictatures implacables, qui se sont décomposées d'elles-mêmes sous le poids de leur oppression massive et centralisée. Ils se souviendront aussi de deux événements majeurs: la conception de la théorie de la relativité par Einstein et la performance fabuleuse de l'être humain qui a posé pour la première fois le pied sur la lune.

Ils observeront que ce siècle a vu la dernière génération d'êtres humains évoluer dans un monde sourd et muet, un monde dans lequel le four à micro-ondes, la scie électrique ou la voiture ne répondent pas aux questions qu'on leur pose, quelles qu'elles soient.
Alors que nous atteignons la fin du vingtième siècle, les choses commencent pourtant à changer. Voice Powered Technology, une entreprise de Californie, a mis au point un magnétoscope à commande vocale qui obéit à vos instructions. Il suffit de dire «enregistrer, code 3, dimanche de 18 h 00 à 19 h 30» pour que le magnétoscope s'exécute.

Un tel système commence à équiper les téléphones de voitures ou les micro-ordinateurs. En moins d'une génération, la plupart des outils ou appareils domestiques seront munis d'un système de reconnaissance vocale, tout comme aujourd'hui ils présentent un écran de contrôle à cristaux liquides.

L'impact de ces développements sur les entreprises est à peine imaginable et, dans le même ordre d'idées, nous sommes convaincus que le *marketing produit* sera bientôt complètement supplanté par le *marketing relationnel.*

Les objets équipés de puces électroniques pourront, eux aussi, se souvenir des besoins et particularités de leur propriétaire, ce qui est, somme toute, la condition de base pour maintenir une relation régulière avec un client.

Plus important encore, nos appareils et nos outils se *souviendront* de nous. Imaginons un instant ce qui se passera dans quelques années quand nous monterons dans notre voiture. La voiture nous reconnaîtra immédiatement à partir de notre poids et procédera automatiquement à tous les réglages correspondant à notre morphologie, tels que l'inclinaison et l'avancement des sièges, l'angle des rétroviseurs, la température de l'air conditionné, la fréquence de la radio, etc. Les amortisseurs se régleront automatiquement parce que c'est *vous* qui conduisez, vous procurant ainsi la tenue de route que vous aimez, c'est-à-dire celle qui s'adapte à *votre* conduite.
Si un autre conducteur de votre entourage préfère une conduite plus douce, il pourra modifier le confort sans difficulté.
Pendant votre conduite, l'ordinateur de bord notera et enregistrera la manière dont vous démarrez, dont vous freinez, tournez, accélérez, stoppez. Cet ordinateur ajustera le débit d'essence de la voiture de sorte que les performances du moteur soient aussi économiques et efficaces que possible eu égard à vos habitudes de conduite, de jour comme de nuit, sur route sèche ou mouillée, en ville ou sur autoroute.

Si vous souhaitez changer les réglages, il vous suffira de le dire à la voiture: «Voici mes nouvelles préférences» ou «Modifiez l'avancement de mon siège quand je porte des talons hauts».

Une liaison sans fil reliera la voiture à votre concessionnaire, ainsi qu'à votre ordinateur personnel. Chaque fois que le moteur nécessitera un réglage ou qu'une pièce présentera des signes de faiblesse, l'ordinateur de bord se branchera sur celui du concessionnaire, coordonnera son agenda et le vôtre et il vous proposera un choix parmi trois dates de rendez-vous possibles.
Un système de repérage par satellite vous indiquera à tout moment la direction de la pizzeria la plus proche ou vous indiquera le plus court chemin pour se rendre à l'aéroport en tenant compte des embouteillages. Vous pourrez présenter une puce électronique à votre compagnie d'assurance pour lui prouver que vous avez bien respecté les limitations de vitesse, et bénéficier ainsi d'un tarif préférentiel.

De telles voitures existeront dans moins d'une dizaine d'années. Certaines Lincoln et Cadillac ajustent déjà le siège, la radio et les éléments de confort en fonction des paramètres personnels de plusieurs conducteurs. Dans dix villes des États-Unis, Hertz équipe ses voitures de location haut de gamme d'un système analogue à la balise Argos qui fonctionne à l'aide d'un repérage par satellite.

Très bientôt, les appareils et les machines de notre environnement se souviendront de chacun d'entre nous et anticiperont nos besoins.

Les puces électroniques seront de plus en plus petites et puissantes... et de moins en moins chères. En cette fin de siècle, le rapport coût-efficacité du traitement de l'information est divisé par deux tous les 12 ou 18 mois, une progression hallucinante qu'il est presque impossible d'imaginer.

En 1978, le super-ordinateur Cray 1 pouvait traiter 160 millions d'instructions par seconde. C'était à cette époque l'ordinateur le plus puissant et le plus rapide au monde. En 1995, Sony a sorti son jeu vidéo, la «Play Station», qui traite 500 millions d'instructions par seconde, soit trois fois plus que le Cray 1 ! Le Cray 1 coûtait à l'époque 20 millions de dollars alors que la Play Station se vend aujourd'hui 299 dollars seulement au détail. Seuls quelques Cray 1 ont été vendus, à cause de leur prix. Par contre, Sony a vendu plus de 100 000 Play Station pendant le premier week-end de mise sur le marché aux USA. Si vous étiez en 1978 un acheteur potentiel du Cray 1, il était pour vous impossible d'imaginer la manière dont cette machine allait évoluer au moment de la commander. Mais quel risque prenez-vous aujourd'hui en achetant une Playstation à 299 dollars? Les superordinateurs d'aujourd'hui seront les jeux vidéo de demain.

Les puces électroniques envahissent notre environnement. Certains véhicules testés par des conducteurs à New York appellent automatiquement le 911 en cas d'accident.
La carte de vœux de votre neveu de quatre ans qui vous délivre un message préenregistré de 10 secondes, contient plus de capacité de traitement qu'on en trouvait *dans le monde entier* en 1950.
De minuscules puces électroniques sont greffées sans douleur sous la peau de votre animal favori afin de vous aider à le retrouver quand il se sauve. On en trouve aussi dans des pneumatiques, qui signalent la pression, l'équilibrage des roues et l'usure. Philip Morris a déposé un brevet pour une cigarette équipée d'une puce électronique qui enregistre la pression exercée par les lèvres du fumeur et lui envoie alors de petites bouffées dans la bouche au lieu de les envoyer dans l'atmosphère. Les laboratoires Sandia ont inventé un «fusil intelligent» qui ne peut être utilisé que par son propriétaire, et non par un mineur par exemple. Un ingénieur américain a breveté un «siège intelligent» qui s'adapte automatiquement aux personnes de taille, de forme et de poids différents en agissant sur des coussinets pneumatiques contrôlés par des puces.

On pourra utiliser la même technologie pour mettre au point des chaussures de sport qui changeront de forme automatiquement en fonction du genre de course pratiqué par leur utilisateur.

Un physicien italien prétend avoir inventé un préservatif à puce qui jouera du Beethoven[1] en cas de fuite au cours de son utilisation !

Savoir qui, du poste de télévision ou de l'ordinateur personnel, sera l'interface de l'interactivité à la maison n'est qu'un combat d'arrière-garde, un épiphénomène, comparé aux solutions désormais rendues possibles par les progrès de l'électronique. Dans peu de temps, ce débat n'aura plus de raison d'être. Un technicien a affirmé à ce propos: «la fusion de l'industrie des ordinateurs et de l'industrie de la télévision est aussi évidente que la fusion de l'automobile et du cheval».
Ce qui est en train de se passer en réalité correspond à une convergence de l'industrie des ordinateurs vers tout le reste. Pas seulement les téléviseurs et les voitures mais aussi les téléphones, les montres, les réfrigérateurs, les cartes de crédit, les cartes de vœux, les séchoirs à cheveux, les cigarettes, les salles de bains, les pneumatiques, l'emballage des aliments surgelés, les chaussures de sport, les préservatifs et les éviers.

L'environnement dans lequel nous habitons devient de plus en plus intelligent. Ses possibilités croissent de manière exponentielle. Voyons quelques exemples de produits très innovants:

- une cigarette qu'un mineur ne peut pas fumer
- une voiture qui ne peut être conduite que par son propriétaire, à l'exclusion de tout autre personne
- des pilules qui signalent qu'elles doivent être prises chaque jour (ou quatre fois par jour)
- un manteau d'hiver qui gonfle sa doublure isolante au fur et à mesure que la température décroît
- des lunettes de soleil qui vous disent où elles sont quand vous les cherchez
- un réveil qui vous sonne pour être mis à l'heure
- un emballage de plat préparé qui règle correctement le micro-ondes quand on le met à réchauffer
- des emballages de produits qui mettent à jour votre liste de courses à mesure qu'on les ouvre, ou qui s'ouvrent automatiquement quand vous leur demandez de le faire.

1. *L'hymne à la joie* ? (NDT)

Comme dans le château magique de la Belle et la Bête de Walt Disney, notre maison sera bientôt envahie par des dizaines, et même des centaines, d'ustensiles parlants et aussi des outils, des réveils, des appareils ménagers pour faire la cuisine, préparer, réparer, ouvrir, fermer. Certains d'entre eux se déplaceront de manière autonome, changeront de forme en fonction des besoins et même demanderont — par télécommande — de l'aide pour s'adapter aux intentions et projets constamment changeants de leur propriétaire humain. Des chercheurs en informatique étudient déjà la mise au point d'un guide des bonnes manières destiné aux robots : ils rendront un meilleur service en s'éduquant mutuellement et en tirant, avec le temps, les leçons de leurs erreurs.

QUELS OBJECTIFS CHOISIR POUR VOUS ET VOTRE ENTREPRISE ?

Cette importante évolution des objets et de nos relations avec eux n'est qu'un aperçu des changements encore plus drastiques qui concernent les rapports entre les clients et les entreprises. C'est d'ailleurs le sujet de ce livre.

Y a-t-il aujourd'hui une seule entreprise qui ne soit pas sérieusement confrontée à des problèmes de fuite de clientèle et d'érosion de ses marges ? Y a-t-il aujourd'hui une seule personne qui ne soit pas préoccupée par l'avancée technologique qui risque très vite de la submerger ?

Quand vous aurez fini la lecture de ce livre, nous espérons que vous pourrez mieux maîtriser les nouvelles techniques de l'information et de l'interactivité.

1. Vous serez capable d'améliorer *la fidélité* de votre portefeuille clients — dans des proportions énormes. Vous pourrez augmenter durablement votre «*part de client*», malgré les campagnes de conquête, de plus en plus agressives, menées par vos concurrents.

2. Vous comprendrez comment mettre en place des stratégies qui protègent et augmentent vos marges par client, en dépit de la banalisation des produits et des services qui commence à infester le marché.

3. Vous pourrez concevoir et créer de nouveaux marchés — des marchés pour des consommateurs individuels aux besoins riches et variés. Votre objectif ne sera pas seulement d'acquérir de nouveaux clients mais de découvrir et vendre une palette de nouveaux produits et services à chacun de vos clients actifs.

4. Vous pourrez concevoir les bases d'un plan de transition, possible et rentable, vers l'ère de l'interactivité. Ce plan englobera, exploitera et même intégrera toutes les nouvelles technologies sans se sentir menacé par elles ; les coûts de mise en place seront justifiés avec

un bon retour sur investissement et une bonne maîtrise du rapport coût-efficacité.

Voici donc les objectifs que nous vous proposons, pour vous et pour votre entreprise. Pour les atteindre, la première étape va consister à comprendre comment les nouvelles formules d'interactivité et la technologie de l'information ont redéfini la plupart des règles de base de la concurrence.

Arrêtons-nous un instant encore sur la «voiture intelligente». La connexion sans fil à votre concessionnaire signifie que votre voiture n'est plus désormais un produit indépendant, détaché de son fabricant. La société qui a fabriqué et vous a vendu ce produit est maintenant reliée électroniquement à vous, le client. À l'instar des appareils ménagers contrôlés par des puces électroniques, le fabricant pourra suivre et enregistrer la manière dont vous utilisez son produit. Sur une certaine période, l'entreprise comprendra de mieux en mieux vos besoins et anticipera ce que vous voulez. Ainsi, vous perdrez moins de temps et dépenserez moins d'énergie sur les tâches quotidiennes telles que le réglage des sièges et la sélection de votre chaîne de radio favorite, sans même parler de l'adaptation automatique des différents paramètres à votre style de conduite.

Supposons que vous ayez cette voiture depuis trois ans et que vous décidiez d'en acheter une nouvelle. Qu'allez-vous faire? Si vous achetez une autre marque, vous allez passer les six premiers mois environ à apprendre au nouvel ordinateur de bord le réglage de tous les cadrans, la personnalisation à votre style de conduite et votre manière de négocier les virages, les numéros de téléphone que vous appelez fréquemment et votre planning de rendez-vous. Si vous achetez une voiture de la même marque que la précédente, l'ordinateur de bord sera préchargé de toutes les informations de votre première voiture.

Prenons un autre exemple, ancré dans la vie de tous les jours : les courses d'épicerie usuelle. Supposons que vous puissiez accéder à partir de votre ordinateur personnel (ou sur votre poste de télévision interactif) à la liste de vos achats de la semaine précédente, que vous fassiez quelques modifications et que vous demandiez une livraison de votre commande chez vous après 17 h, assortie d'un paiement par carte de crédit ou par débit immédiat. Le tout vous aura pris 7 minutes.

Y a-t-il un seul lecteur de ce livre qui ne trouve pas ce scénario intéressant ? Des services interactifs de livraison, tels que celui décrit ci-dessus sont en plein développement dans tout le pays[2] , approvisionnant en particulier des couples travaillant, en zone urbaine ou suburbaine.

2. Les USA. (NDT)

Pour ces clients, la possibilité de consulter leur liste de courses de la semaine passée, en temps réel, et de se faire livrer sans sortir de chez eux représente un progrès déterminant.

Réfléchissons aux avantages supplémentaires que ce service apportera s'il intègre progressivement les possibilités des puces électroniques. Supposons que vous soyez client depuis six mois, en tout cas depuis assez longtemps pour que l'entreprise ait enregistré suffisamment d'informations sur vos habitudes d'achats hebdomadaires et se soit fait une idée relativement précise de la nature et du rythme de votre consommation.

Maintenant, quand vous passez votre commande, l'ordinateur vous rappelle qu'il faut acheter des pommes de terre, des filtres à café, de la pâte dentifrice et plein d'autres produits qui arrivent en fin de stock. Au bout d'un certain temps, l'ordinateur pourra commencer à dresser la liste des courses de la semaine. Tout ce que vous aurez à faire sera de prendre connaissance de la précommande et d'y ajouter vos modifications et suggestions supplémentaires.

Tout comme la voiture intelligente ou les autres appareils domestiques qui apprennent le comportement de leurs utilisateurs, l'entreprise utilise des ordinateurs pour apprendre les besoins individuels de ses clients et créer les conditions de leur fidélisation.

Imaginons un instant que se créent de nouvelles entreprises de livraison d'épicerie gérée sur ordinateur, qui proposent exactement les mêmes services, avec la même sécurité, la même qualité et le même prix. Ces nouveaux concurrents proposeraient aussi à leurs clients de faire la liste des courses en fonction des achats précédents, et fourniraient un pense-bête pour les articles oubliés.
Un particulier qui souhaiterait bénéficier des avantages de l'un de ces systèmes devra tout d'abord passer six mois à commander afin d'apprendre à son nouveau fournisseur ce qu'il avait déjà mis six mois à apprendre à son fournisseur précédent !
Quelle que soit la qualité du système concurrent et sa volonté d'acquérir le maximum de clients au moment du lancement, le système initial aura, sur sa clientèle acquise, un avantage permanent et peut-être déterminant sur le plan de la rétention et de l'augmentation du chiffre d'affaires.

Marché de masse contre marché individuel

Traditionnellement, la concurrence entre les entreprises consiste à exploiter des marchés ou groupes de clients indifférenciés ; mais elle a tendance à s'exercer de plus en plus sur le terrain du consommateur isolé.

Le succès de l'entreprise traditionnelle réside dans la segmentation du marché et l'analyse d'un échantillon représentatif des clients potentiels. Cet échantillon donne une image assez précise des besoins et préférences de la population appartenant au segment étudié. Une fois conçus, les produits qui correspondent aux bénéfices attendus sont fabriqués, mis sur le marché et promus afin d'attirer les clients potentiels.

Cette méthode est celle de l'attaque du marché de masse. Sur les marchés professionnels, la promotion insiste sur des caractéristiques spécifiques et identifiables du produit ; dans le domaine du marché des particuliers, la promotion insiste plutôt sur l'image du produit et sur ses caractéristiques émotionnelles. En s'appuyant sur la capacité croissante des ordinateurs à faire des analyses toujours plus poussées, les entreprises ont orienté leur recherche marketing vers une segmentation de leur clientèle de plus en plus fine.
Mais finalement, qu'elle aborde un marché de masse ou un marché de niche, l'entreprise traditionnelle a un objectif unique : vendre des produits identiques au maximum de nouveaux clients, en réduisant ses coûts et en traitant de la même manière chaque client, qu'il appartienne à un marché global ou à un segment particulier, et en faisant en sorte que le produit satisfasse très précisément ses besoins *moyens*.

Les ordinateurs permettent aujourd'hui d'améliorer l'efficacité d'une entreprise qui attaque un marché de masse en lui permettant de trouver des niches. En outre, *ils changent radicalement la donne du modèle de concurrence en favorisant la création de modèles orientés vers le client.* Quand nous disons « orientés vers le client », nous faisons allusion à une activité qui repose sur la distribution de produits ou de services très adaptés aux besoins de chaque client pris isolément.

Chacun de ces clients traité de manière interactive, peut être un client acquis ou le client d'une autre société.
La voiture intelligente ou le système de livraison des courses à domicile tire assez peu profit des niveaux moyens des conducteurs au volant ou des courses types des maîtresses de maison.
À l'inverse, un système de conquête du marché inspiré par le client tire parti de chaque relation interactive entre le client et l'entreprise, client par client.

LES NOUVELLES LOIS DE LA CONCURRENCE

Il y a seulement quelques années, le système de conquête du marché inspiré par le client — « le marketing One to One » ou plus simplement marketing 1:1 était hors de prix et quasiment inconcevable pour une entreprise traditionnelle.

Aujourd'hui, nous entrons dans l'ère de l'interactivité et des produits contrôlés par des puces électroniques ; la conquête du marché pilotée par le client constitue une stratégie incontournable.

Trois progrès importants de la technologie de l'information rendent possible le marketing One to One :

- *Le suivi des comportements du client*

Les bases de données permettent de suivre les nombreux comportements complexes et individuels des clients de l'entreprise. On peut maintenant, pendant les quelques minutes que dure une enquête téléphonique, extraire un client d'une base de données de plusieurs millions de personnes et se concentrer sur l'ensemble des transactions que ce client a effectuées avec l'entreprise, mettre à jour les données (en notant le résultat d'une réclamation par exemple), et réinsérer le client dans la base en quelques secondes.

Une société peut effectuer cette opération en même temps pour des dizaines ou des centaines de milliers de clients, chacun d'eux étant pris individuellement.

- *Le dialogue interactif*

L'ordinateur a rendu possible la communication interactive. Maintenant, les clients peuvent parler à leurs fournisseurs alors qu'auparavant la communication ne se passait que dans le sens fournisseur-client ou prospect.

- *Le sur mesure de masse*

Les technologies de l'information, appliquées à l'ensemble des processus logistiques, rendent désormais possible la fourniture massive de produits ou services « sur mesure ».
Sans ordinateurs, cette technique du « sur mesure de masse » est à la fois peu pratique et chère. Avec les ordinateurs, le processus de production et de distribution devient modulaire et permet ainsi à de nombreuses entreprises de produire en série des articles ou des produits sur mesure, correspondant aux besoins spécifiques d'un client isolé et non plus aux besoins généraux d'un segment de clientèle.

Une fois intégrées, ces nouvelles opportunités rendent le marketing 1:1 non seulement possible mais encore terriblement efficace.
Mais attention, ces nouvelles possibilités doivent être mises en œuvre simultanément. Pour être compétitive sur un marché 1:1, une société doit elle-même devenir *entièrement* une entreprise 1:1. À l'issue de sa mutation, l'entreprise 1:1 profitera d'une nouvelle dynamique d'attaque du marché en intégrant trois possibilités rendues maintenant accessibles par l'informa-

tique : l'organisation de l'information, la communication interactive et la production individualisée.

L'organisation de l'information : je vous connais et me souviens de vous. Vous êtes mon client et vous êtes différent de tous mes autres clients.

La communication interactive : dites-moi ce que vous voulez.

La production individualisée : maintenant, je fabrique le produit que vous voulez, selon vos désirs. Et je vous demande : « Est-ce que ça va ? êtes-vous content ? » Au fur et à mesure des échanges avec vous, je vous satisferai de mieux en mieux en vous donnant exactement ce que vous désirez.

L'ENTREPRISE 1 : 1

Cette nouvelle dynamique crée une boucle d'échanges avec chaque client isolé. Celle-ci permet au client et à l'entreprise de redéfinir — ensemble, les nouvelles règles de la relation commerciale.

Je vous connais.
Dites-moi ce que vous voulez. Je le fabriquerai.
Et je m'en souviendrai la prochaine fois.

Quoi de plus simple ?

Simple à comprendre, certes, mais pas à mettre en œuvre.

L'adoption d'une stratégie 1:1 n'est pas aussi simple que l'identification et la conquête d'une nouvelle niche dans un marché ; elle implique d'intervenir sur l'ensemble du processus de marketing qu'il faut modifier et d'enlever le pouvoir qui est aux mains des directions des ventes, des directions marketing et même... aux mains de l'agence de publicité.
Pour pouvoir s'occuper des clients individuellement, le marketing 1:1 requiert une approche intégrée dans l'entreprise ; c'est la raison pour laquelle le 1:1 ne peut pas être simplement plaqué sur les autres actions de marketing. L'entreprise qui veut s'orienter vers une véritable stratégie de conquête pilotée par les besoins de ses clients, doit intégrer toute une palette de fonctions qui ont pour but de satisfaire les besoins individuels de chaque client. Ceci concerne non seulement le marketing, le service client, la direction des ventes et de la distribution, mais aussi la production, la logistique et la finance.

Les structures de l'entreprise doivent être modifiées pour que l'intégration de ces fonctions, orientées exclusivement vers la satisfaction des besoins individuels du client, se fasse de manière harmonieuse.

Les retombées sont immenses pour une entreprise qui décide de devenir une entreprise 1:1. Non seulement elle atteindra des niveaux de fidélisation incomparables mais elle augmentera sensiblement ses marges dans un contexte de compétition vis-à-vis d'entreprises commercialisant des produits analogues. En terme de développement à moyen terme, *l'entreprise 1:1 deviendra pratiquement invulnérable face à ses concurrents — même si ceux-ci ont adopté la stratégie 1:1 et proposent des produits analogues et un niveau de personnalisation et de dialogue similaires.*

L'APPRENTISSAGE PAR LE DIALOGUE

Il se crée un lien très étroit entre un conducteur et sa voiture qui se « souvient » de lui après avoir mémorisé les différents réglages et ajustements de confort qui lui conviennent. Ce lien intime est de même nature que celui qui existe entre un client et un service d'épicerie livrée à domicile quand celui-ci lui rappelle qu'il doit vérifier son stock de kleenex, ou entre un téléspectateur et un opérateur qui l'oriente vers certains programmes qu'il aime particulièrement, en fonction de ceux qu'il a regardés dans le passé. Tous ces exemples illustrent la manière dont on apprend à dialoguer.

L'apprentissage par le dialogue devient plus efficace et plus facile au fur et à mesure que l'entreprise enregistre les échanges entre elle et son client, en notant régulièrement et de manière de plus en plus détaillée ses goûts et ses besoins.
Chaque fois, par exemple, qu'une cliente passe sa commande d'épicerie en reprenant sa liste de courses de la semaine précédente et en la mettant à jour, elle enseigne davantage à l'entreprise sur les produits qu'elle achète et sur le rythme avec lequel elle les consomme.
Sur une longue période, l'entreprise de livraison à domicile va acquérir une somme de connaissances énorme sur cette cliente spécifique. Ainsi, il sera virtuellement impossible à un éventuel concurrent dans ce secteur, de prendre une place analogue ; la fidélité de cette cliente sera incontournable.
Dans ce cas de relation d'apprentissage, le client s'aperçoit toujours que c'est son propre intérêt de continuer la relation avec l'entreprise qui a démarré l'échange.

Attention, nous ne faisons pas allusion ici à une fidélité qui résulterait d'un quelconque attachement émotionnel et nous suggérons encore moins qu'il puisse s'agir d'une obligation ou d'un devoir envers l'entreprise. Bien au contraire, l'entreprise 1:1 qui met en place un processus d'apprentissage par le dialogue augmente la longévité de ses clients en faisant en sorte que pour eux, rester fidèle soit plus commode que d'être volage.

Voilà comment le mécanisme d'apprentissage se met en place :

1. Le consommateur fait part à l'entreprise de ce qu'il désire, par l'interactivité et le dialogue.
2. L'entreprise satisfait les désirs de chaque client, en adaptant ses produits ou services aux besoins exprimés et enregistre ses particularités.
3. Progressivement, avec encore plus de dialogue et d'interactivité, le client va passer du temps et utiliser de l'énergie à apprendre à l'entreprise de plus en plus de choses sur ses besoins personnels.
4. Pour bénéficier d'un niveau de service équivalent de la part d'une entreprise concurrente — même si celle-ci offre exactement le même niveau de personnalisation et de dialogue — le client devra faire le même chemin avec l'entreprise concurrente et redire tout ce qu'il a déjà dit à la première entreprise.

Le processus d'apprentissage par le dialogue met en place une espèce de barrière dont la conséquence est qu'il lui sera plus difficile d'être volage que fidèle. Nous reviendrons souvent dans ce livre sur la notion de relation d'apprentissage, surtout au chapitre 7. Au chapitre 9, nous verrons comment une entreprise peut améliorer cet apprentissage et la fidélité de ses clients, acquis ou nouveaux, en utilisant la « connaissance tribale ».

Pour le moment, il suffit de savoir que seule une entreprise 1:1 peut instaurer avec ses clients une relation d'apprentissage.
En effet, elle seule sait comment harmoniser les fonctions concernées dans l'entreprise, non seulement pour échanger et enregistrer les transactions avec le client, mais aussi pour proposer des produits ou services en conséquence.

LES PRODUITS ET LES SERVICES : DES OUTILS DANS UN ENVIRONNEMENT INTELLIGENT

Une autre manière de comprendre la puissance de l'entreprise 1:1 face à la concurrence, est de la considérer comme un prolongement naturel de « l'environnement intelligent » du client. Les échanges entre une telle entreprise et son client sont pratiquement de même nature que ceux qui existent entre un appareil intelligent et son utilisateur. Dans les deux cas, l'influence de la technologie sur l'information fait que l'écoute attentive du client, permet à la fois :

- *d'apprendre* à partir de son comportement passé et des désirs qu'il a exprimés.
- de se *comporter* différemment envers lui, selon ce qui aura été appris.

Dans chaque exemple, la manière avec laquelle l'entreprise ou l'objet — produit ou service — réagit vis-à-vis du consommateur, dépend du comportement et de la relation passés avec ce consommateur particulier.

MARKETING ET THÉORIE DES QUANTA

Il arrive que des consultants essaient d'expliquer le marketing 1:1 comme une extension logique du marketing de niche dans lequel la cible ne serait plus un segment de population mais un segment constitué *d'une* seule personne. En réalité, quand on arrive au niveau du client isolé, les phénomènes d'échelle ne s'appliquent plus et les règles du marketing changent.

L'expression « segment d'une personne »
est non seulement inutile
mais peut conduire à des raisonnements erronés.

Les segments de population sont inertes tandis que les clients sont dynamiques et réactifs. Ce ne sont pas des cibles immobiles qui reçoivent les stimulations marketing sans réactions. Ils essaient les produits, ils posent des questions inattendues, négocient les conditions et les prix, font des arbitrages, sacrifient un achat au profit d'un autre, se plaignent et réclament un remboursement. Les niches et autres segments ne communiquent pas directement avec les entreprises et réagissent peu, alors qu'un client individuel peut faire tout cela et bien davantage.

Les différences entre une approche dynamique pilotée par l'interactivité et la personnalisation d'une part, et les méthodes d'analyse et d'extrapolation selon un modèle de marketing de masse d'autre part, sont si éloignées que la plupart des entreprises arrivent à la conclusion que les méthodes et stratégies du marketing traditionnel ne sont plus utilisables quand elles s'appliquent à des segments d'une personne.

Dire que le marketing 1:1 est une espèce de marketing de segmentation ou de niche est aussi saugrenu que de dire que le comportement des atomes est régi par les lois physiques de Newton. Dans l'univers newtonien, les objets sont solides, bien définis, et l'espace est vide ; au niveau des atomes, les lois de Newton ne s'appliquent plus. Les chercheurs qui étudient la physique nucléaire savent bien que la matière n'est pas inerte, mais relative et constituée d'une onde probabiliste. Aussi déconcertante qu'elle ait pu paraître au moment de sa découverte, la théorie des quanta et de la relativité a été confirmée expérimentalement des milliers de fois. On peut dire d'une certaine manière que le livre que vous lisez en ce moment provient lui aussi du même courant de pensée. Il propose une nouvelle théorie de la compétition marketing, reposant sur les progrès technologiques en matière d'information et n'aurait pas été écrit sans les progrès envahissants de l'informatique... qui résultent de l'invention du transistor, laquelle résulte à son tour de la théorie des quanta. Et voila comment la boucle est bouclée !

Traditionnellement, la concurrence dans un contexte de marketing de masse se déroule dans un monde « newtonien », avec des cibles passives que les annonceurs essaient d'influencer en faisant, auprès de chaque personne, la promotion de produits standardisés. Aujourd'hui, les techniques de dialogue et de personnalisation exploitées par le marketing 1:1 rendent possible la navigation dans un monde de « marketing quantique », un monde où chaque élément de la cible peut dialoguer et réagir aux sollicitations de l'entreprise, créant ainsi les conditions d'une collaboration active qui, à son tour, rend possible l'adaptation personnelle des produits aux besoins de chaque consommateur.
Dans ce nouveau monde du 1:1, les tactiques et stratégies du marketing traditionnel deviennent inopérantes. De plus, comme dans la théorie des quanta, les effets du 1:1 sur le marché sont tout à fait réels et mesurables.

La concurrence au niveau du consommateur

On peut comparer très simplement les objectifs et tactiques de l'entreprise 1:1 et ceux de l'entreprise traditionnelle en se plaçant dans un autre univers. Une entreprise qui pratique le marketing de masse se place dans la dimension du *produit*. Une entreprise qui pratique le marketing 1:1 se place dans la dimension du *client*.
N'importe quelle entreprise qui réussit doit satisfaire deux conditions de base:

1. elle doit satisfaire des besoins;
2. elle doit trouver des clients qui ont ce besoin.

Satisfaire les besoins des consommateurs est, par définition, la raison d'être ultime de n'importe quelle entreprise. Comme le dit Peter Drucker, toutes les autres fonctions — production, engineering, logistique, comptabilité — qui ne contribuent pas à la satisfaction des besoins des consommateurs ne sont que des centres de coûts.

Si l'on porte sur un graphique les deux fonctions « satisfaction des besoins » et ciblage des consommateurs, l'entreprise traditionnelle serait représentée ci-contre:

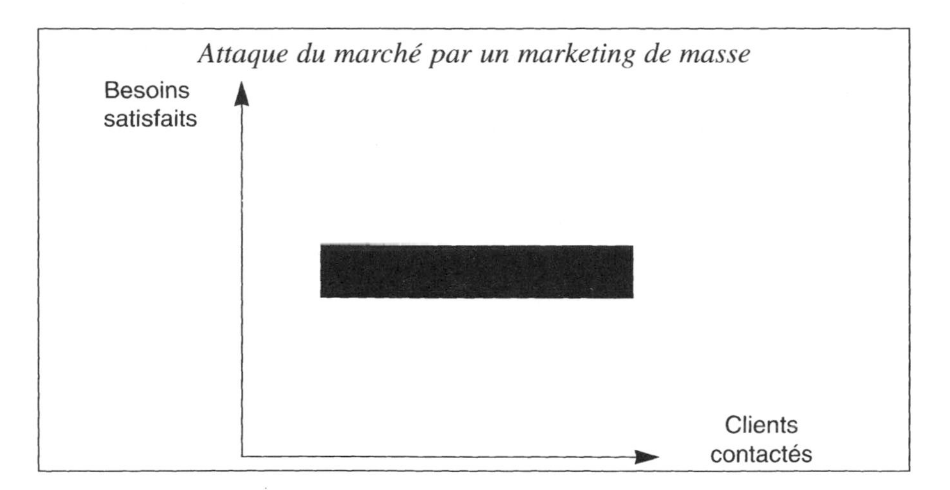

L'entreprise traditionnelle se concentre sur un seul produit ou service à la fois, ne remplissant qu'un seul besoin du consommateur. Pendant la période de vente, cette entreprise fait pression sur le marché pour acquérir le maximum de clients désireux de satisfaire ce besoin spécifique.
La concurrence dans un marché pratiquant le marketing de masse est obnubilée par le produit.

Il y a, on l'a vu, une manière diamétralement opposée de voir l'attaque du marché : c'est l'approche par le consommateur.
Au lieu de se concentrer sur un seul besoin à la fois et de s'efforcer de trouver le maximum de consommateurs qui ont précisément ce besoin, l'entreprise 1:1 qui attaque le marché par le consommateur et non par le produit va se concentrer sur un seul consommateur à la fois et essayer de satisfaire le maximum de ses besoins.

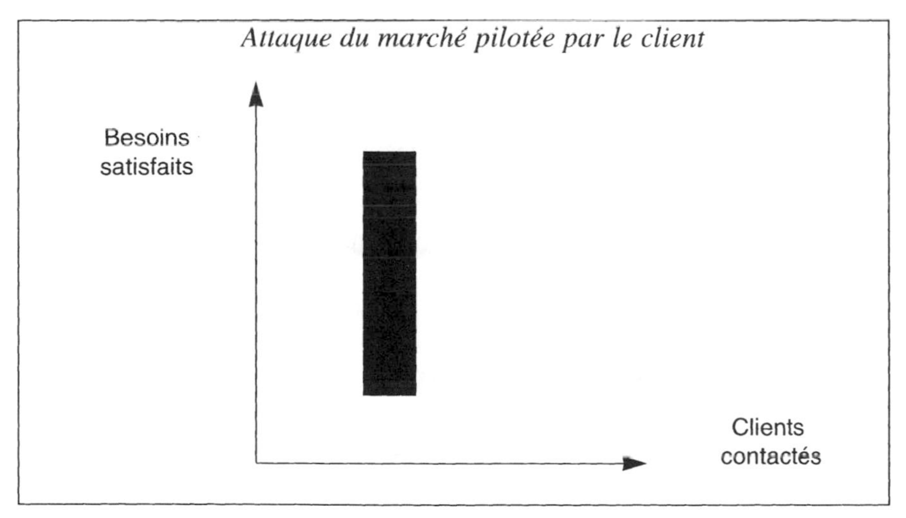

Pour l'entreprise 1:1, le combat marketing n'est pas du domaine du produit mais du domaine du client.

La comparaison de ces deux graphiques permet de comprendre beaucoup de choses à propos des différences d'approche de ces deux méthodes.

- L'objectif permanent pour une entreprise traditionnelle consiste à acquérir le plus grand nombre de clients, c'est-à-dire allonger au maximum la barre horizontale du graphique page 25 tandis que pour une entreprise 1:1, l'idée fixe consiste à garder ses clients le plus longtemps possible et à les développer. La largeur de la barre horizontale représente en quelque sorte *la part de marché* d'une entreprise: c'est le pourcentage, dans le marché global, des consommateurs dont l'entreprise satisfait les besoins.
  À l'inverse, l'entreprise 1:1 se concentre sur *la part de client* représentée par la hauteur de la barre verticale.
- L'entreprise traditionnelle fabrique des produits différents tandis que l'entreprise 1:1 «fabrique» des **clients différents**. Dans le premier cas, l'entreprise essaie d'établir une différence *réelle* entre les produits (produits nouveaux ou extensions d'utilisation), ou une différence *perçue* (positionnement de la marque et influence de la publicité). Dans le second cas, l'entreprise traite un client à la fois et s'attache à différencier chaque client de tous les autres.
- Ces deux manières d'attaquer le marché ne sont ni contradictoires ni exclusives. Les deux barres du graphique ne sont pas en opposition mais orthogonales. Cela signifie d'abord que les tactiques et stratégies qui s'appliquent à un style d'attaque ne sont pas forcément opportunes ou facilement utilisables par un autre.
  Ensuite, cela signifie qu'en pratique, l'entreprise 1:1 peut mettre en place ces deux stratégies en même temps. En d'autre termes, l'entreprise 1:1 ne se privera pas d'aller chercher le maximum de clients tout en s'efforçant de les fidéliser et de les développer.

Dans le modèle traditionnel, l'interactivité avec les clients n'est pas nécessaire et les réactions individuelles des consommateurs ne sont utiles que si elles sont représentatives du marché global. Une entreprise traditionnelle produit et distribue un même produit qui satisfait un seul besoin pour n'importe quel client dans n'importe quel marché. À l'inverse, l'entreprise 1:1 doit dialoguer avec son client et tirer parti de ce dialogue pour lui fournir un produit ou un service sur mesure. On est là dans un processus qui évolue et qui prend du temps. Le produit ou le service s'adaptent progressivement et le client est de plus en plus différencié par rapport aux autres clients.

Les 5 principales fonctions de l'entreprise 1:1

Pour réussir dans la stratégie orientée vers le dialogue et l'individualisation des relations avec ses clients, une entreprise 1:1 doit tenir compte de 5 fonctions principales. Ce livre a pour vocation de vous aider à maîtriser ces cinq fonctions et de vous faire comprendre comment elles s'agrègent pour assurer le succès de votre entrée dans l'ère de l'interactivité.

1. La dimension financière dans la base de données

Dans la plupart des entreprises, cet aspect n'existe que sporadiquement, voire pas du tout. Certes, les coûts sont mesurés et les actifs sont pris en compte mais très souvent personne ne considère la base de données comme un véritable capital-client, et personne n'évalue correctement la valeur de chaque client.
L'entreprise 1:1, quant à elle, considère que le client est le premier capital de l'entreprise et gère avec attention ses investissements dans ce domaine. Pour rester compétitive dans un monde interactif où des clients différents peuvent être traités de manière différente, l'entreprise 1:1 doit d'une part comprendre la valeur apportée par chacun de ses clients et d'autre part ce qu'ils doivent recevoir en retour. L'entreprise doit optimiser l'allocation de ses efforts — temps et investissement — sur les clients qui lui rapporteront le plus. Ces clients précieux, il faudra les garder le plus longtemps possible, tout en faisant progresser les autres.
Quelle serait la valeur ajoutée à votre activité si vous augmentiez la valeur de votre base client de 5% seulement? Comment s'y prendre pour atteindre ce résultat?

De plus, l'entreprise 1:1 doit savoir satisfaire les besoins spécifiques de chacun de ses clients. Ce n'est pas parce que des clients achètent exactement le même produit ou service qu'ils l'utilisent de la même manière. Comprendre les besoins de chacun de ses clients est le préalable indispensable pour concevoir des produits ou services sur mesure qui pourront les satisfaire pleinement.

Le niveau de différenciation — en termes de besoins attendus ou de contribution à l'entreprise — permettra de définir les grandes lignes de la stratégie que doit suivre l'entreprise pour consolider la fidélité de ses clients et augmenter ses marges.
L'examen des diverses solutions possibles et le choix des stratégies optimales selon les configurations et les profils de la base clients seront abordés au début du chapitre suivant dans le paragraphe, «Certains clients sont-ils plus égaux que d'autres?».

2. Production, logistique et service de livraison

Une entreprise 1:1 qui fabrique des produits ou rend des services, ou encore ajoute des services à ses produits, doit pouvoir adapter son offre aux différents besoins et préférences de ses clients.
L'interactivité avec un client n'est profitable qu'à une seule condition : la préoccupation première de l'entreprise doit être orientée vers *chaque* client. Pour avoir le produit ou le service qui coïncide parfaitement avec ses désirs, le client doit bien sûr d'abord exprimer ce qu'il veut et préciser la manière dont il veut le recevoir. Cette attitude transforme l'état du client : il passe de l'état de cible passive à celui de *participant actif* du processus de vente.
L'entreprise 1:1 et les clients collaborent : le client définit ce qu'il veut et l'entreprise lui donne ce qu'il a demandé. Ceci suppose que les fonctions de production et de logistique soient elles-mêmes très proches de la fonction marketing et s'attachent plutôt à la satisfaction élémentaire de chaque client, qu'à la satisfaction de la cible dans son ensemble.
Dans le chapitre 6, «Le soutien-gorge asymétrique», nous aborderons les manières de traiter différemment des clients différents, et de transformer cette collaboration en un apprentissage par le dialogue. Ainsi, l'entreprise 1:1 peut devenir presque invulnérable dans la compétition pour acquérir des clients.

3. Communication, service-client et interactivité

Le dialogue et la remontée d'informations de la part des clients sont la clé de voûte du marketing 1:1.

La communication commerciale et toutes les formes d'interaction avec le client doivent être combinées dans une même fonction de telle manière que le dialogue qui est mené aujourd'hui avec un client s'accorde parfaitement et prolonge celui qui a été mené hier. Sans retour d'informations de la part de chaque client, il est vain d'espérer une collaboration qui débouche sur une personnalisation des produits et tout à fait impossible de comprendre ses besoins dans le détail. Créer les conditions et les occasions de dialogue avec un client est indispensable si l'on veut solliciter son avis. Mais ce dialogue doit lui-même être intégré à tout ce que l'entreprise connaît de ce client et à tout ce qu'elle désire comme information supplémentaire.
Nous étudierons au chapitre 10 «Surfer sur la remontée d'informations», les stratégies qui favorisent le dialogue avec les clients et le rendent plus efficace. Au chapitre 11 «Le média sert de lien interactif», nous aurons une vue d'ensemble de cette dynamique du point de vue des sociétés de télécommunication, c'est-à-dire au niveau de tous les systèmes qui permettent de lier l'entreprise à ses clients.

4. Systèmes et management de la distribution

Une des difficultés majeures pour l'entreprise 1:1 consiste à exploiter, sans le transformer radicalement, un système de distribution qui a été le plus souvent conçu pour acheminer des produits standardisés à prix unique et non pour acheminer des produits sur mesure à prix variable.

Obtenir des informations de la part des clients n'est pas une chose facile si l'entreprise distribue ses produits par le canal d'intermédiaires, grossistes ou détaillants. Souvent, la seule solution possible pour l'entreprise 1:1 qui veut mettre en place une solution réellement interactive est de supprimer progressivement ces intermédiaires.
Mais bien sûr, cette transformation est habituellement très difficile. Dans certains cas, l'entreprise 1:1 pourra démarrer en créant un processus d'apprentissage relationnel non pas avec ses clients mais avec ses propres distributeurs : par exemple, gérer les stocks du distributeur-grossiste, fournir aux revendeurs une documentation sur les produits, ou même personnaliser le packaging du produit pour satisfaire les besoins spécifiques d'une chaîne de détaillants.
De toute façon, la philosophie du management du réseau de distribution face à cette approche individuelle doit être parfaitement digérée.

L'implication du management de la distribution sera abordée tout au long de ce livre. En particulier, au chapitre 12 « Le vendeur de chaussures pressé », nous analyserons systématiquement les avantages et inconvénients des différentes stratégies de distribution, tant du point de vue de l'entreprise que du point de vue du distributeur.

5. Une organisation spécifique

Finalement, en plus de la gestion de son capital-client, de sa production et de sa logistique, de sa distribution et du dialogue avec ses clients, l'entreprise 1:1 a besoin de s'organiser de telle manière qu'elle puisse, d'une part maîtriser son développement et d'autre part, responsabiliser ses employés par rapport au succès ou à l'échec de l'opération.
Cette stratégie implique la mise en place de managers responsables des clients et des relations clients à côté de responsables des produits ou des programmes. Le passage d'une stratégie de marketing de masse à une stratégie orientée vers le client doit se faire le plus en douceur possible ; il y a beaucoup d'obstacles sur la route d'une entreprise qui tente de devenir une entreprise 1:1.

Au chapitre 4 « Mortalité précoce chez MCI », vous trouverez la description détaillée d'une entreprise qui a dû surmonter nombre de ces obstacles. Au chapitre 13 « La mise en place », nous présenterons un plan en quatre étapes pour faciliter le passage d'une entreprise pratiquant le marketing de masse vers une entreprise 1:1 ayant le client individuel pour centre d'intérêt unique.

Les fonctions dans l'entreprise 1:1

Fonction	Rôle	Responsable
Gestion différenciée du capital-client	Différencie les clients en fonction de leurs attentes et affecte les ressources en fonction de la valeur de chaque client	Directeur financier, chef comptable, directeur des relations clients, chefs de marché, directeur des ventes et du marketing
Production, logistique et service de livraison	Produit sur mesure pour fidéliser les clients à l'aide d'un processus d'apprentissage	Directeur des opérations, responsable du service client, responsable régional, chef de produit
Systèmes et management de la distribution	Comprend le client, distribue des produits-services	Directeur des ventes, directeur de la distribution, chef de marque
Communication, service-client et interactivité	Met en place un dialogue qui nourrit la base de données à travers un processus d'apprentissage	Directeur marketing, directeur de la communication, responsable des systèmes d'information, directeur des relations clients, directeur des ventes
Organisation spécifique	Aplanit les obstacles liés à l'organisation et met en place le 1:1 dans toute l'entreprise	Directeur général, président, responsable de la veille technologique, directeur des ressources humaines, responsable de la formation

Quand vous aurez fini ce livre, vous aurez une vision opérationnelle de la période de compétition commerciale dans laquelle nous sommes entrés à un moment où font rage la surinformation et l'interactivité.

Vous aurez récolté beaucoup d'idées pratiques à appliquer à votre activité et vous découvrirez probablement de nombreuses et nouvelles applications pour votre entreprise ou pour vous-mêmes.

Le plus important néanmoins sera de bien comprendre à quoi ressemble un monde qui n'est plus sourd-muet, un monde peuplé de produits et services qui parlent et pensent et d'entreprises qui se souviennent de vous, qui savent qui vous êtes et ce que vous désirez.

CHAPITRE 2

CERTAINS CLIENTS SONT-ILS PLUS ÉGAUX QUE D'AUTRES ?

COMMENT IDENTIFIER - ET TIRER PARTI DES DIFFÉRENCES ENTRE VOS CLIENTS

• Les employés de Speedy Car Wash à Panama City (Floride) mettent à jour une base de données toute simple, gérée sur PC, en enregistrant la plaque minéralogique des voitures qui viennent pour un lavage. Régulièrement, l'entreprise classe ses clients par ordre de fréquence de visite. Jimmy Branch, le Président de cette entreprise dynamique, donne une prime de 10 dollars par jour à l'employé qui identifie un client classé au « top 100 ». Ces meilleurs clients reçoivent bien sûr un traitement privilégié.

• La National Australia Bank a classé ses clients en 5 catégories, liées à leur rentabilité. Sur une période de 6 ans, la banque a réussi à faire passer le nombre de ses meilleurs clients de 20 % à 27 %.

• Farm Credit, une banque de prêt du Midwest a analysé ses clients agriculteurs : elle a constaté qu'une série de 21 questions posées aux clients ou aux prospects, suffit à les classer, avec un coefficient de confiance de 95 %, dans 5 catégories au comportement homogène.
Par exemple, les « chercheurs de rentabilité » voudront étudier toutes les options de taux avant de faire leur choix. En revanche, les « inquiets », qui craignent la procédure, auront tendance à croire entièrement les propositions du conseiller. Il suffit de faire aux « inquiets » une recommandation pour qu'elle soit immédiatement acceptée ; ces clients retournent aussitôt vers ce qui les intéresse le plus : l'exploitation de leurs champs.
Une fois les clients qualifiés, le système de vente de Farm Credit s'avère très efficace : même si deux clients veulent exactement le même prêt, leur désir provient de besoins radicalement différents... qu'il faut satisfaire différemment.

Ces quelques exemples illustrent clairement deux différences essentielles entre les clients : *leurs besoins et leur valeur.*

*Vos clients ont des **besoins différents** à satisfaire, et leur valeur est **différente**.*

Classer vos clients à partir de critères démographiques, socioculturels ou par type d'activité, par niveau de satisfaction, par historique d'achat, par segmentation du marché, etc. n'est qu'un moyen imparfait de mieux connaître leurs besoins et leur valeur.

Pour rester compétitif à l'ère de l'interactivité, vous devez être en mesure de traiter différemment des clients différents. Pour cela, il est indispensable de connaître et comprendre leurs différences.

La valeur d'un client détermine le temps et l'argent que vous pouvez investir sur lui. L'analyse de ses besoins est la clé pour le garder et le développer.

ÉVALUATION DES CLIENTS

Les sociétés qui pratiquent le marketing de masse traitent tous leurs clients de la même manière. Ces clients reçoivent tous le même produit qu'ils paient le même prix et ils ne sont pas incités au dialogue. Si nous prenons conscience que chaque client est unique, nous pouvons mieux rentabiliser les clients qui ont plus de valeur que d'autres.

Pour ne pas faire de contresens sur l'évaluation des clients, il faut calculer deux paramètres : leur valeur *actualisée* et leur valeur *stratégique* ou potentielle. Dans ce chapitre, nous nous limiterons à l'étude de la valeur actualisée des clients. Au chapitre 5, nous étudierons les conséquences d'une réflexion sur l'évaluation stratégique des clients.

La formule idéale pour calculer la valeur actualisée d'un client est la *« life time value »* ou EMM, espérance mathématique de marge : c'est la somme des profits nets attendus au cours de la durée de vie d'un client, actualisée selon un taux d'intérêt approprié. Cependant, les profits engrangés sur les transactions futures d'un client ne sont pas seulement d'ordre monétaire. Le client peut procurer à l'entreprise autre chose qu'un profit immédiat ; par exemple, il peut la recommander auprès de prospects et vous transmettre leurs goûts et préférences (en même temps que les siens bien sûr) ; il contribue ainsi à la conception de nouveaux produits ou services.

Après avoir étudié les prévisions de recettes, nous pouvons aborder la question des dépenses. Le maintien à long terme d'une relation, de quelque nature qu'elle soit, suppose la mise en place à la fois d'une communication individuelle — par téléphone, fax, e-mail, etc. — et d'un système d'information qui va enregistrer et mémoriser les transactions. Les coûts correspondants doivent non seulement être calculés mais affectés à chaque catégorie de clients auxquels ils s'appliquent. Par exemple, les clients qui appellent très souvent le service consommateur coûtent plus cher à l'entreprise que ceux qui se débrouillent tout seul.

Bien qu'il soit très important de garder toujours en tête la notion de *« life time value »* d'un client, il faut prendre conscience que ce chiffre ne peut (ou même ne doit) être calculé avec une grande précision. Quelle que soit la sophistication de nos modèles d'analyse, nous ne pourrons pas prendre en compte toutes les variables quantitatives et qualitatives qui interviennent dans le calcul du potentiel à vie d'un client — comme la capacité à aider l'entreprise à concevoir de nouveaux produits.
L'espérance mathématique de marge est une notion statistique, qui repose sur un calcul de probabilités. Bien sûr, certains clients auront une EMM moyenne relativement bien cernée, mais nous ne saurons jamais exactement ce qu'ils feront dans le futur.
Notre objectif est de *comparer* les clients ; cela se fera de plus en plus précisément au fur et à mesure que les développements technologiques des systèmes d'information permettront de maîtriser des modèles complexes.

Une activité qui repose sur un système d'abonnement, avec des achats récurrents, peut se modéliser facilement. Imaginons que vous êtes le directeur des abonnements d'un hebdomadaire. L'offre standard pour les nouveaux clients est un abonnement d'un an avec un prix inférieur à la moitié du prix normal soit 35,90 dollars. Supposons que 40 % des nouveaux clients abandonnent à la fin de la première année et que 60% des clients restants s'abonnent pour une année supplémentaire au prix normal de 75,90 dollars. Puis, 65 % de ces clients se réabonneront en année 3, 70 % du solde en année 4, etc.
Supposons que les coûts variables — mailing, relances, etc. — soient au total de 30 dollars par an.

Un simple tableur suffit à construire le modèle de comportement. On connaît tous les paramètres et l'objectif consiste tout bonnement à calculer la valeur actualisée d'un client moyen.
Quel profit peut-on raisonnablement attendre d'un millier de clients recrutés dans l'année 1 compte tenu des coûts et du taux d'attrition estimé ?

Année	Total Abonnés	Taux de réabon-nement	Recettes sur abonnement	Coûts variables	Profit Net	Profit Net Actualisé à 15 %
1	1000	60 %	$ 35 900	$ 30 000	$ 5 900	$ 5 900
2	600	65 %	$ 45 540	$ 18 000	$ 27 540	$ 23 948
3	390	70 %	$ 29 601	$ 11 700	$ 17 901	$ 13 536
4	273	75 %	$ 20 721	$ 8 190	$ 12 531	$ 8 239
5	205	78 %	$ 15 541	$ 6 143	$ 9 398	$ 5 373
6	160	79 %	$ 12 122	$ 4 791	$ 7 331	$ 3 645
7	126	80 %	$ 9 576	$ 3 785	$ 5 791	$ 2 504
8	101	80 %	$ 7 661	$ 3 028	$ 4 633	$ 1 742
9	81	80 %	$ 6 129	$ 2 422	$ 3 707	$ 1 212
10	65	80 %	$ 4 903	$ 1 938	$ 2 965	$ 843
				Total :	**$ 97 647**	**$ 66 642**
					EMM	**$ 66, 64**

Ce tableau montre que l'acquisition de 1000 abonnés en année 1 conduit à un profit cumulé sur 10 ans d'environ 100 000 dollars. Actualisé au taux de 15 %, il correspond à un profit, actualisé de 67 000 dollars, soit une marge de 67 dollars par client. En année 10, il ne restera plus que 65 clients actifs sur les 1 000 du départ. De plus, si le coût d'acquisition d'un client est par exemple de 50 dollars, votre profit net actualisé sera seulement de 17 dollars par client[1].

Il est relativement simple de bâtir des modèles de calcul d'espérance mathématique de marge pour des magazines qui ont des historiques de plusieurs années sur des centaines de milliers de clients.
En utilisant le modèle ci-dessus, on voit clairement qu'une augmentation du taux de réabonnement de seulement 2 points, avec un taux passant de 60 à 62% la première année, de 65 à 67% la seconde année et ainsi de suite jusqu'à un taux de réabonnement de 82% en année 10, augmente l'EMM des clients de 7,5%.
Si l'on fait l'hypothèse que le coût d'acquisition des clients reste le même à 50 dollars par client, l'effet multiplicateur de cette faible augmentation est absolument phénoménal. En effet, une hausse du taux de réabonnement de seulement 2 points entraîne une hausse de la valeur actualisée nette de chaque client de plus de 25%, passant ainsi de 17 dollars à 22 dollars.

Avec un effet de bras de levier aussi puissant, on se demande pourquoi tant d'entreprises s'épuisent à transformer des prospects en nouveaux clients alors qu'elles pourraient facilement augmenter leur rentabilité en s'attachant à garder plus longtemps les clients qu'elles ont déjà en portefeuille.

1. Nous pourrions étendre ce modèle à une durée de 15 ou 20 ans et même plus mais pour simplifier, nous avons restreint l'étude aux 10 premières années de la vie des clients recrutés en année 1. En tout état de cause, l'actualisation des profits et l'influence des taux d'attrition sont telles qu'un modèle sur 20 ans apportera peu d'écarts par rapport au modèle sur 10 ans, avec les paramètres choisis pour cette simulation.

L'exemple de calcul de l'EMM pour notre magazine est simple à comprendre, mais il arrive souvent que la modélisation soit plus complexe, voire trop complexe, pour beaucoup d'entreprises. Parmi les facteurs de complexité figurent toutes les variables qualitatives. Chez Harley Davidson par exemple, deux clients peuvent dépenser le même montant pour acquérir leur moto. Mais celui qui utilise sa moto tous les jours constituera un vrai pactole pour Harley tandis que celui qui ne l'utilise que quelques jours par an sera moins intéressant.

L'intérêt de calculer une EMM est de mieux comprendre la valeur moyenne des clients et l'influence de certaines variables, comme le taux d'attrition, sur les profits de l'entreprise.

Il permet en outre de créer un système de classement des clients par ordre d'importance. Ainsi, on peut investir plus de temps et d'argent pour conserver les seuls clients qui en valent la peine.
Le système de classement des clients par EMM n'est pas le seul système possible. En effet, on peut définir les clients par d'autres variables de proximité. Par exemple, une entreprise de vente par correspondance utilisera un modèle RFM (récence, fréquence, montant moyen de commande) pour classer ses clients. Les compagnies aériennes compteront la distance parcourue; une société de lavage de voiture comptera tout simplement le nombre de fois où ses clients viendront faire laver leur voiture.
Une chose cependant est claire: l'entreprise 1:1 qui veut traiter ses clients le plus individuellement possible, devra s'efforcer de comprendre ce qui les différencie et les classera ensuite selon leur importance relative.

Les clients sont tous différents et ne revêtent pas la même valeur pour l'entreprise. C'est l'EMM ou *Life Time Value* qui définit le mieux cette valeur.

Certains clients sont tout simplement plus importants que d'autres.

Mais au fait, ne venons-nous pas de décider explicitement du postulat que tous les abonnés d'un magazine sont de même nature? Était-ce suffisant de dresser le tableau des taux de réabonnement sur une dizaine d'années, avec en final le calcul de l'EMM moyenne? Oui et non. La plupart des magazines disposent d'autres données sur leurs clients: par exemple des informations sur leur zone d'habitation, sur leur taux de réponse à différents types d'offres, sur leur délai de paiement, etc. Tout cela permet de classer leurs clients en sous-groupes, avec des comportements de renouvellement différents et donc des EMM différentes.

Cependant, même si la seule information disponible est la durée d'abonnement, les abonnés du magazine peuvent aussi être classés selon leur EMM. Plus souvent un abonné se réabonnera dans les premières années de sa « vie », et plus il aura tendance à se réabonner et à augmenter ainsi son EMM. Ce client reste le même mais sa fidélité et donc son EMM augmente avec le temps. Avec les hypothèses de taux de renouvellement que nous avons faites précédemment, on s'aperçoit qu'un nouvel abonné a une EMM de 67 dollars ; l'EMM, calculée sur ce même abonné après son réabonnement au bout de la première année est de 118 dollars et de 147 dollars quand on calcule son EMM après son cinquième réabonnement !

Année	Total Abonnés	Taux de réabon-nement	Recettes sur abonnement	Coûts variables	Profit Net	Profit Net Actualisé à 15%	EMM sur dix ans
1	1000	60 %	$ 35,900	$ 30,000	$ 5,900	$ 5,900	$ 66,94
2	600	65 %	$ 45,540	$ 18,000	$ 27,540	$ 23,948	$ 118,12
3	390	70 %	$ 29,601	$ 11,700	$ 17,901	$ 13,536	$ 129,15
4	273	75 %	$ 20,721	$ 8,190	$ 12,531	$ 8,239	$ 138,35
5	205	78 %	$ 15,541	$ 6,143	$ 9,398	$ 5,373	$ 143,45
6	160	79 %	$ 12,122	$ 4,791	$ 7,330	$ 3,645	$ 145,55
7	126	80 %	$ 9,576	$ 3,785	$ 5,791	$ 2,504	$ 146,81
8	101	80 %	$ 7,661	$ 3,028	$ 4,633	$ 1,742	$ 146,81
9	81	80 %	$ 6,129	$ 2,422	$ 3,706	$ 1,212	$ 146,81
10	65	80 %	$ 4,903	$ 1,938	$ 2,965	$ 843	$ 146,81
11	52	80 %	$ 3,922	$ 1,550	$ 2,372	$ 586	
12	41	80 %	$ 3,138	$ 1,240	$ 1,898	$ 408	
13	33	80 %	$ 2,510	$ 992	$ 1,518	$ 284	
14	26	80 %	$ 2,008	$ 794	$ 1,214	$ 197	
15	21	80 %	$ 1,607	$ 635	$ 972	$ 137	
16	17	80 %	$ 1,285	$ 508	$ 777	$ 96	
17	14	80 %	$ 1,028	$ 406	$ 622	$ 66	
18	11	80 %	$ 823	$ 325	$ 497	$ 46	
19	9	80 %	$ 658	$ 260	$ 398	$ 32	
20	7	80 %	$ 526	$ 208	$ 318	$ 22	

Calculons maintenant la valeur individuelle de chaque client et en les classant en cinq catégories ou quintiles, comme l'a fait la National Australia Bank[2]. Chaque quintile représente 20 % des clients. Un histogramme représentant la distribution des clients pourrait avoir la forme suivante :

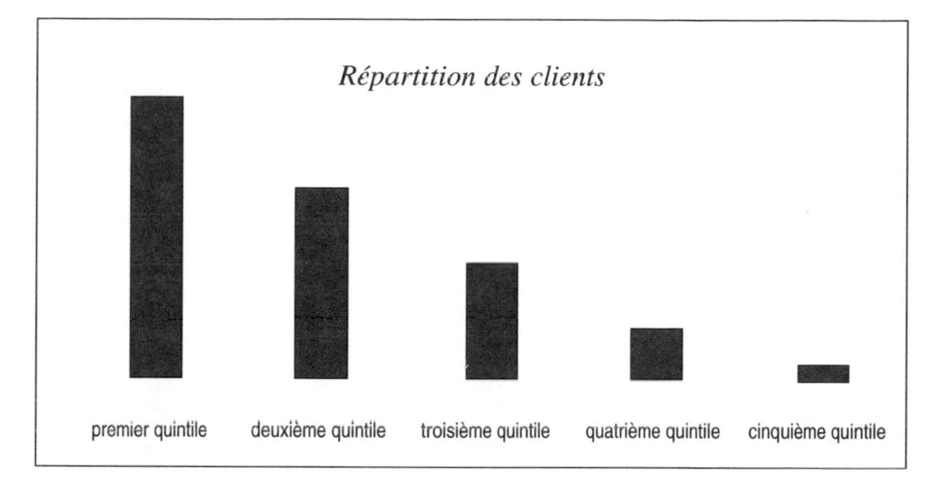

Les histogrammes de distribution des clients, d'une entreprise à l'autre, ne se ressemblent pas et on observe fréquemment que chaque quintile est deux à trois fois plus grand que son voisin. Par exemple, sur l'histogramme ci-dessus, le cœur de cible de l'entreprise se situe clairement dans le premier quintile. *C'est là que se trouve le profit !*

Bien sûr, on peut découper la population des clients non pas en 5 quintiles mais en 4 quartiles, 10 déciles ou même en 100 centiles.

Pour lancer un programme de fidélisation, il est essentiel d'avoir une idée précise de la valeur actualisée des clients. Un tel programme coûte de l'argent, quels que soient les critères sur lesquels il repose. Ne nous faisons pas d'illusions : toute tentative pour améliorer la fidélité des clients ne pourra se faire sans budget spécifique.

La première question à se poser quand l'on souhaite améliorer la fidélité de ses clients est la suivante : quels clients veut-on absolument conserver ? Dans chaque entreprise, une minorité de clients fait la majorité des profits. Ces clients sont le capital le plus précieux de l'entreprise, ceux qu'il faut conserver à tout prix et qui constituent en quelque sorte le fonds de commerce de la société.

2. En réalité, le découpage de la National Australian Bank est de cinq parties de A à E mais ce ne sont pas des quintiles car le nombre de clients par catégories n'est pas identique. La Banque a repéré des « points de rupture » dans le classement et a réparti ses clients en fonction de ces nouvelles catégories. Ensuite, en concentrant ses efforts, sous forme de services et avantages supplémentaires, sur les deux meilleures catégories, la Banque a pu augmenter très sensiblement la rentabilité de ces catégories.

Une autre manière d'exploiter la notion d'espérance mathématique de marge est de réfléchir à l'investissement maximum que la société pourra affecter à ces clients pour les empêcher d'aller acheter ailleurs.
Le classement des clients par ordre d'importance est un facteur clé. Il va déterminer la stratégie de l'entreprise dont l'objectif est d'augmenter son capital-client. L'histogramme de valorisation des clients de certaines entreprises est plus déséquilibré que d'autres ; pour mettre au point la bonne stratégie, chaque entreprise doit obligatoirement savoir comment se présente l'histogramme de ses propres clients.
Une compagnie aérienne ou une société de location de voitures aura très vraisemblablement un histogramme très déséquilibré avec un faible pourcentage de voyageurs contribuant à une grande partie du chiffre d'affaires et des revenus. Les laboratoires pharmaceutiques et les constructeurs informatiques auront aussi un histogramme déséquilibré avec deux ou trois clients clés aussi importants que les 50 autres clients réunis ; de même, un fabricant de jouets vendra 40 % ou plus de sa production à trois chaînes de distribution seulement.

D'autres types d'activité présentent des histogrammes plus équilibrés, comme par exemple les chaînes de *fast food*, les librairies ou les entreprises de gardiennage.

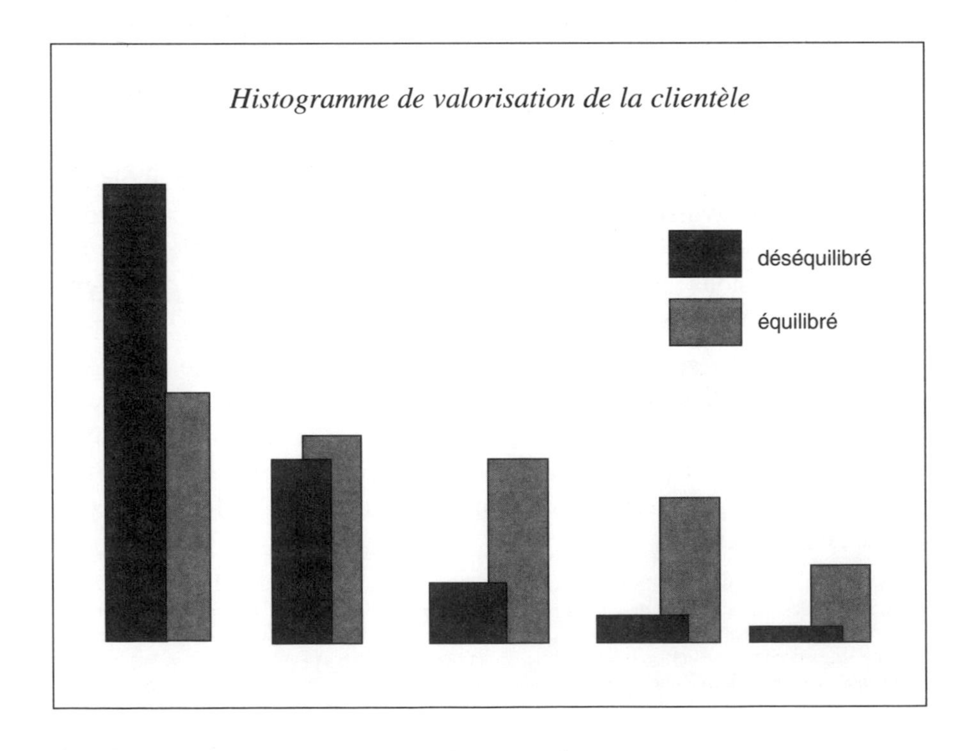

Un histogramme très déséquilibré sera très réceptif aux initiatives marketing ayant pour but de renforcer l'importance des meilleurs clients, par le lancement de programmes de stimulation sur les comptes clés, ou la mise en place de programmes d'encouragement à plus de fidélité.

Une entreprise dont l'histogramme de clientèle est relativement équilibré aura moins de raisons d'allouer ses ressources marketing à des petits ensembles de clients ayant une contribution à la marge analogue aux autres.

L'histogramme « naturel » des clients de chaque entreprise est tracé à partir du calcul de la valeur individuelle de chaque client et ensuite du classement par ordre de valeur décroissante.

Chaque catégorie de clients peut alors donner lieu à des actions sensiblement différentes. Celles-ci vont aussi éventuellement tenir compte de variables supplémentaires telles que les capacités de parrainage, les relations familiales ou de travail. Ou encore, elles seront tentées de mettre en place des stimulations ou des freins face à certains comportements des clients.

Connaître la manière dont on peut agir sur le profil des clients d'une entreprise est important car, nous le verrons plus loin au chapitre 14, plus l'histogramme est déséquilibré et plus l'entreprise pourra rentablement s'engager dans le processus qui la fera passer d'une approche de marché de masse à une approche pilotée par le client.

Il existe cependant un autre moyen de définir les clients : il consiste à étudier leurs besoins *individuels* vis-à-vis de l'entreprise.

Aller à la rencontre des clients

Deux clients d'une même entreprise d'apparence identique, — par exemple deux clients exerçant le même genre d'activité, ou deux clients de même catégorie socioprofessionnelle ou ayant le même historique d'achats —, peuvent acheter des produits ou des services totalement différents. Un produit standard, fabriqué toujours de la même façon, est souvent utilisé ou consommé de manière différente par des clients différents.

Certaines branches d'activité sont caractérisées par des clients qui ont un large éventail de besoins, alors que d'autres ont des clients au goût relativement uniforme. Les sociétés d'habillement, ou de loisirs ou d'équipements complexes faits à l'unité, ont probablement des clients aux caractéristiques très différenciées : il n'y a pas deux individus qui ont exactement les mêmes mensurations ou qui apprécient le même mélange de rock et de Verdi. Par contre, les clients d'un exploitant agricole qui cultive du blé ou du maïs utiliseront ses produits de la même manière. Et il est peu vraisemblable qu'une station service ait des clients qui utilisent l'essence ailleurs que dans le réservoir de leur voiture.

Ce n'est pas parce qu'un produit rend un service particulier que ses utilisateurs ont les mêmes besoins et en font une utilisation identique. Une agence de prêt aux particuliers se place clairement sur le terrain de l'argent, dans un marché largement dominé par la concurrence sur les taux. Sur ce marché, de nombreuses sociétés traitent leurs clients de manière interchangeable. D'autres sociétés de prêt — comme le Farm Credit — savent que deux emprunteurs qui souscrivent le même type de prêt aux mêmes conditions le font probablement pour deux usages totalement différents.
Proposer à ses clients, au moment de la vente, l'offre qui coïncide avec leurs besoins, est une simple question de bon sens si l'on a pris soin auparavant de les différencier par rapport à ces besoins.
C'est aussi l'étape la plus importante à atteindre pour augmenter la fidélité de ses clients et leur rentabilité.

US West Direct édite des annuaires analogues aux Pages Jaunes. Confrontée à une escalade des prix de vente et menacée par des éditeurs concurrents, cette société a récemment entrepris d'ajuster ses efforts de vente vers chacun de ses clients, plutôt que de continuer à appliquer la méthode classique de segmentation par région et par rubrique.

Les services de recherche d'US West ont trouvé pourquoi et comment leurs annonceurs choisissaient d'être présents dans les Pages Jaunes. Plusieurs raisons guident ce choix : un annonceur par exemple souhaitera se développer plus vite que ses concurrents tandis qu'un autre choisira plutôt d'avoir une forte présence sur une niche de son marché. L'annonceur à la recherche d'une croissance importante choisira, pour ses annonces, des emplacements préférentiels très visibles ; il fera paraître plusieurs annonces différentes avec, sur chacune, un numéro de téléphone différent. Ceci afin de mesurer d'une part l'efficacité de chacune de ces annonces et d'autre part la rentabilité des Pages Jaunes par rapport à d'autres médias.
L'amateur de « niches » sera quant à lui plus soucieux de permettre à ses prospects de le trouver facilement, quelle que soit leur catégorie et leur origine. Il pourra utiliser le même numéro de téléphone dans plusieurs annuaires ou sous plusieurs rubriques.

Dans le processus d'identification des différents besoins de ses clients, US West a mis au point un petit nombre de questions que le vendeur pose à son client afin de le ranger dans la bonne catégorie.
Par exemple : comment imaginez-vous votre entreprise dans cinq ans ? Après avoir détecté la catégorie à laquelle appartient son interlocuteur, le vendeur orientera la discussion vers les points clés qui auront le plus de chance de persuader *ce client* d'acheter plus d'espace.

Le vendeur enregistre la catégorie du client dans la base de données de la société de telle manière que toutes les actions marketing ultérieures destinées à ce client soient pilotées par ses besoins particuliers.

US West a toujours eu le désir de proposer à ses clients exactement ce qu'ils souhaitaient, par l'intermédiaire d'annonces très simples comportant un seul numéro de téléphone ou des hot-lines pour chaque produit. La brochure d'US West «Les six étapes du processus de vente» est devenue un véritable classique en la matière. Elle énumère tous les bénéfices-client potentiels et montre comment chacun de ces bénéfices s'applique à une activité particulière. Ainsi chaque client est convaincu par un argumentaire spécifique d'avoir choisi, parmi toutes les options possibles, celle qui lui sera la plus profitable.
La campagne de publicité des Pages Jaunes peut être aisément adaptée aux stratégies des annonceurs. Même dans le cas d'un produit apparemment peu approprié — un produit à usage simple et unique par exemple — on s'aperçoit qu'il peut être acheté par des clients qui ont des besoins radicalement différents.

En percevant précisément les utilisations particulières qui se trouvent derrière un achat, l'entreprise peut vendre des produits ou services additionnels à un même client, créant ainsi une relation plus longue et plus rentable.

Prenons par exemple le cas de Ioméga — ou tout autre fabricant de systèmes périphériques, bandes et disques magnétiques. La meilleure vente d'Ioméga aujourd'hui est le Zip Drive, un disque d'archivage de 100 megabytes, et le Jaz, un système analogue avec une mémoire d'un gigabyte. Ioméga fabrique et vend des lecteurs de disques ainsi que des consommables sous forme de bandes et disques magnétiques lus par ces lecteurs.

Chacun de ces produits se connecte facilement à un PC et n'a, en apparence, qu'une seule fonction : mémoriser des données et les conserver. Comment Ioméga a-t-elle pu analyser les besoins particuliers de ses clients vis-à-vis de cet ensemble uniforme de produits ?
L'analyse des ventes (elles sont mémorisées à partir des achats des consommateurs finaux) montre que certains clients achètent des lecteurs, d'autres des consommables et d'autres encore des lecteurs *et* des consommables. Si l'analyse montre qu'un client est un acheteur fréquent de consommables, on en déduira qu'il stocke des quantités importantes de données off-line. Mais en creusant un peu, on s'aperçoit qu'il achète les produits d'Ioméga pour au moins quatre raisons déterminantes :

1. la fiabilité

Un client souhaitera sauvegarder ses données chaque semaine ou chaque nuit en prévision d'une panne ou d'un incident dans son système informatique.

2. la sécurité ou confidentialité

Un autre client souhaitera sauvegarder ses données périodiquement pour les sortir du système informatique et protéger ainsi des secrets commerciaux ou des données confidentielles.

3. la mobilité

Un client disposera de plusieurs PC à son bureau, chez lui ou dans un bureau différent. Plutôt que de transférer sur une ligne téléphonique spécialisée de grandes quantités de données, il préférera les transporter sous forme d'un Zip ou d'un Jaz.

4. la taille mémoire

Un autre client utilise un vieux PC équipé d'un lecteur de disque à capacité réduite. Pour disposer d'une mémoire plus grande avant d'acquérir un nouvel ordinateur, il dopera son PC avec un produit Ioméga.

Si Ioméga connaît la raison de chaque achat, client par client, la société pourra adapter son discours de vente. Le cas échéant, Ioméga pourra concevoir des produits ou des services spécifiques.

Par exemple, si un client achète un lecteur de disque Jaz chez Ioméga pour des raisons de sécurité, pourquoi ne pas inclure dans le logiciel du lecteur un écran de veille avec rappel périodique ? Ainsi, toutes les vingt-quatre heures par exemple, le programme affichera sur l'écran de l'ordinateur un message indiquant qu'il est temps de procéder à la sauvegarde des données. Pour un client qui a acheté le même produit pour transférer des données d'un PC à un autre PC, Ioméga pourra créer un disque de comparaison automatique qui évitera la duplication manuelle et indiquera si le disque est « entrant » ou « sortant ».

Une société déjà organisée pour s'adapter à chaque segment de son marché, pourra affiner sa démarche en analysant sa cible par type d'activité ou par profil démographique, avant d'aborder l'approche client par client. C'est ce que nous allons voir avec le cas Lego.
Le groupe Lego a mis en place un système marketing lui assurant que ses différents produits sont positionnés, promotionnés et vendus correctement sur les différents marchés pour lesquels ils ont été conçus. Un directeur est responsable des enfants de 5 à 8 ans, un autre est responsable des enfants un peu plus âgés, encore un autre est responsable des mères des jeunes enfants, etc. Ces marchés correspondent grosso modo aux différents types de jouets que le groupe Lego produit, bien que chaque ligne de produits dépende d'un mana-

ger produit différent des directeurs de marché. En découpant son marché par tranche d'âge, le groupe Lego a amélioré l'efficacité de sa publicité.

Le groupe Lego pourrait répertorier plus efficacement ses clients en les classant par besoins. Par exemple, un jeune garçon de sept ans pourra jouer avec ses Lego de trois manières différentes :

1. jeu de rôle

Il pourra jouer à être le capitaine du vaisseau spatial qu'il a construit avec ses petites briques.

2. construction

Il s'amusera à utiliser les plans qui accompagnent chaque boîte et réfléchir à la manière d'assembler les différentes briques à sa disposition.

3. créativité

Il utilisera simplement les briques pour créer des objets qui l'intéressent, en se laissant guider par son imagination, sans suivre les plans.

Si le groupe Lego sait qu'un enfant de sept ans est plutôt un « constructeur », il pourra lui proposer plus de plans et même lui vendre séparément un catalogue de plans. Un amateur de jeux de rôles pourra trouver un intérêt supplémentaire dans des cassettes vidéos ou des livres d'aventures qui accompagneront les boîtes de Lego qu'il possède déjà. Tous ces besoins pourront être croisés avec les centres d'intérêts de chaque enfant : châteaux médiévaux, pirates, équipes de sauvetage, ou encore spationautes.

N'importe quel responsable de marketing peut plaquer un découpage socioprofessionnel sur un fichier de clients ou de prospects. Mais la connaissance des besoins et des préférences individuels ne viendra que d'un dialogue avec chaque client.

De nombreuses barrières empêchent les groupes Lego ou Ioméga de satisfaire les besoins individuels de leurs clients. Les plus nombreuses proviennent de leur propre système de diffusion qui est conçu pour acheminer des produits à travers des circuits de distribution, et non pour s'adresser à chaque client isolément.

Comment dialoguer pour comprendre les besoins de vos clients

Ni Ioméga, ni le Groupe Lego n'ont une force de vente directe, alors qu'US West dispose de vendeurs et que Farm Crédit a une branche de prêts

aux particuliers. Beaucoup de sociétés ne vendent pas leurs produits au consommateur final mais à des intermédiaires dans la chaîne de distribution. Elles n'ont pas de circuit naturel pour entamer le dialogue avec l'utilisateur final, en dehors de leur service client qui est appelé directement par une petite minorité de clients.
Par des études marketing classiques, la plupart des sociétés découvrent les caractéristiques sociodémographiques que leurs produits ont le plus de chances de satisfaire.
Mais cela ne suffit pas pour faire des messages, des produits ou un système de livraison sur mesure.
Si une société a pour objectif de devenir une entreprise One to One, et si elle pense que la mise en place d'une relation d'apprentissage individuel pourra enfermer ses clients dans un système de fidélisation rentable capable d'augmenter l'espérance mathématique de marge à long terme, alors il lui faudra créer un système de remontée d'information avec l'utilisateur final.

Savoir, par exemple, comment un petit garçon de sept ans du Nebraska utilise ses Lego peut sembler un challenge difficile à une société dont le siège se situe dans une toute petite ville du Danemark.

En effet, entre Lego et l'utilisateur final, il y a d'abord une filiale locale, puis tout un réseau de grossistes et enfin des chaînes de distribution.

Cependant, un enfant de sept ans est capable aujourd'hui de surfer sur le réseau Internet. Si Lego invitait tout simplement ses clients à dialoguer en imprimant son adresse Web sur ses emballages et d'une manière générale sur tout le matériel imprimé, la société apprendrait beaucoup sur chacun de ses clients.

Les managers de Lego ont déjà dénombré plus d'une trentaine de sites Lego sur le Net, animés par les fans eux-mêmes. Cet enthousiasme pourrait être canalisé par Lego sur un site animé par ses soins et qui ne ferait pas concurrence aux sites existants. Sur ce site, on trouverait des histoires à suivre. On pourrait même télécharger des plans de montage complexes de différentes boîtes de jeux. On pourrait proposer de commander des pièces très spécialisées ou confectionner des boîtes sur mesure adaptées aux projets des clients. Un contrôle des stocks en temps réel rendrait le service fiable.
Au fur et à mesure que les PC pénètrent dans les foyers et que les outils interactifs se multiplient et s'améliorent, Lego pourrait avoir de plus en plus de relations avec ses clients les plus enthousiastes et les plus rentables.
À première vue, pour Ioméga, la difficulté de nouer un dialogue significatif avec ses clients est plus grande, car ils n'ont pas a priori de raisons de se bran-

cher sur le réseau pour y trouver des histoires à suivre ou des idées. Mais n'oublions pas qu'Ioméga exerce son activité sur un terrain très technologique et on peut supposer que la plupart de ses clients sont déjà équipés de modems.

À chaque appel d'un client au service consommateur, un vendeur pourrait poser une ou deux questions sur la manière dont il utilise le produit et classer ce client dans une catégorie caractérisée par le besoin. Pour mettre ce processus en place, la société fera quelques études préalables pour définir les différentes catégories et mettre au point les scénarios téléphoniques qu'utiliseront les vendeurs. Ensuite, la création d'une base de données permettra de stocker l'information de telle manière que, lorsque le client rappellera, la personne qui répondra au téléphone connaîtra en temps réel toutes les transactions que le client a passées avec la société.

Pour de nombreux clients d'Ioméga, le moyen le plus évident pour obtenir ce type d'information est de joindre un questionnaire au bon de garantie. Il est important d'apprendre via ce bon de garantie comment et où le client a entendu parler pour la première fois du produit, où a eu lieu l'achat et enfin quels sont ses projets d'utilisation.

Le questionnaire à l'utilisateur final pourra révéler les *vraies* raisons d'utilisation du produit par l'utilisateur final.

Mais comme pour la plupart des sociétés, Iomega ne recevra, au mieux, que 20% des cartes de garanties émises. En conséquence, il faut prendre des mesures pour encourager le maximum d'utilisateurs à remplir et retourner leur carte. Pour augmenter les retours, il suffit de mettre en place un questionnaire électronique renvoyé par modem ou joindre une enveloppe préaffranchie.
La manière la plus évidente pour obtenir le renvoi maximum de questionnaires est de supprimer les freins qui empêchent les clients de faire ce simple geste. Comme nous le verrons dans le chapitre 12, la suppression des freins entre une entreprise et ses clients est une façon simple et directe d'augmenter le niveau d'affaires réalisées avec ces mêmes clients.

Il y a des règles de base à appliquer pour faire réagir les clients.

Une société comme Ioméga devra respecter plusieurs principes pour augmenter le taux de réponse pour ses bons de garantie :

- placer le bon de garantie à l'extérieur de l'emballage de sorte que ce soit la première chose que verra le client en ouvrant son paquet.
- préimprimer le type de modèle et le numéro de série sur le bon de garantie de sorte que le client n'ait pas à les chercher.

- garantir au client que le retour du questionnaire n'entraînera pas de fâcheuses sollicitations par mailing; prévoir une case à cocher si le client ne souhaite pas recevoir des communications d'autres entreprises.

et...

- offrir au client la plus grande variété possible de moyens pour répondre (courrier, e-mail, fax, téléphone avec numéro vert, etc.)

On pourra générer également des retours plus nombreux des bons de garantie en proposant à l'utilisateur final, des services supplémentaires liés à son mode d'utilisation personnel. Le fond d'écran aide-mémoire encourageant l'utilisateur à sauvegarder ses données pourra par exemple, s'il est offert en prime de bienvenue, doubler les rendements à condition que l'envoi de ce cadeau soit lié avec la rapidité que le client mettra à renvoyer le bon de garantie.

Après avoir encouragé le retour de la carte de garantie, il peut s'avérer nécessaire de mettre en place une stimulation pour augmenter les taux de retour; ce peut être une réduction sur un achat ultérieur de mémoire supplémentaire, l'abonnement gratuit à un magazine ou un cadeau.

Quand on veut sérieusement la mettre en œuvre, la collecte de l'information représente une véritable technique: il ne s'agit pas de faire des études sommaires mais bien de mieux comprendre les besoins individuels de chaque client. Chaque communication, chaque réponse est un vecteur idéal pour l'entreprise 1:1 qui veut connaître ce que désire chacun de ses clients.

Quand une entreprise n'est pas en prise directe avec ses clients finaux, chaque interaction est une occasion très précieuse d'en savoir plus.

L'identité des acheteurs de voitures neuves est connue des constructeurs à cause des systèmes d'options et de garantie. Mais peu de constructeurs tirent parti de ces informations sur toute la période de vie du véhicule. Les concessionnaires n'aiment pas particulièrement que « leurs » clients soient en relation directe avec le constructeur. Après quelques années, le premier conducteur du véhicule vend sa voiture à un autre automobiliste et on perd la trace de l'information. Dans ces conditions, le moyen le plus simple pour les constructeurs d'obtenir la liste des personnes qui conduisent les voitures de leur marque, est de s'adresser à des loueurs d'adresses[3] qui disposent de l'information après avoir acheté les adresses auprès des préfectures.

3. En France, le fichier des cartes grises est accessible aux seuls constructeurs automobiles. (NDT)

Pour établir et maintenir le contact direct avec les automobilistes utilisant une voiture de sa marque — même achetée d'occasion — , un constructeur a lancé un programme de fidélisation comprenant une assistance-dépannage, une news-letter avec des informations touristiques, des trucs et astuces de conduite, et bien d'autres sujets.

Pour encourager les automobilistes à adhérer à ce programme, le constructeur est arrivé à la conclusion qu'il fallait offrir une prime sous forme d'un cadeau d'une valeur de 10 dollars. Inscrivez-vous dans ce programme, envoyez-nous vos coordonnées et quelques informations sur votre famille et vous recevrez... Quoi ? La première idée était d'offrir gratuitement des gants de course. Mais personne ne trouvait cette idée suffisamment attrayante. Alors, le constructeur proposa d'autres cadeaux au choix comme, par exemple, des réductions sur les vidanges ou un para pluie pliant.

Finalement, le constructeur prit la décision, pleine de bon sens, qu'il valait mieux laisser choisir le client parmi une petite sélection. Cette sélection était toutefois suffisamment éclectique et différenciée pour que le choix du client donne des informations sur ses besoins futurs. Parmi ces cadeaux, il y avait : des gants de course, un parapluie pliant, un atlas routier, ou un ensemble de trois cassettes vidéos pour les enfants.

Il importe peu de savoir ce que vend l'entreprise, voitures ou lavages de voitures, prêts bancaires ou lecteurs de disques d'archivage.

En définitive, ses clients :

- achètent pour satisfaire différents besoins
- sont susceptibles de faire remonter de l'information les concernant, à l'entreprise.

Tout cela n'est pas nouveau, mais les progrès de la technologie rendent possible la détection de subtiles différences entre les clients et permettent désormais d'en tirer parti avec un rapport coût-efficacité intéressant.

En mémorisant les informations sur chacun de ses clients et en les traitant de manière spécifique, l'entreprise 1:1 va changer la nature de la compétition vis-à-vis de ses concurrents : elle augmentera à la fois la fidélité de ses clients et ses marges.

Dans les chapitres qui vont suivre, nous examinerons plus en détail les différences entre les clients d'une firme et nous proposerons tout un éventail de stratégies à associer aux différents types et qualités des clients, à l'ère de l'interactivité.

Nous présenterons de multiples exemples de sociétés qui ont choisi de capitaliser sur les différences qu'elles ont identifiées parmi leurs clients. Certaines d'entre elles ont réussi et d'autres ont échoué.

Au chapitre 6, nous montrerons comment créer des relations profondes avec des clients, non seulement en dialoguant avec eux mais aussi en les traitant différemment, individu par individu.

CHAPITRE 3

COMMENT UTILISER VOTRE BASE DE DONNÉES CLIENT POUR ÉLABORER VOTRE STRATÉGIE 1:1

Arrêtons-nous quelques instants sur les différences qui existent entre les clients d'une compagnie aérienne et ceux d'une librairie.
Les clients d'une compagnie aérienne se caractérisent par un histogramme à répartition très déséquilibrée ; une petite proportion de clients à forte valeur dégage la grande majorité du profit de la compagnie.
Mais une fois que le passager est à bord de l'avion, il y a peu de différences pour ce qui concerne le service fourni. Ce que demande un passager ressemble fortement à ce que demande un autre passager, comme par exemple de pouvoir tout simplement se rendre en toute sécurité et confortablement d'un point A à un point B.

Les clients d'une librairie, par contre, ont des valeurs qui se ressemblent plus que ceux d'une compagnie aérienne, même s'il est clair qu'il y aura toujours des clients qui achèteront plus de livres que d'autres. Chaque personne qui se rend dans une librairie choisira un livre différent parmi un choix théorique de plus d'une centaine de milliers de titres.

Il y a deux types de bases de données clients : celles dont les informations concernant les clients présentent une grande disparité de valeurs (c'est le cas des compagnies aériennes) ou celles qui présentent une grande disparité de besoins (comme pour les librairies). Naturellement, une clientèle peut aussi se différencier fortement sur ces deux points à la fois, ou alors sur aucun de ces points.
La nature de la différenciation des clients d'une entreprise va orienter la stratégie marketing qu'il convient de suivre et c'est cela que nous allons aborder dans ce chapitre. Selon cette différenciation, votre stratégie « naturelle » d'attaque du marché pourra vous orienter vers un marketing de masse, de niche, de ciblage ou de grands comptes clients, ou vers tout autre chose.

Dans les pages qui suivent, nous allons présenter une méthode pour analyser votre clientèle, puis nous étudierons une méthode analogue pour repérer dans l'entreprise les capacités requises qui puissent initialiser la stratégie appropriée.

En rapprochant les capacités de votre entreprise avec le type de fichier clients que vous possédez, vous pouvez mettre au point une nouvelle stratégie. Ainsi, vous amènerez votre entreprise à se comporter de plus en plus comme une entreprise 1:1. Quoi qu'il en soit, cette stratégie passe inéluctablement par une amélioration des capacités de l'entreprise.

Ce chapitre introduit un certain nombre de nouveaux concepts. Cela pourra paraître difficile à absorber d'un seul coup : afin de le rendre plus compréhensible, nous avons introduit des schémas qui, nous l'espérons, vous seront utiles. Nous avons aussi illustré le plus souvent possible nos propos de cas concrets. Arrivé à la fin du chapitre, il est très probable que vous dessinerez vous-mêmes vos propres graphiques.

Mieux vaut, dans un premier temps, différencier vos clients selon leurs besoins. *A fortiori* s'ils présentent une grande variété de goûts et de préférences, comme c'est le cas pour un libraire, un confectionneur, ou une entreprise de produits culturels. Naturellement, plus vos clients se distinguent les uns des autres en terme de goûts et d'attentes, plus il sera vital de leur offrir une grande variété de produits, pouvant aller jusqu'au sur-mesure. Il faudra tendre, au niveau individuel, à traiter différemment les différents clients. D'un autre côté, bien que les clients de l'industrie aérienne soient très différents en terme de valeur pour l'entreprise, ces clients ont semble-t-il les mêmes besoins et les mêmes préférences. La personnalisation des produits devient alors moins pertinente et une stratégie plus appropriée consisterait à s'assurer de la fidélité de ces clients précieux, quitte à « acheter » cette fidélité, et à les récompenser pour leur confiance renouvelée.

Dans la « matrice de différenciation des clients » ci-dessous, nous avons divisé l'éventail des opportunités d'accroissement de chiffre d'affaire en quatre quadrants, selon la diversité des clients de l'entreprise, sur les plans des besoins et de la valeur :

Matrice de différenciation des clients

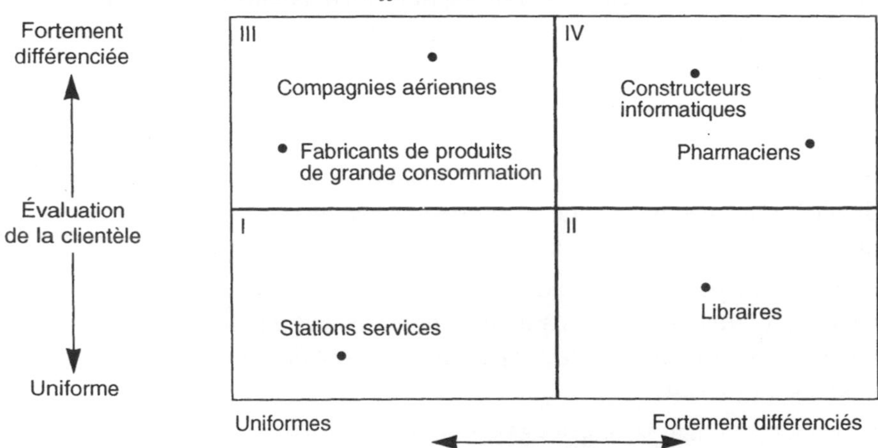

Un véritable marketing 1:1 est plus facile et plus rentable à implanter dans une entreprise située dans le quadrant IV, en haut à droite de la matrice, où l'on trouvera des clients nettement différenciés, à la fois en besoins et en valeur.

Par exemple, on retrouve dans ce quadrant IV, les constructeurs informatiques qui vendent en direct aux particuliers et aux entreprises. C'est le cas de Dell qui propose toutes les variantes possibles pour configurer un ordinateur selon les besoins. Dell offre plus de 10 000 permutations différentes et combinaisons possibles pour ses systèmes et recommande l'une ou l'autre en tirant parti de ce que son télévendeur aura appris durant la discussion qu'il ou elle a eu avec le client. Par ailleurs, les clients de Dell varient beaucoup en importance, depuis le particulier qui achète en une seule fois pour 1000 $ jusqu'à la société qui traite régulièrement pour des montants de plus de 500 000 $.

Si votre clientèle se situe dans le quadrant IV, il sera relativement facile de mettre en place une série de programmes qui pourront satisfaire des clients aux goûts et préférences variés, tout en allouant le maximum de ressources marketing à ceux qui dégagent la meilleure espérance de retour sur investissement.

On retrouve dans le quadrant IV des firmes telles que les meilleures chaînes d'hôtels, une grande partie des professions juridiques et de services, la plupart des fabricants d'équipement pour l'industrie lourde et toutes les entreprises dont l'activité repose sur des passe-temps — le jardinage, la cuisine —, les pharmacies, les éditeurs et une foule de sociétés nouvellement créées sur le marché de l'information interactive et du divertissement.

La plupart des entreprises, cependant, ne se situent pas dans ce quadrant et pour chacune d'entre elles, la tâche qui consiste à se transformer en entreprise 1:1 peut représenter un véritable défi.
Il existe dans chaque quadrant certaines stratégies « naturelles », et nous allons vous montrer comment faire évoluer votre entreprise vers le quadrant IV, grâce à des relations 1:1 avec chaque client pris individuellement. C'est là où vous bénéficierez de clients plus fidèles et de marges unitaires plus élevées.

Le quadrant III, en haut à gauche de la matrice, se caractérise par des services et des produits de première nécessité et des clients de valeurs différentes. En conséquence, même si ces clients ont des besoins relativement uniformes, ils vont avoir un degré d'attachement très différent à l'entreprise. Vous trouverez dans ce quadrant III des sociétés telles que les compagnies aériennes, les laveurs de voitures, les fabricants de produits de consommation courante et toutes les autres entreprises qui vendent principalement à des grossistes ou à des intermédiaires.

Les compagnies aériennes se situent dans le quadrant III parce que, même si une minorité de clients forme le gros du trafic aérien, tous les passagers bénéficient globalement du même type de prestations. Les plans de vol et les horaires sont différents, bien entendu, mais les prix, quant à eux, s'ajustent instantanément entre tous les concurrents.
À l'intérieur de chaque catégorie de transporteurs, le service est globalement le même. Même le plus averti des passagers aurait beaucoup de difficultés à dire, les yeux bandés, quel service est attribuable à United, Delta ou American Airlines.

La situation est la même pour les fabricants de produits de consommation courante, et pour toutes les entreprises qui vendent par l'intermédiaire de distributeurs ou de grossistes à de grandes chaînes de magasins. Chacune des entreprises clientes demande globalement la même gamme basique de produits ou services à ses fournisseurs, parce qu'à leur tour, les magasins qu'elle approvisionne doivent pouvoir offrir à leurs clients un choix de produits constant.

Par ailleurs, certains distributeurs ou détaillants représentent une part plus importante de volume d'affaires que les autres, et sont par conséquent de plus précieux clients pour le fournisseur.

Pour une entreprise située dans le quadrant III, la stratégie la plus sûre est d'accroître la fidélité de ses plus fidèles clients, ceux qui représentent le plus fort volume d'affaires. Pour les compagnies aériennes, la stratégie se traduit par la mise en place de programmes de fidélisation, tandis qu'un fabricant de produits de consommation courante pourra privilégier une structure de vente par « grands-comptes ».

Il y a deux choses à faire si votre activité est de cette nature : d'abord, puisque vos clients n'ont pas tous la même valeur, assurez-vous déjà que vous pouvez les différencier par valeur, chacun individuellement.
Si vous n'enregistrez pas, dès à présent, les transactions avec vos clients, vous devez immédiatement vous mettre en situation de le faire. Sans attendre que votre concurrent vous devance, car il lui sera facile alors d'attirer vos clients, en commençant par les meilleurs.

Concentrez-vous sur la fidélité de vos meilleurs clients. Vous pouvez acheter la fidélité de vos clients les plus précieux, comme le font aujourd'hui les compagnies aériennes avec leurs programmes « *frequent flyer* ». Elles savent que sans l'apport de ces quelques passagers à forte valeur, c'est toute leur activité qui serait menacée.

Si vous vendez par l'intermédiaire d'une force de vente, vous pouvez allouer plus de ressources à vos grands-comptes, ces clients à forte valeur sans lesquels vous n'existeriez pas.

En second lieu, une entreprise du quadrant III doit aussi offrir de nouveaux services, des avantages complémentaires et des bénéfices-produits additionnels et personnalisés, dans le but de déplacer, petit à petit, son activité vers la droite, dans le quadrant IV. En offrant des produits et des services additionnels, vous pouvez révéler chez vos clients une plus grande diversité de besoins complémentaires.

Nous reparlerons en détail dans le Chapitre 8 de la manière de consolider la clientèle en ajoutant des services et des produits annexes pour accroître les besoins du client. Prenons quelques exemples dès à présent.
Un fabricant de produits de grande consommation, par exemple, pourrait emballer ou conditionner ses produits sur palettes sous une forme spécifique selon les différentes chaînes de magasins et distributeurs. Il pourrait aussi se connecter en réseau sur le système de gestion du stock de son client et le mettre à jour automatiquement.
Une compagnie aérienne, de son côté, pourrait tout simplement noter et se souvenir de votre boisson favorite en vol. En particulier si vous voyagez en première classe, le steward devrait être capable de vous demander, sitôt assis, si vous désirez votre rafraîchissement « habituel ».

Dans le quadrant II, en bas à droite de la matrice de différenciation des clients, nous trouvons des activités qui se caractérisent par des clients aux besoins nettement différenciés mais de valeur identique.
Dans ce cas, la diversité des goûts et des préférences des clients constitue une réelle opportunité pour entretenir une relation 1:1, mais l'absence de différence importante dans la valorisation des clients peut rendre difficile le choix des priorités pour l'entreprise.

Le quadrant II inclura des sociétés qui vendent des vêtements et des articles de mode aux clients, que ce soit dans leurs propres boutiques ou en vente directe ; il inclura également les libraires, les disquaires et les chaînes de distribution de produits culturels ou d'information. Les concessionnaires automobiles et beaucoup de sociétés prestataires de services en direction des particuliers ou des entreprises, comme les conseillers fiscaux, les fleuristes ou les sociétés de gardiennage.

La stratégie naturelle pour les entreprises situées dans le quadrant II consiste à créer des produits et des services différents selon les besoins des clients. Le concurrent d'un marché de masse se tournera vers un marketing de niche, segmenté, auquel il proposera des produits et des services plus variés.

Un marketing segmenté s'efforce de différencier les produits par type de clientèle si l'entreprise a peu ou pas de moyen pour communiquer individuellement avec les clients, ou si un mailing (qui demeure le média le plus personnel) s'avère tout simplement trop coûteux pour le type de produits ou de services vendus.
Pour être efficace, l'entreprise qui pratique un marketing de niche doit disposer de médias adéquats, c'est-à-dire des supports publicitaires qui soient spécialement conçus pour atteindre les différents segments-cible.

La puissance de l'informatique a permis aux entreprises d'analyser leurs clientèles avec toujours plus de précision, ce qui a rendu possible, en conséquence, d'offrir aux clients un choix toujours plus large de produits. Des segments différents d'un marché n'ont pas la même valeur aux yeux d'un professionnel du marketing de niche ; mais les consommateurs à l'intérieur d'un même segment, auront eux la même valeur.
La différence par rapport à un marketing de masse, c'est que les masses sont plus petites.

Un exemple de tactique de différenciation des besoins est donné par Smithbooks, un réseau de libraires au Canada, qui a lancé le « Avid Reader Club ». Ce programme, analogue au programme « Preferred Reader » de la grande chaîne de librairies Waldenbooks aux États-Unis, compte plus de 120 000 membres. Lorsqu'un client adhère au Club, des informations socioculturelles lui sont demandées telles que son âge, son revenu, combien il a d'enfants, ses centres d'intérêt. De plus, chaque achat fait par un membre du Club est enregistré. Souvent comparé aux programmes de fidélisation des compagnies aériennes, le programme *Avid Reader Club* est cependant différent en ce sens qu'il n'est pas conçu pour distinguer les clients par leur valeur (ce qui est le principal objectif des compagnies aériennes) mais par leurs besoins.

Bien que ce programme récompense fortement les plus gros acheteurs pour leur fidélité, ce serait une erreur de le cantonner à cela pour mesurer son succès. En réalité, en accordant une réduction de prix pour inciter les clients à utiliser leur carte de membre lors de leurs achats, la chaîne est capable de mémoriser les préférences des clients par sujet et par auteur. Ainsi, un membre d'*Avid Reader* qui achèterait un guide de l'impôt sur le revenu pourra par la suite recevoir un encart promotionnel sur des ouvrages de gestion du patrimoine. Ou dès lors qu'un nouveau livre sur le golf est publié, Smithbooks pourra aller chercher dans sa base de données les prospects intéressés et expédier une offre commerciale ad hoc à tous ceux qui ont acheté précédemment un ouvrage sur le golf.

Pour se déplacer du quadrant II vers le quadrant IV, l'entreprise 1:1 doit créer un pont entre les préférences individuelles de chaque client et la façon dont l'entreprise les satisfait. En d'autres termes, l'entreprise doit être capable

- d'avoir en mémoire les besoins individuels de chaque client
- de dialoguer avec chaque client en respectant un bon rapport qualité/prix.

La principale difficulté rencontrée avec tous les programmes de fidélisation actuels, tout spécialement lorsqu'ils s'appliquent à des produits et des services d'un montant d'achat relativement faible comme les livres (contrairement aux billets d'avions ou aux ordinateurs), vient du fait que dialoguer avec ses clients par mailing est simplement trop cher pour être rentable.
Il est important de noter ici que la matrice de différenciation des clients définit une stratégie naturelle pour une entreprise, non pas en fonction des produits qu'elle vend mais en fonction de la nature des clients qu'elle doit satisfaire. L'exemple des livres le montre bien : alors même que les chaînes de librairies se situent clairement dans le quadrant II, puisque chaque personne entrant dans une librairie recherche un livre différent, les éditeurs, quant à eux, se situent dans le quadrant III.

Les éditeurs et les libraires vendent le même produit physique, mais ils s'adressent à des clientèles différentes. Les éditeurs ne vendent pas directement aux lecteurs, mais aux libraires, et pratiquement toutes les librairies veulent proposer la même sélection de livres à leurs clients. D'un autre côté, rares sont les clients qui achèteront dans l'année des centaines de livres, alors que les grandes chaînes de libraires pourront multiplier par cent le volume d'affaires fait avec tel éditeur plutôt qu'avec un autre. En d'autres termes, alors que les clients d'une librairie ont des valeurs similaires mais des besoins très différenciés, les clients de l'éditeur ont des valeurs très différenciées, mais leurs besoins sont très proches.

Matrice de différenciation de la clientèle

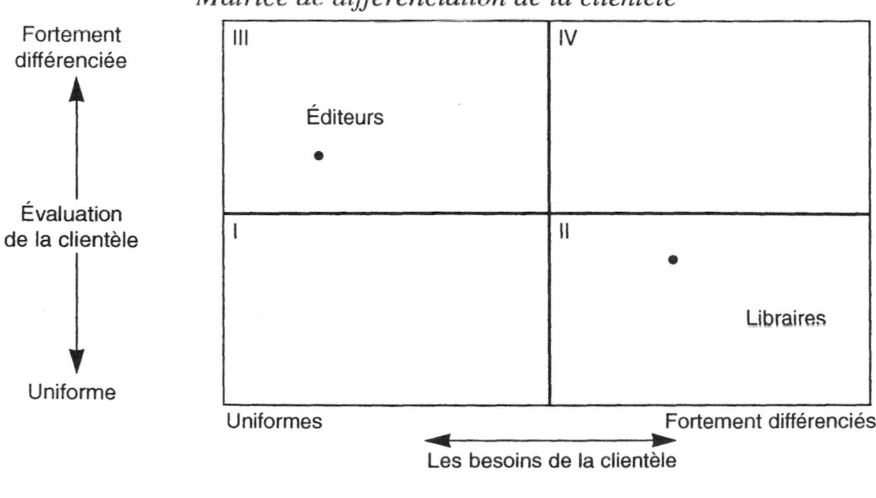

Si les clients sont uniformes à la fois en terme de besoins et de valeurs, la stratégie naturelle serait de les traiter de façon uniforme et de continuer l'approche traditionnelle d'un marketing de masse.
C'est peut-être le cas, si votre activité se situe dans le quadrant I.

Pour se déplacer vers le quadrant II, ces entreprises doivent chercher à «étendre la palette des besoins de leur clientèle» en ajoutant au produit des services supplémentaires et des avantages.
Ces services seront plus personnalisés que le produit standard de base.

Par exemple, les clients d'un grossiste céréalier apprécieront d'être facturés à des périodes différentes ; ils pourront également souhaiter que l'on mémorise leurs caractéristiques et conditions de vente particulières.
Il y a un autre moyen de s'élever dans la matrice vers le quadrant III : exploiter les technologies interactives d'une manière plus efficace afin de pouvoir identifier et communiquer avec chaque client individuellement.

L'entreprise doit aussi être capable de rechercher le moyen d'analyser la valeur de ses clients d'une façon plus exacte.
Elle pourra ainsi regrouper ses clients dans de grands ensembles afin de créer une palette de valeurs plus diversifiée.
Une station-service, par exemple, pourra repérer les plaques d'immatriculation de ses différents clients pour mieux mesurer leur valeur en fonction de leur fréquence de visite. Si l'un des clients appartient à un foyer où il y a deux voitures, on pourra l'inciter à acheter de l'essence pour chacune des deux voitures.

Le graphique suivant indique les stratégies naturelles de chaque quadrant, accompagnées des stratégies «migratoires» nécessaires pour se transformer en entreprise 1:1.

Stratégie naturelle et stratégie de migration

DEVENIR UNE ENTREPRISE 1:1

Il est possible de positionner une entreprise sur la matrice de différenciation en analysant simplement la diversité de sa clientèle. En fonction de sa position, la société va tendre naturellement vers certaines stratégies de mutation.

En expliquant comment la matrice fonctionne selon les différents types d'activité, nous pouvons aussi prescrire un ensemble de stratégies migratoires pour la firme. Ces stratégies sont conçues pour aider l'entreprise à se rapprocher du modèle économique de l'entreprise 1:1.

La mise en place de l'une ou l'autre de ces stratégies va nécessiter un ajustement dans les différentes combinaisons des 5 fonctions que nous avons abordées au chapitre 1 : gestion de la base de données clientèle, production et logistique, distribution, communication et dialogue avec la clientèle, organisation et planification.

Afin de repérer concrètement ces fonctions dans la matrice de l'entreprise, nous allons les synthétiser en deux fonctions basiques, chacune étant essentielle pour se déplacer verticalement ou horizontalement dans la matrice.
Gérer la base de données est, avant tout, une fonction de «navigation» pour l'entreprise 1:1. Si nous connaissons la valeur de nos clients et ce qu'ils attendent de nous, nous pouvons positionner notre entreprise sur la matrice et définir une stratégie.

Pour connaître les désirs de nos clients, nous devons être en mesure de les différencier individuellement et de dialoguer avec eux. Aussi, notre capacité à gérer la base de données clients (contrairement à celle nécessaire pour gérer des produits et des circuits de distribution, par exemple) est liée au fait que nous puissions nous adresser et dialoguer individuellement avec eux d'une manière rentable.

Gérer la base de données et communiquer avec nos clients sont deux choses étroitement liées.
Nous appellerons cette capacité générale la «souplesse des communications». Pour se déplacer vers le haut sur la matrice de différenciation, une entreprise doit être en mesure d'accroître la souplesse de ses communications. Celle-ci est élevée lorsque l'entreprise peut dialoguer de façon rentable avec ses clients pris individuellement. Un manque de souplesse dans les communications oblige l'entreprise à adresser un message à sens unique, identique pour tout le monde.

La seconde fonction de l'entreprise «Production, logistique et livraison», détermine la manière dont l'entreprise se comporte avec ses clients.

Plus les clients sont différents dans leurs attentes vis-à-vis de nous, plus il est important que notre attitude soit souple envers eux. Nous devons livrer des produits et des services différents à des clients différents, jusqu'à personnaliser un produit pour un client, si nous le pouvons.

La gestion des circuits de vente et de distribution est nécessaire pour faciliter les fonctions de production et de livraison, tandis que l'organisation et la planification facilitent le tout.

Nous appellerons « souplesse de la production et de la logistique » cette deuxième fonction de l'entreprise.
Pour se déplacer vers la droite dans la matrice de différenciation des clients, une entreprise doit être capable d'assouplir sa production et sa logistique. Une plus grande souplesse en matière de production permettra la personnalisation et la livraison de produits spécifiques fabriqués pour être commercialisés à des clients individuels.
Moins de souplesse revient à produire en masse un produit ou un service standard pour un grand marché indifférencié.

Pour résumer, l'entreprise doit améliorer deux fonctions principales pour s'élever ou se déplacer vers le côté droit de la matrice.
Elle doit améliorer la souplesse de ses communications en trouvant une manière d'accroître le dialogue et les relations avec ses clients.
Et elle doit améliorer la souplesse de sa production en fabriquant des produits et des services qui s'adaptent aux besoins spécifiques de chaque client.

Dès lors, notre matrice *descriptive* de « clientèle » devient une matrice *prescriptive* des « capacités ».

Matrice des capacités

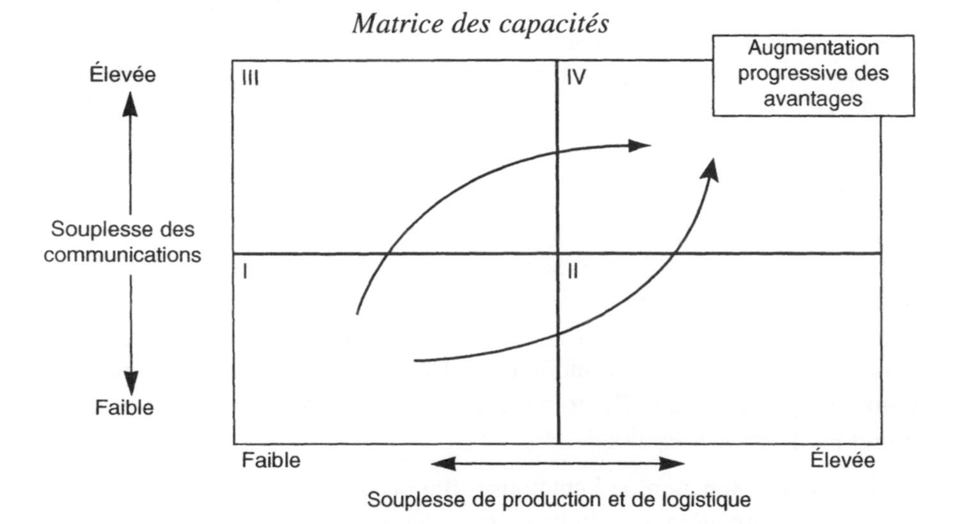

Il est important de placer ces nouvelles fonctions de l'entreprise sur notre graphique, car nous pourrions très bien avoir positionné la clientèle de l'entreprise à un endroit de la matrice, alors que les fonctions actuelles de l'entreprise se trouvent ailleurs.

Dans la plupart des cas, c'est parce que l'entreprise n'a pas encore su tirer parti des progrès informatiques. Ou parce que les relations avec ses clients ne sont pas aussi interactives qu'elles devraient l'être.
Si une entreprise a des clients de valeurs très différentes mais qu'elle ne s'adresse pas encore à eux d'une manière suffisamment individuelle, il lui sera difficile de doser l'effort marketing qu'elle doit consacrer à chaque client.

Sa clientèle se positionnera peut-être dans les quadrants III et IV sur la matrice des clients (valeur fortement différenciée), mais ses aptitudes se situeront dans les quadrants I ou II sur la matrice des capacités (faible souplesse des communications).

Chez Hewlett Packard, la division Impression Laser ne connaît pas individuellement ses clients finaux, qui achètent le plus souvent par l'intermédiaire de revendeurs à valeur ajoutée (VARs) ou d'enseignes spécialisées.
Pour identifier ses clients, l'entreprise ne peut compter que sur la petite proportion qui veut bien renvoyer les bons de garantie.
Par conséquent, les clients d'Hewlett Packard se trouvent probablement dans le quadrant IV alors qu'elle-même se situe dans le quadrant III.
Elle va fabriquer une large gamme de produits pour répondre aux nombreux besoins de ses clients, mais elle ne pourra s'adresser et dialoguer individuellement qu'avec une petite partie de son fichier.

Or pour réussir comme entreprise 1:1, la firme doit savoir instaurer un dialogue interactif avec une part beaucoup plus importante de son fichier.

La solution pour Hewlett Packard, serait de considérer ses distributeurs et revendeurs comme ses propres clients, au lieu de se concentrer sur les clients finaux. Ses aptitudes actuelles correspondent mieux aux caractéristiques de cette clientèle.

Même si l'entreprise se trouve en relation directe avec ses clients finaux dont les attentes sont très différenciées, il peut arriver qu'elle ne réussisse pas à communiquer individuellement avec eux d'une manière vraiment rentable.

La vente par téléphone, les mailings et les services d'assistance avec numéro d'appel gratuit se rentabilisent lorsque l'on vend du matériel informatique. Certainement pas lorsqu'il s'agit de produits à plus faible marge. Pour illustrer cette idée, reprenons l'exemple d'un commerce qui vend des articles à faible prix : une librairie.

Amazon.com est une librairie en ligne interactive. Sa présence sur le World Wide Web lui permet d'enregistrer les centres d'intérêt et les achats de ses clients mais aussi de communiquer avec eux de façon très rentable. C'est sur cette interface de communication que repose aujourd'hui toute la croissance d'Amazon.
Lorsqu'un lecteur montre un intérêt particulier pour le titre d'un livre, Amazon va aussitôt lui suggérer d'autres titres de même intérêt.
Si vous voulez savoir à quelle date un livre sera disponible en édition de poche, Amazon vous préviendra par e-mail. Demandez-lui de vous informer des prochaines parutions dans un domaine particulier et Amazon vous fournira en permanence des informations utiles. Avec une telle approche commerciale, il n'est pas surprenant qu'Amazon soit parfaitement positionné pour générer des ventes auprès de clients fidélisés.

Et lorsque les lecteurs adressent des messages ou des critiques de livres à d'autres lecteurs sur le site Amazon, cela déclenche souvent un raz de marée de commandes supplémentaires «cautionnées». Par exemple, un livre difficile d'accès, *Sponging: A Guide to Living Off Those You Love*[1] a reçu de telles louanges de la part des lecteurs qu'il est devenu l'un des best-sellers d'Amazon.

Avec plus d'un million de titres disponibles, le choix qu'offre Amazon est cinq fois supérieur à celui proposé par la plus grande des librairies. Et comme la grande majorité des livres sont commandés aux distributeurs dès lors que le client les a demandés, le stock physique se limite en réalité à quelques best-sellers.
C'est ce qui permet d'avoir une rotation des stocks de 150, contre 4 dans la plupart des autres librairies bien gérées.
Bien que le modèle économique d'Amazon ne soit pas handicapé par de lourdes structures de communication, la livraison des produits à des clients qui ne sont pas physiquement dans le magasin, pose un réel problème. Amazon pratique des prix inférieurs de 10 à 30 % par rapport aux libraires mais facture 3.95 $ par commande pour expédier aux États-Unis. Ce tarif est particulièrement avantageux à l'intérieur des USA. Mais comme le site est accessible dans plus de 60 pays, les frais d'expédition vers l'étranger peuvent vite devenir prohibitifs.
On va sûrement bientôt voir de nombreux auteurs proposer leurs ouvrages électroniquement, sur des services en ligne semblables à celui d'Amazon.

TIRER PARTI DU POTENTIEL DE VOTRE BASE DE DONNÉES CLIENTS

Plus la clientèle est différenciée, plus les relations individuelles sont bénéfiques et durables.

1. *Comment vivre aux crochets de ceux que vous aimez.*

La première étape consiste à s'assurer que les aptitudes de l'entreprise sont à la hauteur de ce potentiel. En superposant la matrice des clients sur la matrice des capacités, nous verrons quelle est la stratégie à adopter pour ajuster les fonctions de l'entreprise au potentiel de sa clientèle.

Cela donne naissance à la carte de la stratégie de l'entreprise 1:1. La carte de la stratégie de l'entreprise 1:1 sert essentiellement à imaginer comment transformer facilement votre société en une entreprise 1:1. Pour élaborer votre stratégie, vous devrez harmoniser les capacités de l'entreprise avec les caractéristiques de la clientèle. Ceci doit se faire à la fois en terme de répartition des ressources entre les clients et aussi en terme de souplesse dans la manière de produire et de distribuer les produits et les services.

Ainsi, vous vous déplacerez plus facilement de l'endroit où vous êtes jusqu'à l'endroit où vous voudriez être.

Pour la division Impression Laser d'Hewlett-Packard, la carte de la stratégie serait la suivante :

Carte de la stratégie d'une entreprise 1:1

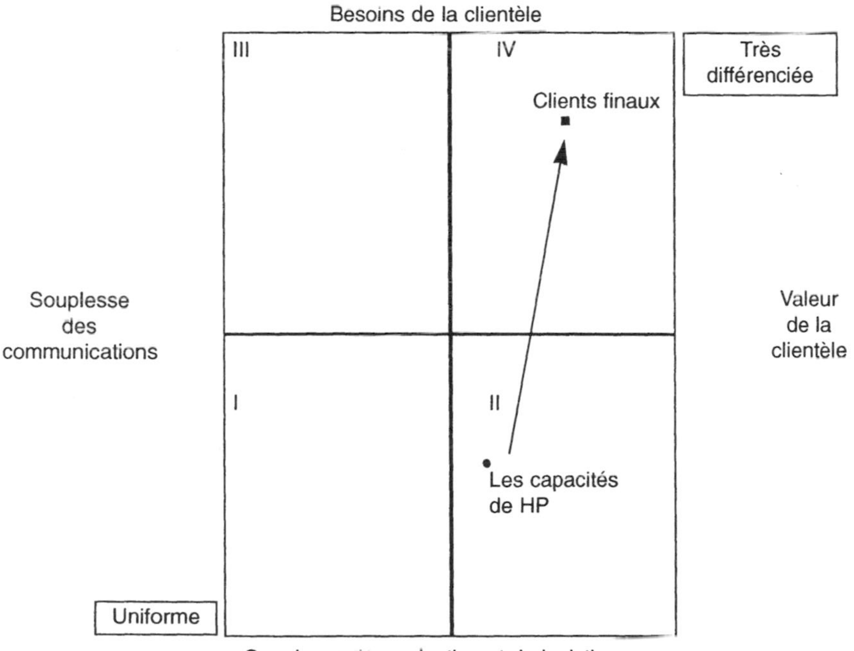

La tâche la plus importante de HP est d'identifier et de dialoguer avec un plus grand nombre de clients finaux. La solution qui vient immédiate-

ment à l'esprit est d'améliorer le taux de retour des bons de garantie. Mais il serait plus judicieux à long terme de mettre en place une *hot line* ou de proposer un service suffisamment motivant pour inciter les utilisateurs à communiquer électroniquement.
Quel que soit le programme spécifique ou la tactique employée, il est certain que plus Hewlett Packard saura identifier ses clients individuellement, plus il pourra communiquer efficacement avec eux, et plus vite il se transformera en une entreprise 1:1.

De plus, la division Impression Laser d'HP fabrique déjà une large gamme de produits, mais il semble qu'elle pourrait être encore plus souple en terme de production et de logistique. On pourrait imaginer la création de nouveaux produits et services dont le but serait uniquement dédié à l'instauration et au maintien d'une relation interactive avec les utilisateurs finaux.

La firme pourrait, par exemple, placer une «alarme à cartouche d'encre» sur ses logiciels de gestion d'impression.
Ainsi, environ une semaine avant que la cartouche d'encre ne soit vide (ceci étant repéré par le logiciel en fonction du rythme de consommation de l'utilisateur), un signal d'alarme pourrait clignoter sur l'écran d'ordinateur de l'utilisateur pour le prévenir qu'il doit changer la cartouche dans les prochains jours. Ce message serait accompagné d'une offre pour commander immédiatement une nouvelle cartouche, expédiée par colis express.

La commande pourrait être passée par modem, par fax ou au moyen d'un numéro d'appel gratuit affiché à l'écran. En fait, pour que ces actions soient rentables, Hewlett Packard doit accepter deux contraintes :

- soit de vendre des cartouches en direct aux utilisateurs finaux.
- soit de transmettre les commandes à un distributeur. Il pourra d'ailleurs s'agir du même distributeur que celui qui aura vendu l'imprimante à l'utilisateur.

Une autre stratégie pour une entreprise comme Hewlett Packard serait de ne pas considérer l'utilisateur final comme son client. Mais au contraire de privilégier le circuit des distributeurs : les magasins spécialisés, les intégrateurs et même les enseignes de distribution.

Ce n'est pas une solution stratégique souhaitable, à long terme notamment parce que dans ce cas-là, c'est l'utilisateur final qu'il faut satisfaire en premier dans la «chaîne des besoins».

N'importe quel intermédiaire dans cette chaîne court le risque de se voir distancer sous la pression d'un nouveau progrès technologique (nous en reparlerons au chapitre 12). Mais à court terme, il peut être intéressant pour l'entreprise de traiter avec ses distributeurs comme s'il s'agissait de ses propres clients. Elle connaît déjà leur identité personnelle et de ce fait il lui sera plus facile de trouver une manière de communiquer avec eux avec un rapport coût-efficacité satisfaisant.

La carte de la stratégie permet à l'entreprise d'ajuster ses capacités aux besoins de sa clientèle. Elle l'incite aussi à se tourner toujours davantage vers sa clientèle en initiant des actions et des tactiques visant à changer son caractère.

Pour rester dans l'univers de l'informatique, prenons l'exemple de la société Dell. Sa clientèle se trouve dans le quadrant IV du graphique et ses aptitudes la placent aussi dans ce quadrant.

Dell sait qui sont ses clients utilisateurs les plus importants, car il est en contact direct avec eux. Il a en outre une base de données intégrée dans laquelle il enregistre les transactions de chacun de ses clients en temps réel. Dell a donc toutes les capacités pour mener des opérations sur mesure et entretenir avec ses clients des relations très profitables.

Dell a certainement une clientèle dont les besoins et les valeurs sont aussi variés que celle d'HP. Peut-être même plus variés parce que Dell vend un grand nombre de produits dont les configurations peuvent se combiner selon des centaines de façons différentes.

Mais Dell est aussi capable d'ajuster assez finement son système de configuration et d'adapter l'investissement optimal face au potentiel de sa clientèle.

Savoir si l'entreprise exploite vraiment tout son potentiel est une autre question qui pourrait faire l'objet d'un autre livre. En ce qui nous concerne, nous estimons qu'elle en est proche.

À l'heure actuelle, si la société Dell voulait se transformer encore plus en entreprise 1:1, elle devrait s'attacher à reconstruire son fichier clients, en marquant encore plus leurs différences.
Elle pourrait créer des produits et des services additionnels et les distribuer par le biais de partenariats stratégiques avec d'autres sociétés — peut-être même avec Hewlett Packard.

En développant des produits et des services annexes, Dell créerait ainsi une clientèle plus diversifiée à la fois en terme de besoins et de valeur. Elle pourrait proposer aux utilisateurs dans les grandes et moyennes entreprises un contrat garantissant le prêt-à-l'emploi et un forfait tout compris pour la maintenance des micro-ordinateurs.
C'est un exemple d'amélioration du service offert. Un service d'assistance intégré pour les clients finaux de l'entreprise en est un autre.

À l'autre extrémité, le lancement d'un marché du PC d'occasion créerait de nouveaux besoins parmi la clientèle. Nous présenterons d'autres stratégies comme celles-ci, visant à élargir les besoins du client, au chapitre 8.

Sur la carte de stratégie de l'entreprise 1:1, Dell doit non seulement faire évoluer ses aptitudes mais elle doit aussi déplacer la position de sa clientèle :

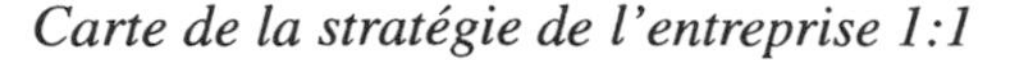

Carte de la stratégie de l'entreprise 1:1

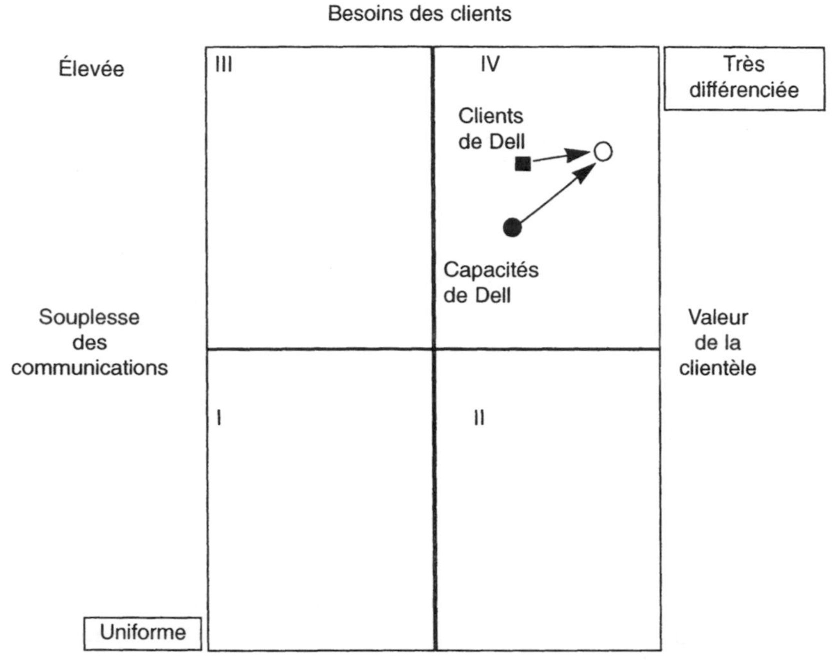

On constate très nettement ici, en observant à la fois le profil de la clientèle et les aptitudes de l'entreprise, qu'il y a deux manières de se déplacer du bord inférieur gauche au bord supérieur droit.

Une entreprise peut accroître la flexibilité de ses propres aptitudes ou elle peut étendre la diversité de sa clientèle.

Améliorer ses capacités demande à l'entreprise un meilleur ajustement des méthodes de production et de logistique par rapport à ce qu'elle sait de ses clients et de leurs besoins. Cela implique de trouver de nouvelles approches, au coût le plus bas, afin d'identifier les clients et communiquer avec eux sur un mode individuel.

Il n'est pas toujours facile de développer les capacités de l'entreprise. Il s'agit là d'un effort essentiellement interne, dont le but est d'exploiter au maximum ses propres modes de fonctionnement. Étendre la diversité de sa clientèle, en revanche, est une démarche externe. Cela implique que l'entreprise suggère aux clients de nouvelles idées, qu'elle leur présente les produits et les services sous un angle qui dépasse celui auquel l'entreprise les avait habitués.

Plus une entreprise incitera ses clients à réfléchir au-delà de leurs besoins basiques, plus sa clientèle sera diversifiée.
Nous reviendrons continuellement dans la suite de ce livre sur ces stratégies, pour montrer combien l'entreprise a intérêt à améliorer à la fois ses aptitudes et à augmenter la diversité de sa clientèle. Les graphiques présentés dans ce chapitre nous serviront à illustrer les différents aspects de ce propos.

Vous vous êtes peut-être dit, à la lecture de ce chapitre, que vos clients n'ont pas de besoins très différenciés ou qu'ils ont tous grosso modo la même valeur.
Peut-être fabriquez-vous seulement un ou deux produits qui ont plus ou moins les mêmes fonctions pour tout le monde ?
Ou alors votre société vend-elle un produit qui s'achète rarement, avec peu de clients et peu d'achats répétés ?
Peut-être qu'en fait votre objectif est de produire au coût le plus bas un produit ou un service vendu comme un article de première nécessité, à des clients interchangeables qu'il est impossible de distinguer.

Mais chaque société peut, en réalité, faire un pas vers un accroissement de ses aptitudes et redéployer sa clientèle. Si les aptitudes de votre entreprise s'ajustent déjà à la relative uniformité de votre base de clientèle ou si vous pensez qu'il y a peu de chance, dans votre cas, pour que vous puissiez différencier vos clients, vous êtes paradoxalement et probablement en face de la plus formidable opportunité que vous puissiez imaginer.

Lorsque vous appartenez à un secteur professionnel caractérisé par des entreprises qui traitent leurs clients de façon identique et indifférenciée, se positionner en tant que société 1:1 peut s'avérer être une brillante stratégie de concurrence.
Et si vous ne saisissez pas cette occasion, votre concurrent lui, la saisira. Après tout, chacun de vos clients entre dans l'ère de l'interactivité avec vous. Comme vos concurrents.

Au commencement du livre, nous avons expliqué que nos objectifs étaient d'améliorer la fidélité de vos clients et de préserver vos marges. Dans ce but, nous avons commencé par examiner comment les clients se différencient individuellement.
À partir des exemples cités jusqu'alors, il apparaît clairement que le traitement particulier de chaque client apportera à l'entreprise de larges béné-

fices. Mais en vérité, la plupart des dirigeants ne se réveillent pas un beau matin en décidant qu'ils veulent transformer leur entreprise en une entreprise 1:1.
Ils ne partent pas au bureau avec l'idée d'instaurer des relations 1:1 avec leurs clients et de les traiter différemment s'ils sont différents.
Ils doivent faire face à d'autres problèmes. Car l'une des plus grandes menaces pour l'entreprise est le problème de la fidélité des clients. C'est un sujet qui est à l'esprit d'un grand nombre de dirigeants dans un contexte de baisse des marges et de concurrence exacerbée.

Comment l'entreprise doit-elle s'y prendre pour accroître ses chances de voir ses clients rester fidèles ? D'autant qu'ils sont souvent sollicités par la concurrence à travers de spectaculaires promotions auxquelles il est difficile de résister.

Tôt ou tard, la plupart des entreprises confrontées à ce problème arrivent à la conclusion que la seule manière efficace de préserver ses clients face à la concurrence, c'est de tisser des liens avec eux.

La perte des clients fut précisément le problème auquel a dû faire face MCI il y a quelques années. Plus loin, nous analyserons les moyens à mettre en œuvre pour différencier chaque client et communiquer avec lui isolément. Mais dès maintenant nous voulons consacrer tout le chapitre suivant à une analyse détaillée et révélatrice des moyens déployés par MCI.

Quelle que soit votre activité, vous trouverez sûrement dans ce cas des points communs avec votre propre entreprise.

CHAPITRE 4

MORTALITÉ PRÉCOCE CHEZ MCI

COMMENT RÉUSSIR À ENDIGUER LE FLOT DES CLIENTS QUI PARTENT... OU COMMENT ÉCHOUER

L'un des problèmes majeurs auquel toute entreprise se trouve aujourd'hui confrontée, est l'amélioration du taux de rétention de sa clientèle. C'est-à-dire comment conserver ses clients le plus longtemps possible et même, faire en sorte qu'ils deviennent encore plus rentables, dans un contexte de concurrence de plus en plus vive.

Au cours de ce chapitre, nous allons vous montrer très en détail comment une entreprise — MCI — a conçu et développé son programme de rétention de clientèle.
Nous verrons dans un premier temps comment ce programme a amélioré la rentabilité globale de l'entreprise, en augmentant à la fois la fidélité et la profitabilité à long terme d'un segment de clients spécifiques.
Puis, nous analyserons les raisons qui ont porté un coup d'arrêt à ce programme, aux prises d'une part à des conflits internes liés à l'organisation de la société et d'autre part à un décalage de culture d'entreprise. Ce programme ne tenait pas compte du profit calculé sur la durée, mais au contraire se concentrait exclusivement sur des actions tactiques et immédiates de recrutement de clientèle.

Vous lirez peut-être ce chapitre en vous disant que la situation de votre entreprise est très éloignée de celle de MCI. Mais les leçons à retenir de cet échec seront néanmoins édifiantes.
Les obstacles qui ont fait échouer le programme MCI, liés à l'organisation et à la culture de l'entreprise, pourraient aussi mettre le vôtre en échec. Sauf si vous vous êtes préparé à mettre en place, à l'intérieur de toute votre entreprise, une stratégie de conquête du marché pilotée par le client.
Quel que soit votre type d'activité, les cas de figure que vous rencontrerez dans ce chapitre vous seront familiers.

LE CONTEXTE

Chez MCI, l'activité téléphonique longue-distance est séparée en deux divisions, l'une au service des particuliers, l'autre au service des entreprises. Pour ce qui concerne les particuliers, le département Marketing est res-

ponsable du recrutement de nouveaux clients, via des campagnes publicitaires, des mailings et des campagnes de marketing téléphonique en émission d'appel. Il vend aussi des produits complémentaires aux clients actifs, en utilisant ces mêmes médias.
Les Ventes et l'Exploitation gèrent les six centres de réception d'appels de la société, dont le rôle principal consiste à traiter les demandes de renseignements émanant des dix millions de clients en portefeuille.

En 1992, les trois géants MCI, AT&T et Sprint se livraient une compétition sans merci pour l'acquisition de nouveaux clients. Tous les habitants des États-Unis dont le salaire est supérieur à 30 000 $ ont probablement déjà reçu, de l'une ou l'autre de ces sociétés, un chèque d'une valeur de 25 $. En encaissant ce chèque, ils changent automatiquement d'opérateur pour leurs communications en longue distance, sans aucune contrepartie : on leur demande simplement d'aller déposer le chèque à la banque.

Cette surenchère promotionnelle qui consiste à envoyer des chèques par la poste, est une arme puissante pour recruter des clients pour n'importe quelle entreprise qui l'adopte. Mais comme toutes les entreprises utilisaient massivement et simultanément ce procédé, cela provoquait de sérieux remous parmi la clientèle.

Au milieu de ce chaos, le président de la division Particuliers de MCI demanda à son nouveau responsable des Ventes et de l'Exploitation de prendre en charge la fidélisation des clients.
Comme le faisait remarquer en interne un cadre qui faisait allusion à l'image de l'entonnoir, l'entreprise semblait « perdre plus de clients qu'elle n'en recrutait ». Le département Marketing remplissait l'entonnoir avec beaucoup de nouveaux clients tandis que les Ventes et de l'Exploitation devaient colmater les fuites, c'est-à-dire conserver ces clients dans l'entreprise.

Bien qu'étant soumis comme tout le monde aux mêmes propositions alléchantes de la concurrence, deux groupes de clients étaient particulièrement fidèles à MCI. La première mesure adoptée par l'entreprise fut donc d'essayer d'élargir ces deux groupes.

Le premier groupe était constitué de clients participant à *« Friends & Family »*, le programme de fidélisation lancé avec succès par MCI en 1991[1]. Le client qui se donne la peine de recruter un cercle d'amis et de

1. Dans son programme *« Friends & Family »*, MCI a appliqué la technique classique du parrainage *(Friend get a Friend)* en offrant à chaque client 20 % de réduction sur chaque communication en longue distance passée à un parent ou un ami dont il aura signalé au préalable les coordonnées. Si cette personne est déjà cliente de MCI, la réduction prend effet immédiatement. Dans le cas contraire, MCI lui propose d'adhérer afin que les deux clients bénéficient mutuellement de la réduction. Ce système crée, entre le client MCI et son parent ou ami nouvellement enrôlé dans le programme, une réelle situation de « gagnant-gagnant ». (NDT)

proches pour bénéficier d'une réduction ne considère plus MCI comme un géant des télécommunications mais comme un partenaire actif dans la gestion optimale de ses communications privées. Les parents et amis appartenant au cercle des intimes, baptisé le « cercle des appelants », étaient soumis à la pression de leur parrain qui les encourageait à ne pas quitter le programme.

Le second groupe était constitué de clients recrutés par le biais de sociétés partenaires. Il s'agissait le plus souvent des membres des programmes de fidélité des compagnies aériennes ou bien encore des porteurs de carte de paiement. Jusqu'alors, ils étaient récompensés s'ils prenaient plus souvent l'avion ou s'ils réglaient plus souvent leurs achats avec leur carte. Désormais, ils l'étaient aussi en utilisant les services longue distance de MCI.
La fidélité de ces clients était étroitement liée à leur niveau d'attachement vis-à-vis du partenaire, que celui-ci soit Northwest Airlines ou Citibank Visa.

En dehors de ces deux groupes, les clients de MCI disparaissaient à un rythme effrayant et la société a dû se résoudre à s'attaquer au problème. Elle utilisa à la fois une tactique à court terme et une stratégie plus cohérente, à long terme.

LE PROBLÈME DE LA « MORTALITÉ PRÉCOCE »

Premier problème tactique à résoudre : la probabilité de résiliation d'un client était plus élevée dans les tout premiers mois d'activité de ce client. Seulement 70 % environ des clients récents restaient au-delà de trois ou quatre mois !
L'attrition des nouveaux clients, désignée par certains dans l'entreprise sous le terme peu élégant de « mortalité précoce », est fréquente dans la plupart des activités commerciales. Les éditeurs de magazines, les cablo-opérateurs, les sociétés de crédit constatent tous que le taux de renouvellement augmente en fonction du nombre d'années pendant lesquelles le client est resté fidèle à la société. L'attrition extrêmement précoce constatée chez MCI semblait néanmoins particulièrement préoccupante.

Une analyse avait montré que la plus forte proportion de résiliations précoces venait en majorité, comme on peut s'en douter, de clients recrutés via les offres marketing les plus agressives. Notamment par cette fameuse opération du chèque-par-retour-du-courrier et par toutes ces opérations qui étaient considérées jusqu'alors comme de vraies réussites.

Les chiffres montraient nettement que plus le taux de remontée d'une opération promotionnelle était élevé, plus le taux de mortalité précoce correspondant était élevé.

On se trouvait là devant une situation classique qui arrive fréquemment à un concurrent pratiquant un marketing de masse, dont le but est de recruter le maximum de clients.
En d'autres termes, le taux de rendement de la plupart des opérations promotionnelles de MCI était apparemment trop élevé !
Des clients passaient d'un opérateur à l'autre, dans une sorte de spirale infernale. Ils étaient largement récompensés par le fait qu'ils conservaient aux yeux de la concurrence, leur virginité de prospect.

Ce phénomène n'est pas rare dans un environnement fortement concurrentiel. Les compétiteurs sur un marché de masse mesurent principalement leur succès d'après le nombre de clients recrutés. Les prospects présentent à leurs yeux plus de valeur que leurs clients actuels !
Les clients futés savent comment tourner cet avantage à leur profit et on ne saurait trop leur en vouloir.

Quoi qu'il en soit, ces enseignements avaient incité MCI à revoir sa politique de recrutement agressive. La société lança rapidement une série de nouvelles offres, obligeant les nouveaux recrutés à rester un certain temps avant de bénéficier des réductions.
Ainsi, au lieu d'envoyer un chèque de 25 $ pour encaissement immédiat, l'entreprise se mit à offrir un certificat d'une valeur de 50 $, valable à l'issue des trois premiers mois d'activité chez l'opérateur. Elle testa aussi une offre de 3 mois gratuits pour le client, pas sur les trois premiers mois, mais sur le troisième, le neuvième et le douzième mois.

Et elle testa aussi le « bon d'épargne », un certificat de réduction dont la valeur pour le client augmentait fortement à partir du 18e mois de présence dans la société.

Pour enrayer les départs, la première réaction d'une entreprise est souvent très radicale : elle tente « d'acheter » la fidélité des nouveaux clients. Ce fut le cas pour MCI.
Certes, acheter la fidélité d'un client peut s'avérer être une première approche intéressante. Mais elle a aussi son revers, lorsqu'elle est analysée selon les critères qui sanctionnent les succès marketing dans la majorité des entreprises.
Pour MCI, le rendement des offres de réduction étalées dans le temps était moins élevé que celui obtenu lors de l'opération du chèque-par-retour-de-courrier. Les rendements étaient même souvent très nettement inférieurs, mais ces nouvelles offres étaient efficaces contre la mortalité précoce.

Très souvent, les clients qui avaient répondu à ces offres retravaillées se révélaient néanmoins être de bons clients. Bien que moins nombreux à

l'origine, ils valorisèrent considérablement la base de données, en l'espace de quelques mois seulement.
En d'autres termes, pour éviter de perdre trop de clients, il suffisait d'en accepter moins à l'entrée et de s'assurer, en premier lieu, que l'on faisait rentrer les bons.
MCI était conscient du fait que les concurrents n'allaient pas tarder à réaliser, eux aussi, que par rapport aux chèques donnés au départ, les réductions différées étaient une manière beaucoup plus rentable d'acquérir et de conserver ses clients.

MCI commença donc de s'interroger sur la manière de conserver ses clients à long terme.
L'entreprise avait bien conscience d'avoir « acheté » de nouveaux clients avec l'offre du chèque-par-retour-de-courrier. Avec les réductions étalées dans le temps, elle achetait aussi essentiellement de la fidélité. La question à long terme était de savoir ce qui, en remplacement de cette sorte de « corruption » pouvait assurer la fidélité des clients.

Conserver les clients tout au long de leur vie

Pour conserver ses clients le plus longtemps possible, la première décision à prendre consiste à déterminer lesquels seront concernés.
Naturellement, les clients qui méritent le plus d'être gardés sont ceux qui ont la plus forte valeur actualisée pour l'entreprise. De la même manière, les clients qui méritent le plus d'être recrutés sont ceux qui sont susceptibles d'acheter le plus.
Pour identifier ses prospects les plus intéressants, MCI fondait son analyse sur des prévisions de revenus et des comparaisons démographiques provenant de données externes. Pour identifier ses clients actuels les plus intéressants, la société analysa ses fichiers sous l'angle des achats et des comportements, et hiérarchisa ensuite ses clients par valeur.

Pour commencer, MCI essaya de déterminer un critère d'évaluation de ses clients pris isolément, en exploitant dans sa base de données le détail des informations et des opérations pour chaque client.
Le problème était difficile à résoudre, car il n'y avait pas suffisamment de données. De plus, les informations sur les clients provenaient de nombreux fichiers internes non connectés, tels que le fichier de facturation, le fichier commercial avec les informations enregistrées au cours de conversations téléphoniques et l'historique d'achat.
Mises bout à bout, toutes ces sources traçaient l'historique d'un an d'enregistrements téléphoniques, d'informations liées au paiement et à la facturation et d'opérations réalisées par le service clients.

En consultant les archives sauvegardées sur disquettes, on pouvait accéder aux données enregistrées précédemment.

Un particulier possédant plus d'une ligne téléphonique chez lui était le plus souvent considéré non pas comme un, mais comme deux clients. Et lorsqu'un client appelait pour contester une facture ou demander un renseignement, ses conversations n'étaient pas sauvegardées. Sauf dans le cas où elles avaient une incidence sur l'exploitation, par exemple si un nouveau cercle se créait ou si un ancien s'interrompait.

Beaucoup de sociétés qui tentent d'exploiter davantage leur capital-client rencontrent les mêmes difficultés. La puissance de l'ordinateur s'est développée si rapidement et son utilisation est tellement omniprésente que la plupart des sociétés ne disposent pas d'une seule mais de plusieurs bases de données. Une entreprise pourra constater que le même client figure simultanément dans plusieurs fichiers tels que ceux de la facturation, du service clients ou des formulaires de garantie.

L'entreprise devra alors mixer ces « silos à clients » parce que chacun d'entre eux contient une information, recueillie et conservée dans un but précis à l'intérieur de l'entreprise.
Réunir les données de ces silos pour reconstituer les données individuelles de chaque client, représente l'un des tous premiers pas pour devenir une entreprise 1:1.

MCI constata que, bien qu'il puisse facilement calculer la rentabilité d'un produit ou d'un programme spécifique, il ne savait pas calculer la rentabilité globale d'un client.
Il s'agit, en réalité, du premier problème que rencontrent les entreprises qui pratiquent un marketing de masse. L'un des grands avantages de différencier ses clients réside dans le fait qu'une entreprise est conduite à « assainir » ses bases de données et ses systèmes d'archivage.

Finalement, MCI créa un algorithme pour classer ses clients par valeur, en fonction le plus souvent du volume d'appels en longue distance constaté dans le passé et d'une note de score de risque émanant du service financier. La société découvrit que la tranche supérieure des clients, représentant près de 5 % de la population, représentait environ 40 % du chiffre d'affaires. Les marges unitaires sont difficiles à calculer pour ce type d'industrie, mais il y a fort à parier que cette mince tranche de clients représentait un poids encore plus élevé dans le profit de l'entreprise.

D'une façon générale, ces 100 000 clients les plus précieux représentaient le cœur de l'activité « longue distance aux particuliers » de l'entreprise, et rapportaient chacun au moins 75 $ par mois à MCI.

Le service Ventes et clients décida de lancer une opération de mailings et de phoning appelée *Customer First* et un programme d'identification des meilleurs clients destiné à améliorer la fidélité de cette tranche supérieure représentant 5 % du fichier. Les membres de *Customer First* recevaient, en guise de bienvenue, un appel de remerciement, une newsletter, une carte de membre et, en stimulation, une série de coupons de réduction étalés dans le temps. Ils avaient aussi à leur disposition un numéro d'assistance gratuit. Ce numéro de téléphone réorientait les appels vers un centre téléphonique particulier, permettant ainsi à l'entreprise de conserver l'information sur la manière avec laquelle les clients avaient été traités.

Différencier vos clients selon leurs besoins

Pour MCI, l'étape suivante consista à comprendre pourquoi ces clients de forte valeur dépensaient autant en longue distance. Après avoir classé ses clients selon leur valeur, MCI devait maintenant différencier ses meilleurs clients en fonction de leurs besoins afin de mieux comprendre comment les satisfaire.

L'analyse des données enregistrées montra que les meilleurs clients avaient tendance à se situer dans l'un de ces trois groupes :

- Les grands voyageurs qui appellent souvent chez eux.
  Cela les amène à être de gros utilisateurs du service longue distance. Ils utilisent leur carte de crédit.
- Les personnes qui appellent vers l'étranger, et plus particulièrement un pays en particulier.
  Ce peut être pour joindre leur famille, des collègues ou envoyer des fax.
- Les travailleurs à domicile.
  Ils appellent leur employeur, depuis leur résidence, dans la semaine et durant les heures de bureau.

Ces trois types de clients peuvent être facilement identifiés en fonction de leur comportement téléphonique, mais il y a cependant certaines données importantes les concernant qu'on ne peut apprendre qu'en dialoguant avec eux individuellement. Par exemple, une personne qui appelle l'étranger est facile à repérer, mais il n'y a aucun moyen de savoir à partir de la base de données la langue parlée par cette personne. De même, il n'y a pas de moyen de savoir si le travailleur à domicile est son propre patron où s'il travaille comme représentant ou comme télé-travailleur.

S'ATTACHER LES MEILLEURS CLIENTS

Une fois repérés les besoins des clients les plus précieux, l'étape suivante consista à lancer des opérations en phase avec leurs besoins spécifiques dans le but de les fidéliser. Ainsi, trois responsables furent recrutés au sein du service Ventes et clients pour prendre en charge les trois portefeuilles constitués des meilleurs clients.

Dans le cadre de *Customer First*, MCI avait déjà « encerclé » ces clients-là afin que les autres responsables produits et opérations ne viennent pas les perturber avec l'une des nombreuses actions de phoning généralement conduite sur le fichier global ou pour tout autre opération.
En remplacement de ce système, le responsable du service Ventes et clients auquel fut confié *Customer First*, était chargé de toutes les communications émises et reçues par ce groupe de clients.
Par la suite, des missions plus étendues furent confiées aux responsables clients.

À cette époque, le responsable du service Ventes et clients de *Customer First* sous-traitait ses propres opérations de mailings et concevait ses propres campagne de marketing téléphonique dans le but de recruter un nombre toujours plus élevé de clients.
L'un des objectifs du programme était d'amorcer un dialogue et un retour d'informations avec les clients qui s'étaient inscrits. Même si l'adhésion était gratuite et faisait bénéficier d'avantages importants, le client devait répondre par courrier ou par téléphone s'il voulait adhérer. C'était un point fondamental : cela permettait de s'assurer que chaque membre avait bien conscience de ses avantages et des raisons pour lesquelles il était là. En plus, cela permettait à MCI d'en savoir davantage sur les besoins individuels du client.

En dehors de cette chasse gardée, on continua à faire du marketing traditionnel pour les 95 % autres clients, avec une large gamme de produits mis en valeur dans les mailings et en marketing téléphonique. La tâche du responsable client était de s'assurer que chaque programme proposé aux clients de son portefeuille était satisfaisant et séduisant, en fonction des connaissances approfondies qu'il avait de leurs aspirations.

Chaque commercial allait être jugé en fonction de l'accroissement de la valeur des clients de son portefeuille. Ce dernier était calculé par l'algorithme mis au point sur la base de données.
Dans la mesure où cet algorithme reposait sur une base mensuelle, la principale tâche du responsable clients était d'inciter les clients de son portefeuille à appeler plus souvent en longue distance. En conséquence, les

grands voyageurs furent les premiers à être sollicités avec un numéro d'appel gratuit « personnel », une innovation de MCI.
Pour satisfaire les besoins des clients étrangers, le directeur de Customer First persuada son organisation d'augmenter le nombre de langues parlées parmi les équipes d'assistance et de marketing téléphonique interne.

Il est probable, bien sûr, que MCI aurait pu découvrir les avantages d'employer des téléacteurs parlant plusieurs langues sans qu'il lui soit nécessaire d'affecter spécialement un responsable à ces groupes de clients. Mais ces découvertes auraient été probablement le fruit du hasard. Avant que ne soient instaurés les portefeuilles de clientèle, la tâche qui consiste à repérer ce type d'information n'était rattachée à aucune fonction.

Autre élément inclus dans l'effort global, le service Ventes et clients réexamina les critères que MCI avait l'habitude d'utiliser pour juger ses centres téléphoniques. Avant, les seuls critères réellement utilisés étaient le taux de raccrochage des appels avant l'intervention du télé-acteur et le temps écoulé avant de décrocher. Les télévendeurs étaient généralement notés sur leur « productivité » qui, en dehors de la vente de produits et des opérations de marketing téléphonique, était déterminée par le nombre d'appels traités chaque jour. Les télévendeurs savaient que pour traiter le maximum d'appels, chaque appel devait se dérouler dans un minimum de temps.
Bien qu'il y ait de nombreux points de contrôle de qualité (par exemple, des superviseurs écoutant quelques appels au moment même où ils étaient traités), les télévendeurs étaient plus occupés à conclure la conversation qu'à prendre le temps nécessaire pour satisfaire le client.

Il s'agit là d'un malaise courant parmi les entreprises qui pratiquent un marketing de masse. Cherchant à tout prix à faire acheter des produits plutôt qu'à augmenter la profitabilité du client à long terme, ces entreprises ont tendance à mesurer toutes les formes de communication avec le client sur un critère de rendement immédiat plutôt que sur un critère d'efficacité. Mais les mesures de temps de réponse ne sont pas nécessairement corrélées avec la satisfaction du client.
Ces mesures sont certes faciles à établir mais elles présentent un inconvénient majeur, c'est qu'elles reposent sur des critères erronés. Nous reviendrons sur ce sujet au chapitre 10, quand nous traiterons de la gestion des communications avec le client.

MCI constata que, dans la mesure où l'appel était pris dans les 60 secondes, le paramètre principal était la courtoisie avec laquelle l'appel avait été traité et si son motif avait pu être résolu au cours de ce premier appel. Les centres téléphoniques ont alors commencé à analyser les deuxièmes appels émis par les clients, afin d'évaluer individuellement les téléacteurs sur le pourcentage de réclamations et de demandes d'informations traitées avec succès au premier appel.

Analyse de la stratégie de différenciation des clients de MCI

Une manière de visualiser le programme mis en place par MCI pour améliorer la fidélisation des clients consiste à le comparer à la Matrice de Stratégie d'une entreprise 1:1.

Quand MCI commença à vouloir améliorer la fidélisation de ses clients, l'entreprise n'avait aucune souplesse dans la commercialisation de ses produits et dans les services rendus aux clients. Aucune procédure n'avait été mise en place pour adapter des produits et des services spécifiques aux différents besoins individuels des clients longue distance : tous les clients étaient traités de la même manière. À part une analyse de risque faite par les financiers, rien n'avait été fait en pratique par l'entreprise pour savoir quelles informations clients étaient d'ores et déjà exploitables sur ces clients précieux.
En conséquence, MCI était incapable de s'adresser et de dialoguer avec ses meilleurs clients autrement qu'avec ses moins bons clients. De plus, les différentes opérations télémarketing que MCI réalisait périodiquement auprès de ses clients pour mettre en valeur ses produits et ses services étaient toutes conduites de la même manière pour la plupart des clients.
Friends & Family, Friends Around the World, Carte MCI, mot de passe pour accéder au compte, messagerie, numéro personnel d'appel gratuit..., toutes ces innovations produits et ces services auxiliaires étaient commercialisés à l'identique sur chaque segment de la base de données des clients grand public de MCI.
Ces opérations étaient gérées par les chefs de produits et chacun d'entre eux s'efforçait de « pêcher tous les poissons de la rivière ». Donc, même si les responsables de MCI étaient conscients que leurs clients avaient des besoins différents, ils n'étaient pas en mesure de traiter chaque client individuellement.

Alors que ses aptitudes plaçait MCI au milieu du quadrant I, quelques brèves études montrèrent rapidement que la valeur et les besoins des clients de MCI variaient considérablement : la clientèle se trouvait très clairement dans le quadrant IV.

La matrice de la stratégie ressemblait à quelque chose comme ceci :

Carte de la stratégie de MCI

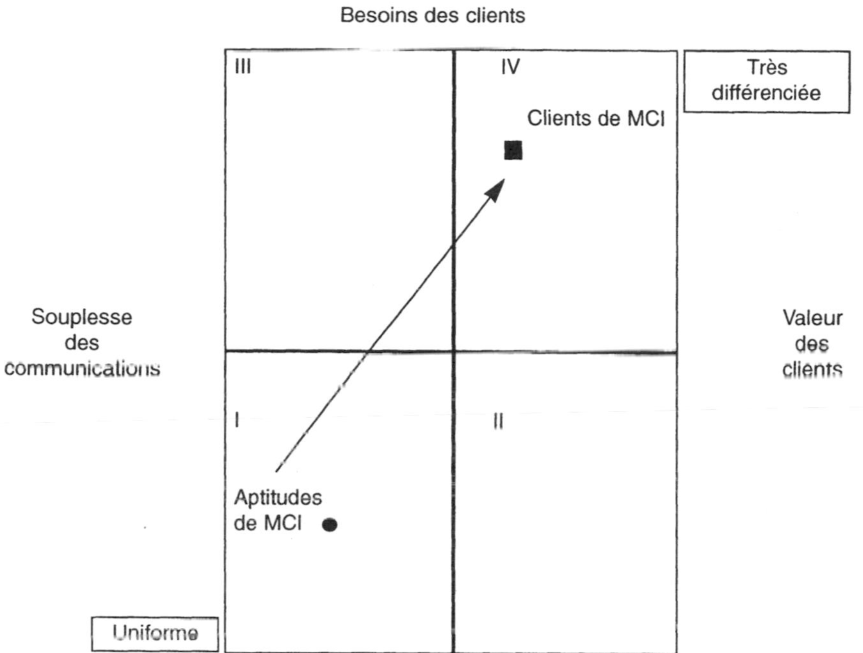

Ajouter des services conçus spécifiquement pour les grands voyageurs, ou pour les personnes qui appellent l'étranger, ou encore pour les travailleurs à domicile aurait été une stratégie d'entreprise nécessitant de connaître les clients individuellement et de les traiter spécifiquement. Cette stratégie implique que la gestion des clients et des relations avec eux soit prioritaire par rapport à la gestion des produits et de la promotion.

Pour ces clients de très grande valeur, MCI avait besoin d'adapter à la fois ses communications marketing et ses produits. Ce programme impliquait pour MCI de coordonner et d'intégrer plusieurs fonctions différentes à l'intérieur de l'entreprise, passant au-dessus des structures de pouvoir bien installées dans les services.

Revenons maintenant à la dure réalité

Il nous aurait été agréable de conclure ce cas en passant en revue les effets bénéfiques apportés par le programme *Customer First* sur la fidélisation et la rentabilité globale au cours des années qui suivirent le lancement.

Malheureusement, malgré un premier succès évident, *Customer First* fut arrêté, et les résultats à long terme qui auraient dû être réalisés ne seront jamais connus.

En implantant cette stratégie, MCI rencontra ses plus graves difficultés non pas de la part d'AT&T ou de ses autres concurrents, mais à cause de sa propre structure.
Le conflit entre les objectifs du service Marketing orientés sur l'acquisition des clients et l'objectif de fidélisation du service Ventes et clients s'est avéré extrêmement difficile à résoudre.
Le Marketing recrutait de nouveaux clients et vendait des produits aux clients existants. La culture du service assimilait chaque vente à une «conquête» et presque chaque manager bénéficiait d'un système d'internement qui récompensait l'acquisition et les ventes de produits, mais pas la rétention des clients.

Seuls les responsables de *Customer First* avaient un système de primes qui récompensait l'accroissement de la fidélité et du profit fait avec la clientèle, mais ces managers appartenaient au service Ventes et clients, pas au Marketing.
Bien que les responsables Marketing soient directement intéressés à ce que l'entreprise améliore son taux de fidélisation, puisque cela ajoutait progressivement plus de valeur à la clientèle, ils vivaient difficilement la baisse du taux de recrutement et la considérait comme un manque à gagner.

En même temps, les chefs de produits chargés d'expédier les messages et de dégager des revenus par activation du fichier des clients existants, étaient déçus que les 5 % des clients les plus précieux de MCI soient soudainement devenus intouchables. Au lieu de simplement généraliser des offres et des opérations commerciales, de sélectionner chaque personne pour une opération télémarketing très efficace, c'est-à-dire de «pêcher dans la rivière tout entière», ils devaient désormais demander l'autorisation aux responsables du programme *Customer First*.

Le conflit entre les départements était exacerbé, par le fait que le service Ventes et clients créait lui-même ses opérations de prospection, pour recruter des clients dans le cadre de *Customer First*. Vues de l'extérieur, ces actions ressemblaient étrangement aux autres actions marketing : mailings, lettres de relance, cadeaux et autres avantages.
Or les mailings et le phoning étaient la « chasse gardée » du Marketing, qui bientôt s'opposa à ce que le service Ventes et clients utilise ces médias pour expédier des messages dont la création n'aurait pas été soumise à son approbation.

Quoi qu'il en soit, l'entreprise fit de son mieux, au début, pour tenter de faire face à ces conflits. On chargea une équipe de managers de superviser le plan de communication et de s'assurer qu'il restait efficace tout en n'interférant pas avec d'autres actions marketing de prospection. Cependant, tout ce travail succomba bientôt devant les rivalités au sein du management intermédiaire.

Le programme *Customer First* fut finalement transféré entièrement au Marketing. Le service Ventes et clients accepta de ne plus faire « du marketing », tel que des campagnes de mailings ou de phoning, tandis que le Marketing accepta de se consacrer davantage à la conservation des clients les plus précieux.
Mais l'entreprise ne changea pas les critères de base avec lesquels elle jugeait la performance de ses différents départements et responsables. En conséquence, placer le programme *Customer First* sous la casquette Marketing ne pouvait conduire qu'à l'échec.
Le programme fut rapidement jugé selon un critère de réussite complètement différent, basé sur l'acquisition et la croissance du portefeuille client et non plus sur la rétention.

Le Marketing remplaça *First* par un programme appelé *« Personal Thanks »*, un programme marketing de fidélisation basé sur la récompense, aujourd'hui connu sous le nom de *« Friends & Family Rewards »*.
Bien que ce soit le seul véritable programme de fidélité implanté par le Marketing, ses critères de qualification furent nettement abaissés, et sa structure de récompense diluée, afin de le rendre attractif à un plus grand nombre de clients.
Parce que la valeur des récompenses diminuait graduellement, le programme fut de moins en moins efficace à promouvoir la fidélité des clients les plus précieux de l'entreprise.
Mais le Marketing procéda ainsi pour prouver rapidement le succès du programme. Le problème, c'est qu'ils mesurèrent son succès, une fois de plus, non pas sur l'accroissement de la fidélité des meilleurs clients mais sur le nombre global de clients recrutés par ce programme.

La culture d'entreprise de MCI joua aussi en défaveur du maintien des clients à long terme. Avec une impatience poussée à l'extrême, la direction de l'entreprise, dynamique et entreprenante, comptabilisait les clients acquis sur la base d'un rendement journalier. Mesurer le nombre de clients fidélisés demande beaucoup plus de temps.

Sans hésitation, on peut dire qu'une meilleure rétention de la clientèle crée une amélioration à long terme du profit, mais cela exige à la fois des mesures étalées dans le temps et une approche progressive et patiente. La

direction générale de MCI ne possédait pas cette faculté d'attention sur une longue durée.
Une anecdote largement répandue chez MCI voulait que le seul programme Marketing qui méritait d'être poursuivi soit celui qui aurait le potentiel d'audience d'une chaîne de télévision. Friends & Family l'avait très clairement. Le réseau MCI avait aussi ce potentiel. Customer First ne l'avait pas.
Le management n'a jamais pris non plus le temps de restructurer le système des primes pour les responsables, ce qui veut dire qu'il n'y avait toujours pas de pénalités pour l'attrition des clients en portefeuille, tandis que le jack-pot se déclenchait dès lors qu'ils dépassaient le taux de recrutement de l'année précédente. Chaque moment libre était occupé à recruter de nouveaux prospects ou à proposer des offres pour des produits additionnels. Le Marketing procédait de la sorte parce que, comme le dit Willie Sutton à propos des banques qui sont cambriolées, « Ce n'est pas étonnant, c'est là que se trouve l'argent ».

PROLOGUE : DÉVELOPPER « LES MEILLEURS DES MEILLEURS »

En dépit de tous les conflits qui ont conduit à cet échec, un élément du programme *Customer First* a survécu, et prospère encore au moment où nous écrivons, en rapportant un bénéfice continu à MCI.
Après avoir repéré, lors du Programme Customer First, la tranche supérieure qui représentait 5 % de ses clients, MCI analysa ce groupe et distingua un groupe encore plus restreint de gros consommateurs. Il s'avéra qu'environ 3 % de cette tranche des meilleurs réalisaient plus de 500 $ par mois en appels longue distance. Ces 15 000 clients, soit légèrement plus que 1/10e de pour-cent du fichier total des clients particuliers de MCI aux USA, représentait plus de 7 % du revenu de l'entreprise !

Faisant gravir à *Customer First* un échelon supplémentaire, MCI déroula le tapis rouge pour ces clients d'exception et leur offrit un traitement de première classe. Il construisit autour d'eux une cloison encore plus étanche que celle déjà créée autour de *Customer First*. Un noyau des 40 téléacteurs les plus performants fut constitué dans une organisation totalement différente du service Clients, à l'extérieur du centre téléphonique. Ils étaient organisés en petites équipes et travaillaient selon leur propre méthode. Ils n'avaient pas de chefs, mais étaient soumis à des rapports quotidiens destinés tant à leurs supérieurs qu'à leurs collègues ou à leurs subordonnés.

Chacun de ces employés possédait un récepteur de messagerie, qu'il ou elle devait avoir constamment à portée de mains, et une série de cartes de

visite. Chacun avait la responsabilité d'un groupe spécifique de clients d'exception. Ceux-ci recevaient un appel téléphonique ou une lettre du conseiller les tenant au courant du programme, et leur proposant de répondre à toutes leurs questions et de résoudre tous leurs problèmes.
MCI constata que ces clients n'appelaient jamais leurs conseillers sur le numéro du bipeur, mais le simple fait d'avoir ces bipeurs augmentait la qualité du service rendu par les conseillers et leur attitude envers « leurs » clients.

Comme le faisait remarquer un ancien cadre de chez MCI, la société aurait aimé avoir les moyens suffisants pour chouchouter tous les clients de la sorte. Mais dans un monde où les budgets sont limités, des priorités doivent se faire. Clairement, ces clients étaient ceux dont MCI voulait conserver la fidélité, bien plus que celle des autres et c'est ce programme que l'entreprise poursuit aujourd'hui.

Alors que *Customer First* était mis en échec par des conflits internes, il est important de noter que, même en cas de succès, le programme aurait à peine effleuré les stratégies de fidélisation des clients que nous exposerons plus tard.
Une société de télécommunications, comme MCI ou Ameritech ou Cable & Wireless, est pourtant dans une position idéale pour créer des services de collaboration sur mesure, avec des clients individuels. Ces services constituent la meilleure base pour créer un processus d'apprentissage avec les clients de l'entreprise, non seulement pour accroître la fidélité envers l'entreprise mais aussi pour garantir une meilleure marge.
Nous commencerons à discuter des mécanismes nécessaires à cette forme de conservation des clients dans le chapitre 7, et au chapitre 8 nous reviendrons plus en détail sur l'industrie des télécommunications.

Mais tout d'abord, nous voulons revenir sur la question qui consiste à savoir comment les clients sont différents. Il faut comprendre non seulement quels sont les clients qui méritent le plus d'être conservés, mais aussi lesquels sont le plus facile à développer. Bien souvent, ce ne sont pas les mêmes et les stratégies utilisées par une entreprise pour conserver plus longtemps ses clients ne sont pas toujours identiques à celles qu'elle utilise pour augmenter le potentiel de ses clients les plus importants.

CHAPITRE 5

DÉVELOPPER VOTRE CLIENTÈLE

COMMENT ACCROÎTRE VOTRE « PART DE CLIENT » ET AMÉLIORER VOTRE RÉSULTAT

MCI a tilisé son fichier historique d'achats pour classer ses clients par valeur, puis pour ventiler le premier tiers des clients selon leurs besoins, en les groupant en trois catégories. Parce que l'entreprise cherchait avant tout à conserver ses clients le plus longtemps possible, la seule variable véritablement prise en compte dans son modèle d'évaluation des clients était la valeur actualisée du client, la *Life Time Value* ou espérance mathématique de marge. Cependant, si MCI avait lancé un programme visant à développer le potentiel de ses clients, il aurait non seulement appliqué des stratégies différentes mais en plus ces stratégies auraient visé des clients différents, c'est-à-dire ceux qui représentaient pour MCI la plus forte valeur stratégique, ou potentielle.

Dans ce chapitre, nous allons étudier plus spécialement la valeur stratégique des clients et nous verrons comment elle détermine le choix entre conserver et développer. En chemin, nous présenterons une méthode de classification et d'évaluation des clients et nous dresserons le catalogue des différentes stratégies de conservation et de développement de clientèle.

DÉTERMINER LA VALEUR STRATÉGIQUE DE VOS CLIENTS

La valeur stratégique d'un client est le bénéfice total qu'une entreprise peut réaliser avec lui si elle développe une stratégie ou si elle conduit une action marketing pour lui en particulier. La valeur stratégique représente le chiffre d'affaires potentiel qu'un client pourrait faire avec nous, sachant qu'une partie ne se réalisera probablement jamais.

Pour mieux comprendre la différence qui existe entre valeur actualisée et valeur stratégique, nous allons supposer que vous soyez à la tête d'une banque destinée aux particuliers. Prenons le cas d'un client qui possède un chéquier, un compte d'épargne et un prêt automobile gérés chez vous. Ce client apporte de façon régulière un certain profit à la banque, généré par les intérêts de ses transactions et par la différence entre vos taux d'emprunt et de prêt.

Tout comme l'éditeur de magazines pris comme exemple au chapitre 2, dont les acheteurs étaient modélisés, vous avez segmenté vos clients et vous espérez qu'ils resteront dans votre banque un certain nombre d'années, afin de vous procurer un apport régulier de revenus.
La valeur nette comptabilisée de cet apport continu de revenu représente son EMM, c'est-à-dire *la perte* que vous subirez si ce client partait aujourd'hui dans une autre banque.

En plus de tous les comptes que ce client détient dans votre banque, supposons qu'il possède également un prêt immobilier dans une banque concurrente. Pour votre concurrent, le gain sur ce prêt représente sa valeur actualisée, mais pour vous il s'agit uniquement d'un potentiel réalisable à condition qu'il soit perdu par votre concurrent et gagné par vous.

Le profit attendu par ce prêt représente pour vous une composante de la valeur stratégique de ce client.
Ce client possède peut-être aussi un micro-ordinateur et un modem mais n'utilise pas votre service de banque à domicile ; si c'est une étudiante en médecine, elle a actuellement peu de moyens mais une probabilité de revenus élevés dans le futur. Chacun de ces facteurs représente différentes composantes de leur valeur stratégique pour vous.
Dans chacun de ces cas, le client pourrait dégager plus de profit pour votre entreprise, si seulement vous l'y incitiez.
Avec cette analogie, nous allons illustrer trois différentes composantes de la valeur stratégique d'un client pour une entreprise :

1. Chiffre d'affaires attribué à la concurrence

Il s'agit du chiffre d'affaires qu'un client réalise avec un concurrent alors qu'il pourrait vous appartenir si vous pouviez convaincre le client de vous le donner.
Prendre du chiffre d'affaires à la concurrence est une tactique demandant du temps, que ce soit dans le cas d'une banque qui rafle un prêt immobilier à son concurrent ou d'un intégrateur de systèmes informatiques qui remporte, contre un constructeur informatique, un contrat de maintenance.

2. Changement de comportement

Dans de nombreux cas, vous pourriez augmenter largement votre profit en changeant tout simplement le comportement de votre client. Vous pourriez l'amener à acheter un produit supplémentaire, ou à profiter d'un service auxiliaire ou encore à gérer son affaire de façon légèrement différente.

Pour une banque s'adressant aux particuliers, cela peut vouloir dire inciter le client à solliciter davantage sa banque, depuis son domicile, en utilisant son modem ou l'inciter à épargner régulièrement.

3. Développement de clientèle

La valeur stratégique d'un client passe aussi par le potentiel que représente ce client lorsqu'il risque, selon toute vraisemblance, de devenir plus important dans un futur proche. Une banque chouchoutant un étudiant en médecine en est un exemple. Autre exemple : un client d'US West Direct, en pleine croissance, pourra acheter des annonces dans les Pages Jaunes, de plus en plus grandes et de plus en plus nombreuses à mesure qu'il se développe.

Pour tous ces exemples, le résultat final d'une action stratégique réussie aboutit à rendre le client plus important et plus profitable. Il existe une différence importante entre la première méthode — prendre sur la concurrence des parts de marché — et les deux autres. Si vous partagez un client avec un concurrent, vous devez vous placer vous-mêmes dans la course pour actualiser la valeur stratégique de ce client. Car après tout, que se passerait-il si votre concurrent vous battait sur ce coup-là et fasse dire à votre client le montant du chiffre d'affaires qu'il fait... avec vous ?

Les clients qui méritent le plus d'être conservés sont ceux qui ont la valeur actualisée ou EMM la plus élevée. Les clients qui ont le plus de chance de se développer sont ceux qui ont le plus fort potentiel non réalisé, c'est-à-dire la plus forte différence entre la valeur actualisée (réalisée) actuellement et la valeur (potentielle) stratégique. Quelques fois, il s'agit des mêmes clients, mais le plus souvent ce n'est pas le cas. De plus, les actions et tactiques à entreprendre pour amener des clients à se développer ne sont pas les mêmes que celles utilisées pour les conserver plus longtemps. C'est souvent plus coûteux, mais aussi plus profitable, de développer un client que de simplement le conserver.

Pour bien visualiser la situation, revenons à l'histogramme de la valeur actualisée du client que nous avons examiné au chapitre 2. Superposons ce graphique de la valeur actualisée sur le graphique représentant la valeur stratégique.
Pour l'instant, ne vous préoccupez pas de savoir comment obtenir l'information sur la valeur stratégique de chaque client ; faites comme si vous possédiez cette donnée.

L'histogramme redessiné, avec les valeurs actualisées superposées aux valeurs stratégiques, fait apparaître une typologie de l'évaluation de la clientèle qui ressemble à ceci :

Typologie de l'évaluation de la clientèle

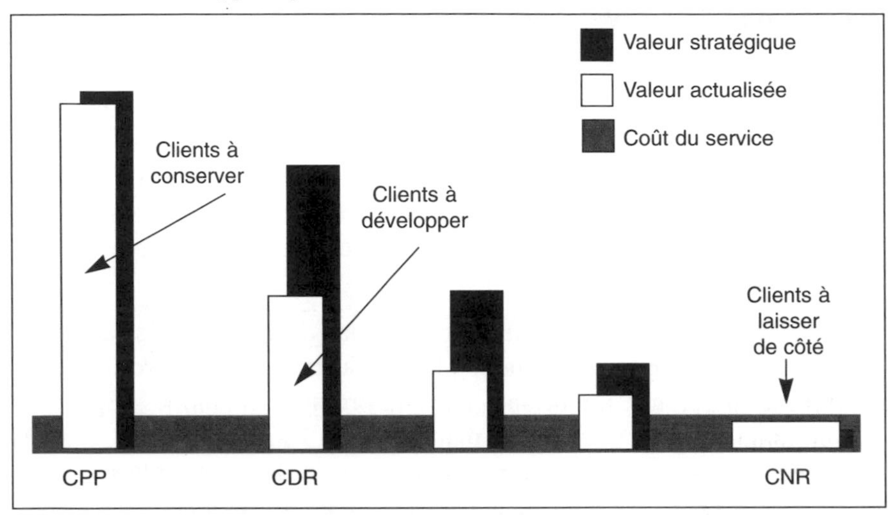

Dans l'histogramme ci-dessus, nous créons trois groupes principaux de clients, en fonction de l'objectif que nous poursuivons sur chacun de ces groupes : les garder, augmenter leur potentiel ou les laisser de côté. Pour faciliter notre discussion, nous utiliserons les abréviations suivantes :

CPP : Les clients les plus précieux
Ce sont ceux qui ont la *Life Time Value* (espérance mathématique de marge) la plus élevée. Ils représentent le cœur de notre activité. Notre objectif est de les retenir, quoi qu'il arrive.

CDR : Les clients du deuxième rang
Ce sont ceux qui ont le plus fort potentiel non réalisé. Ces clients pourraient devenir plus profitables qu'ils ne sont maintenant et notre objectif est de les développer.

CNR : Les clients non rentables
Ce sont ceux qui probablement ne dégageront jamais assez de profit pour justifier que nous dépensions de l'argent pour les satisfaire. Chaque entreprise possède des clients de ce type et notre objectif doit être *de nous en débarrasser.*

Quand MCI a voulu améliorer la fidélisation de sa clientèle, il se concentra sur ses CPP. Cette tranche supérieure représentait 5 % de sa clientèle de particuliers et générait 40 % de ses revenus commerciaux. Mais on aurait pu définir autrement les clients les plus précieux. Par exemple, en se concentrant sur 15 % des clients les plus importants, représentant, disons 75 % des revenus, ou encore les 2 % meilleurs des clients qui génèrent peut-être 25 % des revenus.

Décider, pour votre propre entreprise, quels sont les clients à classer dans le premier tiers est totalement subjectif. Choisissez une ligne de démarcation qui vous procure le maximum de bénéfice, en fonction de votre capacité à mobiliser les efforts de l'entreprise. Plus le profil de votre histogramme d'évaluation est déséquilibré, moins vous aurez besoin de CPP pour que votre programme de rétention produise un bénéfice significatif.

Examinons maintenant le cas des CDR ou clients du deuxième rang. On constate souvent que les clients qui ont le maximum de potentiel non réalisé sont ceux qui se situent juste en dessous des « CPP ».
Tandis qu'un CPP fait dès à présent une large part de son chiffre d'affaires avec l'entreprise, bien souvent ce n'est pas encore le cas des CDR. Le CDR est en de nombreux points identique à un CPP, à la différence près qu'il donne à l'entreprise un montant plus faible de son chiffre d'affaires. En conséquence, le CDR offre généralement à l'entreprise plus d'occasions potentielles de rentabilité additionnelle et de développement.

Définir et évaluer la valeur stratégique d'un client est plus difficile que mesurer sa valeur actuelle, parce que pour acquérir l'information sur la part que vous représentez dans le chiffre d'affaires de ce client en particulier, vous devez presque toujours entamer le dialogue avec lui.
Nous reviendrons plus largement sur ce sujet dans ce chapitre. L'important, à ce moment de la démonstration, est de noter que même si l'entreprise ne détient pas d'information sur leur valeur stratégique, il est très vraisemblable que les clients qui ont le plus fort potentiel de développement sont ceux qui se situent juste en dessous du premier tiers.
Une compagnie aérienne, par exemple, constatera que de nombreux clients CDR sont en même temps les clients CPP d'une compagnie concurrente.

En plus des CPP et des CDR, il y aura sûrement quelques clients situés dans le tiers inférieur du fichier, et qui en réalité coûtent plus cher à satisfaire que ce qu'ils pourraient générer de profit. Servir un client individuellement entraîne nécessairement un coût. Un client n'est jamais gratuit. Presque toujours, il y a des clients qu'il vaudrait mieux laisser tomber et nous les avons appelé « clients non rentables » (CNR), pour faire court. En identifiant suffisamment tôt les CNR, une entreprise peut diminuer les efforts marketing et les investissements commerciaux inutiles. Une définition stricte de l'espérance mathématique de marge d'un client devrait soustraire du profit généré par ce client les coûts de traitement, avant de calculer sa valeur actualisée. Dans la typologie de l'évaluation de la clientèle, nous avons fait ressortir à part les coûts de traitement pour montrer que, bien que nous puissions penser que tous les clients ont une valeur positive, aussi petite soit-elle, en réalité il y a des clients qui coûtent plus qu'ils ne rapportent.

DÉTECTER LES ANOMALIES

En créant une classification des types de clients, en fonction de leurs besoins et de leurs évaluations, l'entreprise 1:1 peut repérer assez rapidement des occasions de profit additionnel.
Par exemple, US West Direct aurait tout intérêt à passer régulièrement en revue, comme une catégorie particulière, tous ses clients dont l'activité se développe, puis à comparer leur volume d'annonces passées dans les Pages Jaunes et leur budget Marketing global.
Les clients en pleine croissance devraient légitimement obtenir des ratios analogues, au moins à l'intérieur d'une même industrie ou entre industries comparables. Les différences significatives, ou les anomalies, mettront en lumière de nouvelles occasions de vente.

Notez que si US West n'avait pas déjà différencié ses clients par types de besoins, il aurait sans doute été inutile de repérer ces anomalies.
La société sait déjà que des clients différents investissent une part plus ou moins grande de leur budget marketing dans les Pages Jaunes pour de nombreuses raisons différentes et c'est ce qui rend la démarche si puissante. Elle sait aussi quels clients, pris individuellement, le font et pour quelles raisons.
Aussi simple que cela puisse paraître, des sociétés qui possèdent des systèmes d'information et des bases de données sophistiquées ne profitent pas souvent des possibilités que représentent les anomalies de leur fichier.

Un de nos collègues a récemment développé rapidement son affaire de consultant en management, en la faisant passer d'une entreprise où il était le seul employé à une société comptant plusieurs associés. Cette affaire a pris rapidement de l'expansion et il donna à chacun de ses nouveaux associés une carte d'entreprise American Express, chacune étant reliée au même compte de la société.

Après que ses relevés mensuels d'utilisation des cartes de crédit eurent doublé, puis doublé à nouveau, il reçu un appel téléphonique d'un conseiller d'American Express, qui se renseigna sur les raisons de l'augmentation des montants facturés et demanda des informations financières sur la société, ce que notre ami fournit aisément au cours de la conversation.

C'était là une enquête polie et efficace de la part d'American Express, dans le but évident d'anticiper tout problème de solvabilité. Dans les deux mois qui suivirent, la facture doubla encore et il eut à nouveau un appel, demandant des informations complémentaires qui, cette fois encore, furent facilement fournies par téléphone. Cependant, pensant qu'il était utile d'avoir un plan de rechange, notre collègue pris une carte chez Diners Club et la « logea » chez son agence de voyage. Il donna des instructions pour que dorénavant toute dépense de billets d'avion soit débitée sur cette carte, tandis que lui-même et ses associés continueraient à utiliser AmEx pour leurs frais d'hôtel et de séjour.

Il n'a plus jamais entendu parler d'American Express. Lui-même et ses associés continuent de régler à travers le monde leurs notes d'hôtels et de restaurants avec leur carte American Express, exceptés les vols aériens. AmEx a toutes les informations requises pour constater que le niveau de l'activité voyage a en réalité augmenté, tandis que sa propre part de chiffre d'affaires avec ce client a brusquement baissé.
De plus, AmEx est tout à fait capable de détecter des anomalies comme celles-ci, puisqu'un conseiller crédit appela plus d'une fois, en engageant même avec ce client un dialogue qui lui donnait une image complète et véridique d'une entreprise en pleine expansion avec des besoins en croissance régulière.

L'équipe crédit chez AmEx est prompte à utiliser l'information au niveau individuel mais l'équipe marketing l'est apparemment moins, peut-être tout simplement parce que le marketing n'est pas sensibilisé à une approche des activités en terme de part de client. Ou, comme le département Marketing de MCI, toute l'organisation d'AmEx est peut-être tellement focalisée sur l'acquisition de nouveaux clients et la vente de nouveaux programmes, que personne dans la société n'est récompensé pour rendre les clients acquis encore plus rentables.
Quelle qu'en soit la raison, AmEx a perdu là une occasion simple et directe de conserver sa part de client chez notre ami et chez d'autres comme lui. Diners Club, bien sûr, n'a pas lui non plus tiré parti de cette même opportunité en ne distinguant pas le gisement de chiffre d'affaires résiduel chez son client.

Conclusion : notre ami consultant est une anomalie à la fois pour AmEx et Diners Club.

Un annonceur en pleine croissance dont l'investissement publicitaire hors des Pages Jaunes est disproportionné est une anomalie pour US West Direct. Le client d'un laveur de voiture figurant dans le « Top 100 » et qui soudainement vient moins souvent est une anomalie. Le client d'une banque qui détient un prêt immobilier mais pas de compte chèque ni de compte d'épargne est une anomalie.

Détecter les anomalies dans votre fichier d'historique d'achats est essentiel pour poursuivre une stratégie de part de client, quelle que soit la simplicité ou la sophistication de votre base de données.
Mais l'information transactionnelle en elle-même, aussi détaillée soit-elle, est très souvent insuffisante pour en déduire une vraie part de client.

Le dialogue n'est pas seulement un mécanisme qui donne bonne conscience

La détermination de la valeur stratégique d'un client est souvent aussi difficile que la détermination de ses besoins individuels. On doit commencer par engager avec le client une forme de dialogue ou de communication afin de connaître les nouvelles opportunités de chiffre d'affaires.
Il y a plusieurs moyens de savoir si le client d'une banque possède un prêt immobilier dans une autre banque. En utilisant par exemple des fichiers répertoriant publiquement les emprunts-logements[1], mais cela ne sera jamais aussi efficace et direct, ou aussi rapide et exact, que lorsque vous le demandez directement au client. D'ailleurs comment saurez-vous, sans une certaine forme de dialogue, qu'un client possède un micro-ordinateur et un modem chez lui, ou que c'est une étudiante en médecine prometteuse?
Même si ce type d'information peut être obtenu chez un loueur de fichiers, le risque encouru en l'exploitant vous-même au sein de votre entreprise aurait de telles implications liées au respect de la vie privée qu'il est probable que cela vous en dissuaderait.

D'un autre côté, plus une entreprise dialogue avec un client, plus nombreuses seront les occasions d'avoir une vue exacte de ce potentiel, dans la mesure où cela est donné volontairement par le client.

Tout bon vendeur sait qu'au cours d'une rencontre, les données les plus importantes (et les plus difficiles) à obtenir de la part d'un client sont l'estimation de ses achats futurs et le volume d'affaires qu'il traite actuellement avec vos concurrents. Une prolifération d'outils mis à disposition de la force de vente facilite, précisément, l'enregistrement et l'exploitation de ce type d'information.

Dans le domaine des cartes de crédit, une entreprise doit savoir que ses meilleurs clients sont le plus souvent des voyageurs réguliers au standing élevé. Ce sont eux qui dépensent des milliers de dollars chaque mois en billets d'avion, locations de voiture, hôtels et restaurants.

1. C'est possible aux USA. (NDT)

Quelqu'un comme notre ami, qui règle avec sa carte de crédit ses frais d'hôtels et de locations de voitures dans de nombreuses villes, mais n'a pour ainsi dire peu ou pas de dépenses d'avion, laisse supposer qu'il procure à la société de carte de crédit une plus petite part de chiffre d'affaires que d'autres clients qui lui ressemblent.
À moins, bien sûr que ce client utilise un autre compte AmEx pour régler son agence de voyage — un compte qui n'aurait pas été intégré aux informations qu'American Express détient sur ce client — ou à moins encore qu'il emprunte le plus souvent l'avion de la société pour voyager.

On voit donc que ce qui est important pour définir la valeur stratégique du client consiste à initier avec lui une forme de dialogue. L'analyse de l'historique des achats permet déjà une bien meilleure connaissance des clients, par rapport à ce que beaucoup d'entreprises exploitent aujourd'hui.

Même les industries qui se caractérisent par un historique d'achat soi-disant généralisé et parfait doivent compter sur un dialogue avec chaque client pris isolément afin de comprendre le « pourquoi » de son comportement en particulier.

Aux États-Unis, par exemple, chaque drugstore transmet les ordonnances prescrites, auxquelles sont joints les commentaires du médecin-traitant, à un bureau central d'informations. Cette information, avec force détails, est alors mise à la disposition des laboratoires pharmaceutiques, qui engagent toute une communication avec les médecins pour les inciter à prescrire leurs médicaments.

Les docteurs prescripteurs sont, par définition, les clients des laboratoires pharmaceutiques. Grâce à l'existence et à l'exhaustivité de cette information, un laboratoire pharmaceutique sait non seulement quels sont les médicaments de sa gamme prescrits par chaque médecin en particulier, mais il peut aussi savoir, parmi les médicaments de ses concurrents, quels sont ceux qui sont prescrits.
À première vue, il semble s'agir d'une donnée très exacte et quantifiable de la part de client pour chaque client-médecin, mise à la disposition de chaque laboratoire pharmaceutique. En réalité, les anomalies de la base de données sont rarement expliquées par un examen des données elles-mêmes, dans le silence du bureau.

Un médecin qui prescrit un antidépresseur au lieu d'un autre, par exemple, doit être contacté par un représentant « en chair et en os » du laboratoire si celui-ci caresse l'espoir d'accroître sa part de client chez ce médecin en particulier. En effet, bien que la base de données renferme la donnée exacte du « quoi », elle ne possède pas la solution du « pourquoi ».

Ainsi, pour une entreprise 1:1, le dialogue avec un client individuel poursuit toujours deux principaux objectifs :

1. Spécifications des besoins

Le client indique à l'entreprise quel type de produit il veut, quand et où il veut l'obtenir.

2. Analyse de la valeur stratégique

Le client indique à l'entreprise le chiffre d'affaires additionnel qu'il pourrait lui donner.

Une stratégie pour garder les clients et une autre pour les développer

Non seulement les clients qui méritent le plus d'être conservés sont différents de ceux dont il convient d'accroître l'importance, mais les stratégies à utiliser seront, elles aussi, différentes.

Il existe au moins quatre stratégies pour améliorer la rétention des clients, chacune étant efficace, selon la nature de la clientèle et les capacités de l'entreprise. Les stratégies pour améliorer la rétention sont listées ci-dessous, classées grossièrement par ordre croissant d'efficacité.

1. Reconnaissance du client
2. Achat de la fidélité
3. Qualité des produits et satisfaction du client, et
4. Personnalisation et partenariat

1. Reconnaissance du client

C'est l'une des premières choses à laquelle les entreprises s'attachent dans leur lutte contre la volatilité des clients.
Lorsque l'on sait qu'un client est un CPP, pourquoi ne pas « le reconnaître » en tant que tel et lui réserver un traitement spécial ?
Cette approche peut être particulièrement efficace pour une activité de services fortement personnalisée. Le programme *Customer First* de MCI était au départ un simple programme de reconnaissance.

Dans tous ses hôtels et complexes balnéaires, la chaîne Inter-Continental met à la disposition de ses meilleurs clients des étiquettes pour leurs bagages. Il s'agit là d'un moyen immédiat et discret pour identifier un membre du « club des six continents ». Il fait partie des clients les plus précieux (CPP) et il faut alors lui prêter une attention toute particulière.

L'équipe de base-ball « San Diego Padres » distingue et récompense ses meilleurs supporters. Appliquant un programme développé par Looking Glass, (une société de Denver spécialisée en bases de données marketing), l'équipe des Padres effectua un sondage dans un journal. Toute personne qui retournait le questionnaire rempli se voyait offrir 2 places gratuites. Ils reçurent 6 400 réponses, dont 400 lettres personnelles, certaines comportant plusieurs pages de suggestions et de questions posées à l'équipe.
Les répondants au sondage furent inscrits dans le club des supporters des Padres. Plusieurs groupes furent créés en fonction d'une répartition assez floue entre les attentes et la valeur des membres.
Les membres « Or » sont les abonnés à l'année tandis que les retraités sont dénommés les membres « Argent ». Les femmes supporters sont regroupées sous le nom de « Madres » tandis que d'autres groupes se sont ajoutés, tels que les supporters avec enfants et les célibataires.
Certains auteurs des lettres étaient rappelés personnellement au téléphone par l'équipe dirigeante de Padres et plus d'un fut invité à dîner par le président du club.
Les composantes d'un programme de reconnaissance doivent être à la fois personnelles et tangibles.
Par exemple, une personne que l'on veut « distinguer » pour sa qualité de CPP ne doit jamais recevoir de lettre type.
Si un client est suffisamment précieux pour être un CPP, sa valeur justifie certainement que l'on établisse avec lui un contact personnel ou qu'au moins on lui envoie une lettre personnalisée qui ne comporte aucune erreur le concernant.

Le Marketing « de l'intérêt bien compris »

Il existe dans les affaires une pratique que nous appelons le marketing « de l'intérêt bien compris » et qui doit nécessairement figurer parmi les composantes d'un programme de reconnaissance. Concrètement, cela signifie que ce qui convient le mieux pour le client est placé au premier plan de la politique ou du programme marketing en cours. Les banques et les opérateurs de téléphone devraient par exemple passer en revue les comptes de leurs clients CDR et proposer à chacun le meilleur contrat.
L'intérêt bien compris est une pratique commerciale pleine de bon sens à appliquer pour n'importe quel client.
Mais, contrairement à l'offre standardisée à taille unique, elle demande un soin et une attention particuliers. De ce fait, sa mise en œuvre est souvent peu réaliste lorsqu'il s'agit de clients qui ne sont pas des CPP.

Prenons l'exemple d'un entrepreneur en bâtiment: il vend un produit très coûteux, dont l'achat est rarement renouvelé. Il ne compte donc que sur les recommandations de clients satisfaits pour accroître ses affaires. En général, les entrepreneurs garantissent pendant un an les maisons qu'ils construisent. À l'issue de la première année, c'est au propriétaire et non au constructeur qu'incombe la responsabilité des réparations ou des réajustements. Les maisons neuves sont des produits complexes, constitués de quantité de petits détails qui peuvent se détériorer à des rythmes divers. Même la maison construite par le meilleur des entrepreneurs risque de présenter des petits problèmes qui demandent à être réglés. Il y a donc deux manières pour l'entrepreneur de concevoir une garantie d'un an. Il peut attendre la date limite, en espérant que son client (qui de toute façon n'achètera plus jamais d'autres produits chez lui) n'ait pas l'idée de le rappeler avant la date fatidique. C'est sûrement l'idée la moins coûteuse, du moins dans un premier temps. Ou bien il pourra appeler le nouveau propriétaire au cours de la 51e semaine, juste quelques jours avant que n'expire la garantie annuelle, et lui proposer de venir faire une inspection des lieux, afin de mettre en lumière certains problèmes nouveaux qui auraient pu échapper à l'origine. Ce client ne fera sans doute jamais plus construire une autre maison, mais il est probable qu'il parlera en bien de cet entrepreneur à d'autres personnes.

Un marketing au service des intérêts du client, en plus du bénéfice à long terme sous forme de fidélité accrue et de recommandations, améliorera d'une manière remarquable à l'intérieur de l'entreprise, la volonté de modifier la base de données en fonction du traitement que doivent recevoir les clients.

Une entreprise bien gérée ira même jusqu'à former ses employés de base à prendre des décisions en fonction de critères globaux respectant la mission de l'entreprise.

« Des hommes et des femmes du monde au service d'hommes et de femmes du monde », telle est la devise du Ritz-Carlton. La philosophie et la dynamique qui se cachent derrière cette phrase expliquent largement le niveau d'excellence du service, la satisfaction de la clientèle et la résolution des réclamations.
L'entreprise qui pratique un marketing au service des intérêts du client insufflera dans sa culture le principe qui consiste à placer le client en premier, au-dessus de tout le reste.

2. Acheter la fidélité

Une autre façon, assez différente, d'accroître la fidélité consiste à l'*acheter*. MCI a acheté la fidélité de ses clients quand il a changé son offre de recrutement en passant d'un paiement cash à une réduction obtenue par paliers.

Les programmes de fidélisation des compagnies aériennes sont tous basés sur l'achat de la fidélisation. Parce qu'ils ont des niveaux de récompenses gradués selon les *miles* acquis, les programmes de récompense selon la fréquentation sont de bons exemples qui montrent comment améliorer la fidélité du client au fur et à mesure que son volume d'affaires augmente.

De plus, en faisant bénéficier les voyageurs les plus fréquents de services spécifiques et supplémentaires, comme le surclassement prioritaire ou des files d'attentes exclusives pour l'embarquement, une compagnie aérienne incite un voyageur fréquent à rester fidèle plutôt que d'essayer d'autres compagnies, chez qui il ne sera pas traité comme un CPP.

Quelques fois, il suffit d'acheter la fidélité d'un client pendant le temps qui lui est nécessaire pour s'acclimater à l'entreprise. Si celle-ci peut, pendant ce temps-là, connaître ses goûts et ses préférences, et par la même occasion amener le client à prendre un peu de son temps et à s'investir dans cette relation, il est alors possible de passer d'un mode de subordination à une *relation d'apprentissage*. On aborde alors réellement la stratégie la plus efficace pour entretenir la fidélité d'un client à long terme.

Acheter la fidélité est la première réaction de la plupart des entreprises aux prises avec une forte attrition de clientèle. Mais c'est une tactique dont l'utilisation est limitée dans le temps. Elle est souvent imitée par la concurrence et ressentie par les clients comme un nouvel artifice marketing à bon marché.
À long terme, acheter la fidélité des clients équivaut à pratiquer une réduction de prix pour attirer de nouveaux clients.

Même les programmes de fidélisation des compagnies aériennes, avec leurs structures de récompenses en cascade et leur séduisante « monnaie d'échange » (les *miles*) ne présentent qu'un avantage limité dans le temps pour s'opposer à l'attrition des clients, face aux opérations de recrutement massives des concurrents.

American peut prendre à United ses meilleurs clients de deux façons :

- en les identifiant individuellement, que ce soit à travers une opération promotionnelle ou dans le cadre d'alliances avec d'autres sociétés liées au monde du voyage.
- en « remplissant la hotte » de privilèges (*miles* supplémentaires ou surclassements) de façon sélective et réservée uniquement à ces CPP en particulier.

La seule défense possible pour United contre un « détournement » de fidélité serait de remplir elle aussi la hotte de privilèges, et la guerre se situerait encore une fois sur le terrain des réductions de prix et des marges rabotées.

Une forme de fidélité plus durable pourrait être entretenue par une compagnie qui briserait les codes habituels en créant une relation d'apprentissage avec les CPP, reposant sur la connaissance des goûts et attentes de chaque client pris isolément. Ensuite, pourrait se mettre en place la personnalisation du service répondant à ces besoins. Aujourd'hui, même United (ainsi qu'American et les autres grandes compagnies aériennes) traitent leurs excellents clients mieux que les autres passagers, mais ils continuent à traiter tous les CPP de la même manière, comme s'ils avaient les mêmes goûts et les mêmes besoins.

3. Qualité des produits et satisfaction de la clientèle

Rien ne remplace, bien sûr, la qualité des produits. Aucun client n'acceptera de renvoyer plus d'une fois un produit défectueux. Exiger une qualité de produit au moins équivalente à celle de la concurrence est essentiel pour une entreprise 1:1.
Au chapitre 7, nous reviendrons brièvement sur le thème de la qualité du produit et du service, mais pour l'instant nous nous intéresserons à la satisfaction de la clientèle.

La satisfaction est le contraire du mécontentement, et le mécontentement du client est la voie toute tracée vers la défection. Gardez cependant en mémoire que la satisfaction du client est une condition nécessaire mais pas suffisante de sa fidélité.

De nombreuses sociétés se donnent beaucoup de mal pour mesurer leur *indice de satisfaction clientèle* (ISC). Elles procèdent à des enquêtes auprès de leurs clients et leur demandent d'évaluer le produit pour indiquer s'ils sont « très satisfaits » ou « très mécontents ».
Ce mécanisme de retour d'information peut faire partie ou non d'une volonté globale d'amélioration de la qualité ; cependant, certaines entreprises cherchent trop à intégrer cet ISC dans la gestion globale de leurs affaires, en comparant constamment une division à une autre, cette année par rapport à l'année dernière, et ainsi de suite.

Parmi les entreprises qui s'en remettent aux résultats de l'ISC, il y a une croyance très ancrée qui consiste à dire que le seul niveau de satisfaction qui compte réellement est la « case du haut », là où le taux de satisfaction est le plus élevé. Des études ont pourtant montré qu'il était suffisant d'atteindre des taux de satisfaction moyens.
Seules les performances qui crèvent le plafond semblent procurer un avantage quantifiable en terme de fidélité des clients. Un grand nombre de clients qui sont satisfaits, mais pas *très satisfaits*, continueront toujours à quitter la société.

Malgré les meilleures intentions de l'entreprise, se servir de l'ISC comme d'un élément qui intervient dans le calcul de primes allouées aux employés, conduit souvent des résultats inattendus et faussés.

Un de nos amis a récemment acheté une nouvelle Toyota chez un concessionnaire de sa région qui affichait un ISC très élevé. Alors que notre ami signait son contrat d'achat, le vendeur attira son attention sur un questionnaire de satisfaction clientèle.
En expliquant que son revenu et sa prime individuelle dépendaient de la façon dont le client aurait exprimé son degré de satisfaction générale, le vendeur glissa le questionnaire sur le bureau et demanda (en faisant un clin d'œil) si notre ami avait été TRÈS satisfait de l'ensemble du processus de vente. Le questionnaire incluait une enveloppe préaffranchie, mais le vendeur incita le client à remplir le questionnaire sur le champ, devant lui, s'il voulait s'éviter l'embarras d'avoir à trouver une boîte à lettres, et s'il était vraiment (re-clin d'œil) TRÈS satisfait.

Que la satisfaction clientèle se situe dans la case du haut est certainement quelque chose d'important, mais peut-être pas pour la raison qui semble la plus évidente.
En réalité, d'autres études ont montré que la satisfaction du client ne pouvait être corrélée de façon étroite avec la fidélité du client que dans la mesure où on la compare à *celle procurée par la concurrence.*
Quand votre client vous manifeste une excellente satisfaction, cela n'implique pas forcément qu'il est plus satisfait par votre société qu'il ne l'est avec un concurrent. La plus sûre manière de mesurer le réel impact de la satisfaction de votre clientèle sur votre activité est de mesurer *aussi* sa satisfaction vis-à-vis de vos concurrents.

Ray Kordupleski, qui était encore récemment directeur de la Satisfaction clientèle chez AT&T, commença à s'intéresser à ce sujet il y a plus d'une dizaine d'années et ses travaux ont abouti à des constats véritablement innovants.
Quelques années après qu'on lui ait confié la responsabilité d'améliorer l'ensemble des résultats commerciaux d'AT&T, Kordupleski se trouva confronté à un paradoxe. Alors que l'entreprise utilisait toutes sortes de variables pour calculer sa part de marché et identifier la productivité et les coûts, les scores de satisfaction des clients d'AT&T ne présentaient apparemment pas de corrélation forte avec sa part de marché, sa croissance ou son profit.

Une contradiction semblait se répéter souvent, sous des formes diverses : par exemple, l'indice de satisfaction de la clientèle pour un produit en Pennsylvanie était de 97 % ; pour ce même produit, l'indice à

New York n'était que de 78 %. Or, la Pennsylvanie *perdait* des parts de marché tandis que New York en gagnait.
De plus, parmi tous les marchés des États-Unis, celui de Pennsylvanie était celui où les clients étaient les plus satisfaits tandis que les clients de New York étaient les moins satisfaits !

À en croire ces donnés, il semblait qu'AT&T perdait des parts de marché là où les clients le notaient le mieux. Comment expliquer ce paradoxe ?

Il s'agit d'un problème que l'on rencontre fréquemment. La difficulté pour les responsables du contrôle-qualité est d'établir un lien direct entre les augmentations (ou baisses) de la satisfaction de la clientèle et le marché ; cela a amené beaucoup d'entre eux à se demander si les programmes d'amélioration de la satisfaction de la clientèle se rentabilisent vraiment, d'un point de vue financier.

Kordupleski avança trois conclusions dans sa recherche pour expliquer ces curieuses statistiques de satisfaction clientèle :

Premièrement, la seule satisfaction qui compte réellement est celle qui se trouve dans la case supérieure « très satisfait ».

Deuxièmement, et c'était crucial pour AT&T, bien que le prix contribue beaucoup à influencer la satisfaction globale, une quantité d'autres facteurs, de la qualité du service à la réactivité, contribuent également à déterminer la relative satisfaction du client. En d'autres termes, il est clairement possible de satisfaire un client avec un produit de qualité même s'il est vendu à un prix élevé.

Troisième conclusion : la connaissance de la satisfaction clientèle ne présente un intérêt que si l'on souhaite comparer et expliquer des résultats commerciaux par rapport à ceux des concurrents.

Encore aujourd'hui, ce principe est tout à fait ignoré dans les considérations souvent sceptiques qui pronostiquent que l'on obtiendrait de meilleurs résultats financiers en s'efforçant d'améliorer les scores de satisfaction de la clientèle.

Dans la plupart des entreprises, les indices de satisfaction mesurent, tout simplement, un mauvais critère.
Mais Korduleski montra que lorsqu'on mesurait la satisfaction clientèle en la comparant à celle de la concurrence, la corrélation avec les performances commerciales était en réalité assez remarquable. Chez AT&T, par exemple pour qui les conditions d'installation des téléphones était un point sensible, une augmentation, même légère, du taux de satisfaction comparatif annonçait une augmentation des ventes dans les 4 mois. Sachant cela, il était alors

facile d'expliquer le paradoxe Pennsylvanie—New York. Les New-Yorkais notaient tout le monde plus bas que les personnes les plus tolérantes de Pennsylvanie. La raison est simple : ils sont prédisposés à être plus exigeants auprès de leurs fournisseurs et moins indulgents en tant que clients (est-ce une surprise?). Les New-Yorkais notaient les concurrents d'AT&T encore plus bas qu'AT&T ; ce signe était suffisant pour montrer que la part de marché d'AT&T continuerait encore d'augmenter.

4. Personnalisation et échange

La stratégie la plus efficace pour garder ses clients est de loin la pratique de la relation d'apprentissage, qui repose sur la collaboration du client individuel et sur la mise en place de tactiques de personnalisation.

Une rétention de clientèle fiable, sur laquelle on peut compter, existe uniquement lorsque le client est attaché à l'entreprise, malgré les offensives de la concurrence. La manière de se garantir vis-à-vis d'elle consiste à créer un lien entre ce que nous dit le client au niveau individuel et la personnalisation des produits et services qui en résulte.

Si vous réussissez à convaincre un client de prendre un peu de son temps et de son énergie à apprendre à votre entreprise comment mieux satisfaire ses préférences individuelles, alors vous le garderez fidèle plus longtemps, au-delà même du propre intérêt de ce client.
Plus le client consacrera du temps et de l'énergie à apprendre à l'entreprise comment personnaliser ses prestations selon ses propres goûts, plus il rencontrera de difficultés à obtenir le même niveau de service personnalisé chez un concurrent.

La relation d'apprentissage tourne autour d'un précepte largement répandu et le replace du point de vue du client. Chaque entreprise sait qu'une meilleure connaissance de ses clients, si possible individuelle, profite à toutes les initiatives marketing.
C'est la raison pour laquelle les bases de données clientèle sont si appréciées des hommes de marketing.
Plus vous en saurez sur votre clientèle, mieux vous saurez lui vendre des produits et services, et la préserver des attaques de la concurrence.

Les relations d'apprentissage, cependant, reposent sur une idée plus difficile qu'il n'y paraît au premier abord : quand un client prend du temps pour apprendre ses préférences à votre entreprise, il faut s'attendre en retour que lui-même ne prenne pas à la légère les conséquences de cet apprentissage.
Demander à un client d'exprimer ses besoins particuliers est une idée qui ne vient pas spontanément à une entreprise qui n'est pas habituée à penser

à ses clients en tant que personnes qui communiquent individuellement. Nous discuterons de la stratégie de personnalisation et de collaboration plus en détail dans les chapitres suivants, à mesure que nous examinerons les implications générales de la relation d'apprentissage.

Les stratégies de rétention de clientèle recouvrent partiellement les stratégies de développement.
De la même manière qu'une entreprise peut acheter la fidélité de ses clients, elle peut aussi acheter une augmentation de sa part de client. Un CDR qui vous donne 50 % de son chiffre d'affaires pourrait tout aussi bien être incité à vous en donner une part plus importante si vous lui offriez un cadeau ou une réduction. La stratégie ici n'est pas d'arracher une vente en négociant un gadget de plus, mais de faire une avancée stratégique et concurrentielle sur le marché de la vente croisée.

LES VENTES CROISÉES : UN MOYEN D'ACCROÎTRE VOTRE PART DE CLIENT

Pour la majorité des entreprises, les ventes croisées peuvent représenter le moyen le plus significatif, le plus rapide et le plus rentable pour augmenter sa part de client. Il est donc étonnant de constater à quel point si peu de grandes entreprises exploitent ce filon. Pourtant quand l'entreprise se concentre sur le client, et non pas sur le produit, des ventes croisées se développent de façon évidente et extraordinaire.

Une entreprise avec de nombreux services qui cherche à se transformer en entreprise 1:1 fait souvent l'erreur d'isoler la démarche marketing 1:1 à l'intérieur d'un seul service.

Mais le marketing 1:1 est par nature orienté vers le client alors que la plupart des services dans les entreprises sont structurés par lignes de produits ou par lignes opérationnelles.
Dans une entreprise multiservice, il est fréquent de voir plusieurs services vendre à des clientèles qui se chevauchent. Un même client peut être en relation avec plusieurs services de l'entreprise à la fois.

Dans la plupart de ces structures, c'est le chef de service qui a la charge de tester l'efficacité des différents programmes marketing et des stratégies concurrentes. Après tout, c'est lui qui est responsable des pertes et profits. D'autres fonctions sont bien séparées en plusieurs services et notées séparément, alors pourquoi pas celle-ci ?
Pourquoi ne pas considérer un même client comme multiple, en le scindant entre plusieurs services?

L'approche commerciale centrée sur le client est convaincante parce que précisément, elle permet à l'entreprise d'asseoir une relation avec ce client-là à travers diverses sources de profit additionnelles.
On peut vendre par croisement un grand nombre de produits et de services distincts à un seul client selon une approche coordonnée.
La vente croisée à grande échelle est impossible si le projet se limite à un seul service, ou si le marketing 1:1 est testé sur un seul produit.

Si votre entreprise veut démontrer la validité d'une démarche 1:1, vous devez vous intéresser à des groupes de clients et non pas à des produits, ou à des services.

C'est quelquefois difficile à réaliser, mais l'entreprise 1:1 prend conscience que la concurrence se trouve à l'extérieur de la société, et non à l'intérieur !

Regardez combien il est difficile de marier quelque chose d'aussi logique que les services publicité et promotion.

On a vu dans le microcosme publicitaire de ces dix dernières années, de grandes agences internationales acquérir d'autres firmes. Elles ajoutaient ainsi à leur palette une offre « hors média » tels que le marketing direct, la promotion des ventes ou les relations publiques.

Même si ces activités sont assez fortement liées, elles nécessitent des aptitudes opérationnelles souvent très différentes. C'est la raison pour laquelle, à l'intérieur de grosses structures, chaque discipline est souvent représentée et gérée comme un partenaire, par un groupe d'experts.
Les professionnels de publicité générale ont la réputation de se vendre d'abord, en négligeant les activités de marketing direct, de promotion des ventes et de relations publiques à l'intérieur de leur propre agence. Ils veulent ainsi protéger un volume d'achat plus élevé, même si la marge relative acquise sur un budget marketing direct est presque toujours nettement supérieure.

Par contraste avec les difficultés que de nombreuses entreprises rencontrent, le principe des « ventes croisées » est souvent pratiqué par des clients habiles et bien organisés.

Wal-Mart, l'un des géants américains de la grande distribution, arrive systématiquement chez un fournisseur en négociant un taux fortement discounté dans un département. Puis, il applique ce taux de façon systématique pour tous les produits achetés dans les autres départements de ce fournisseur.

La plupart des entreprises aujourd'hui encouragent la vente croisée à grande échelle. Mais celle-ci est encore généralement organisée sur la base de comités multiservices ou des réunions informelles de « discussions » entre les services pour échanger des contacts et des pistes.

La compagnie d'assurance américaine Chubb Insurance, par exemple, est composée de plusieurs services distincts. Chacun d'entre eux vend une gamme différente de produits d'assurance, depuis le maritime, jusqu'aux biens immobiliers et aux assurances accident.
Il arrive souvent qu'une entreprise traite avec un seul service de Chubb. Pourtant d'autres services peuvent avoir des produits susceptibles de convenir à ce client.

C'est pourquoi l'entreprise organise régulièrement des réunions à un niveau consolidé. Elles ont pour objet de déceler chez les clients le potentiel de ventes croisées. La cible visée est surtout les nouveaux clients de chaque branche, examinés les uns après les autres.

Cette méthode appelée « feux croisés » chez Chubb permet à l'entreprise de proposer le maximum d'affaires possibles à chaque client. Récemment Chubb s'est réorganisé par groupes de clients, depuis les PME jusqu'aux sociétés aux techniques de pointe. Ceci permet de vendre à chaque client ce qui correspond précisément à ses besoins.
Dans ce contexte, les réunions dites de « feux croisés » ont été remplacées par une tout autre organisation de la clientèle, beaucoup plus puissante : toutes les lignes de produits en activité sont mises à la disposition de chaque client, à l'intérieur de chaque groupe de clientèle.

Toute personne un tant soit peu habituée aux difficultés d'animation d'une équipe de vente lorsqu'une entreprise vend un système complexe ou une variété de produits à un grand compte, peut facilement se représenter les difficultés qui surviennent lors de ventes croisées entre deux services ou même deux départements.

Les opérations de ventes croisées sont souvent difficiles à cause de la structure et de l'organisation de l'entreprise. Mais c'est aussi parce que le système de rémunération des cadres limite très nettement la responsabilité d'un manager dont les objectifs entrent exclusivement dans le domaine de compétence de son service. Et ceci quelle que soit la manière dont est organisé son service, par catégorie de produits, par canal ou par fonction.
La mise en place de stratégies de développement de clientèle passe par le règlement de ce premier problème.
Les ventes croisées sont cruciales pour faire passer les clients de la catégorie des clients du deuxième rang (CDR) aux clients les plus précieux (CPP).

QUE FAIRE DES CLIENTS QUI COÛTENT PLUS CHER QU'ILS NE RAPPORTENT?

Les clients non rentables (CNR) sont au niveau le plus bas dans la hiérarchie clientèle: ils coûtent plus cher à servir qu'ils ne rapporteront jamais. On trouve toujours quelques CNR dans toutes les entreprises. Dans certains secteurs d'activité, la population des CNR peut même aller jusqu'à dépasser la population des CDR et des CPP.

Le CNR se recrute le plus souvent, non pas parmi les clients de valeur qui partent, mais parmi les clients de faible valeur qui sont enclins à utiliser des services coûteux. En *business to business*, l'entreprise peut facilement identifier des strates de clients qui sont continuellement à l'affût de promotions, le plus souvent par le biais de mailings ou de télémarketing, plutôt que par la force de vente.

En plus de cette strate de petits clients, on va aussi trouver des clients au potentiel apparemment supérieur mais qui ne souhaitent pas collaborer. Soit ils ne veulent pas de services additionnels, soit ils ne s'intéressent pas au développement et à l'amélioration des produits qu'ils achètent. Soit encore ils ne sont pas intéressés par la qualité du produit ou du service lorsque celle-ci ne peut pas se mesurer financièrement. Quelquefois, ils ne se préoccupent même pas du professionnalisme intégré dans le produit ou le service acheté.
Si vous avez une force de vente, vous pouvez être sûr que chaque membre de votre équipe connaît un tel client. Un client qui, quel que soit le temps que vous prendrez à le renseigner, insistera quand même pour attendre encore une fois votre prochaine proposition, afin de rabattre un autre dixième de point sur votre marge.
La plupart des entreprises continuent de solliciter encore des clients CNR comme celui-ci, parce que c'est tout ce qu'elles savent faire: essayer d'avoir des nouveaux clients.

US West Direct a compris que dès qu'un client est identifié comme un « passif non orienté sur la croissance », cela ne vaut presque jamais la peine de l'appeler pour un entretien de vente. À quelques exceptions près, les chances de récupérer quelques ventes sont trop faibles pour justifier le temps que va y consacrer un vendeur.
Cet exemple montre parfaitement bien comment identifier au préalable un CNR en utilisant une classification par différenciation des besoins. Si un « passif » l'appelle, US West prendra certainement la commande. Mais l'entreprise a aussi compris que cela ne serait pas rentable, à long terme, de dépenser le temps et l'énergie d'un vendeur pour traiter plus d'affaires avec ce type de clients.

Face à de telles situations, la culture d'entreprise d'US West y perd quelquefois son latin. Issu du monopole d'AT&T, l'entreprise prône une philosophie bien ancrée : « tous nos clients sont égaux ».
Cette philosophie est souvent réaffirmée par la force de vente syndiquée de l'entreprise.
Ce parti pris collectif se retrouve chez un grand nombre de sociétés du secteur public, les compagnies de téléphone, les câblo-opérateurs, les quotidiens et d'autres entreprises qui sont, où étaient encore récemment, des monopoles, que ce soit par mesure gouvernementale ou par la force naturelle du marché.

Le problème d'un tel parti pris, c'est bien sûr que les clients ne sont manifestement pas égaux. Ils ne sont pas égaux aujourd'hui, et ils ne l'étaient pas non plus du temps du monopole. Un client inactif depuis longtemps reçoit encore une relance commerciale, alors qu'un autre qui paye ses factures ne la reçoit pas.
Une grande entreprise reçoit une attention particulière, alors qu'une petite entreprise n'y a pas droit.
La façon dont l'entreprise gère son patrimoine est un facteur essentiel de succès. En vérité, il est plus juste de traiter ses différents clients différemment, plus particulièrement lorsque l'entreprise traite avec des clients non rentables (CNR).

Un client qui investit beaucoup dans votre société mérite certainement un meilleur niveau de service et d'attention. En traitant les clients individuellement l'entreprise peut généralement accroître le niveau général du service pour presque tous les clients.

Au chapitre 14, nous étudierons ceci plus en détail ainsi que les autres obstacles culturels qui peuvent apparaître dans la mise en place d'une stratégie de marketing 1:1.

Traiter le cas des CNR est certainement un problème épineux. Parce qu'il est lourd de danger notamment en interne, mais aussi en raison des conséquences potentiellement désastreuses en terme d'image comme l'a expérimenté la First Chicago Bank.
La First Chicago Bank décida un jour de faire payer un supplément à ses clients qui se présentaient à ses comptoirs pour effectuer des opérations qu'ils pouvaient tout aussi bien faire à un guichet automatique.
L'objectif de l'entreprise était seulement de réduire en partie les coûts élevés de ces services exécutés manuellement.
C'était aussi une façon de dissuader ces clients CNR : ils avaient tendance à faire perdre du temps aux guichetiers et plus d'argent à la banque qu'ils ne pourraient jamais lui en faire gagner.

Le but de la banque, en fait, était d'inciter de manière délicate les clients non profitables à devenir... les clients non profitables d'une autre banque.

L'annonce de la mesure fut suivie par un tollé de commentaires défavorables, relayé par la presse qui citait la banque comme un exemple d'organisation qui rendait un mauvais service à ses clients.
La plupart des accusateurs oublièrent de dire que toutes les transactions devenues payantes pouvaient facilement être réalisées par le client à un guichet automatique.
Mais comme l'expliquait plus tard un cadre de la First Chicago « nos clients fidèles y gagnent, et pour ce qui concerne les profiteurs, soit ils changent leur comportement soit ils se tournent vers une autre institution prête à demander à ses bons clients de subventionner les moins bons ».
Un grand nombre de concurrents axèrent ironiquement leur discours publicitaire sur le fait qu'ils accueillaient tous les clients, et qu'aucun des clients de First Chicago ne serait trop petit ou pas assez rentable pour eux.

Il serait intéressant de savoir si l'un de ces concurrents a réellement recruté de nouveaux clients avec ce type de campagne.
La First Chicago annonça que le programme avait généré dans le premier mois une augmentation de plus de 230 % des dépôts effectués aux guichets automatiques. Cela contribua à faire baisser de façon significative le coût d'exploitation par client.

Pour conclure, il semble intéressant de réaffirmer les trois objectifs de toute entreprise, et d'en ajouter un quatrième.

Les entreprises sont faites pour :

1. Recruter des clients
2. Conserver leurs clients
3. Développer l'importance de leurs clients, et
4. Se séparer de leurs clients !

De toute façon, ayez toujours à l'esprit que le public examinera à la loupe les mesures que vous prendrez pour améliorer la rentabilité de vos CNR.

Ne vous mettez pas dans la même position que la First Chicago.
Annoncez à l'ensemble de vos clients tout d'abord ce qu'il en est. Puis tenez une conférence de presse pour expliquer clairement la raison financière de ce programme (Pourquoi pas ? Vous ne savez pas garder un secret !).

REPOUSSER LES LIMITES DE L'ÉVENTAIL DE LA CLIENTÈLE DE PITNEY BOWES

Fin 1993, le département Publipostage de Pitney Bowes se trouvait confronté à un taux de croissance en stagnation et à une rentabilité en baisse.
Leader sur le marché des machines à affranchir et du publipostage depuis 75 ans, Pitney Bowes occupait plus de 80 % de part de marché. Au cours de la dernière décennie, l'entreprise avait percé sur d'autres marchés tels que les copieurs ou les dictaphones. Les responsables marketing de la division, le directeur international Kathy Synnott et le directeur marketing des grands comptes américains, Tom Shimko, constataient que leur part de marché restait élevée. Et pourtant les clients étaient de plus en plus nombreux à partir.

On donna à Shimko la mission de résoudre ce problème. Il commença à analyser l'historique des données pour développer un modèle d'évaluation des clients de l'entreprise.
Selon la réglementation en vigueur, Pitney Bowes doit pouvoir localiser ses machines à affranchir, qui sont toujours louées et jamais vendues. Bien que tout le système de flux de données ne soit pas totalement informatisé, la société procéda à un recoupement entre l'historique des données et les résultats d'une récente enquête de satisfaction clientèle.

Elle développa un algorithme pour calculer la *Life Time Value* (ou espérance mathématique de marge) et put ainsi classer ses 1,2 millions de clients par ordre de valeur décroissante. Elle découvrit que plus des deux tiers de la base de données, en valeur, était réalisée par moins de 10 % des clients, soit approximativement les 100 000 meilleurs comptes.
Elle constata aussi que ses plus graves problèmes de rétention et de rentabilité venaient des 25 % clients les plus faibles. Ces comptes étaient recrutés et traités le plus souvent par phoning et mailing.
Au niveau du groupe, les recrutements annuels étaient largement contrebalancés par un taux d'annulation qui pouvait grimper jusqu'à 40 %.

Shimko mis en place deux systèmes de gestion de portefeuilles clientèle, couvrant à la fois les clients les meilleurs et les pires. On se souvient que MCI avait « protégé » ses meilleurs clients et leur offrait un traitement de faveur. De la même manière, Pitney Bowes encercla les deux extrémités de l'éventail de sa clientèle. Puis, il différencia ces deux groupes avec certaines autres variables qui jouaient le rôle de révélateur des besoins du client.
L'équipe chargée de la rétention, affectée aux clients volatiles de faible valeur mit tout en œuvre pour tenter de réduire leur taux d'annulation.

Contrairement à une banque ou à une compagnie de téléphone, Pitney Bowes subissait une double perte lors de l'acquisition et lors de l'annulation du client. C'était particulièrement vrai pour un petit client. Une machine à affranchir est livrée prête-à-l'emploi.

Mais il faut néanmoins faire venir le matériel et le reprendre lorsque le client résilie.
Pour réduire ce coût, l'équipe de Rétention adopta une mesure tactique. Ils consultèrent la base de donnée pour identifier les clients dont la croissance stagnait et qui avaient le plus fort taux prévisionnel d'attrition. Puis ils les appelèrent aux deux dates clés où le risque d'annulation était le plus probable, c'est-à-dire lorsqu'ils recevaient leur première facture et à la fin de la première année du contrat.

Stratégiquement, l'équipe de Rétention constata que pour retenir une plus grande proportion de petites entreprises clientes, deux choses étaient nécessaires : sélectionner plus finement les prospects et les soumettre à des accords d'engagement pour allonger la durée de la relation.
Au lieu d'accorder 90 jours de service gratuit, la société testa un certain nombre d'offres étalées dans le temps, à l'image de ce qu'avait fait MCI. Par exemple, les 30 premiers jours gratuits, suivi d'une réduction à la fin du contrat annuel et ainsi de suite. Encore une fois, ces offres transformaient moins de prospects, mais les convertis étaient plus fidèles. À la fin de l'année, le taux d'attrition dans ce groupe fut réduit de 20 % et la firme améliora sa part de marché tout en recrutant moins de clients que l'année précédente.

Dans le portefeuille des petites entreprises, placé sous la responsabilité de l'équipe de Rétention, il y avait une foule de niches et de sous-groupes avec des besoins distincts et différents en matière de machines à affranchir.
La société lança un programme appelé « Professionnels indépendants » pour aider les milliers de travailleurs indépendants à optimiser leur courrier. Par exemple, un programme pour les dentistes, un pour les médecins, les comptables, les avocats et ainsi de suite. Chaque opération regroupait des idées prêtes à l'emploi de promotions et de mailing en kit.

Alors que l'équipe de Rétention se concentrait sur le bas du spectre de la clientèle, l'équipe chargée de la fidélisation se concentrait sur les clients les plus profitables. C'était ce que Shimko appelait le scénario où il y avait « moins à gagner, plus à perdre ».
Une baisse en série était assez facile à évaluer parmi les clients faibles. Mais le bénéfice à attendre de la part d'un client déjà profitable, qui devenait encore plus fidèle et rentable, s'avérait difficile à mesurer. Et surtout elle demandait d'être planifiée plus longtemps à l'avance.

Quoi qu'il en soit, l'entreprise apprit beaucoup de choses en repérant toutes les interactions avec ses clients les plus précieux. Par exemple, elle s'aperçut qu'elle générait des résultats meilleurs et plus fiables, lorsqu'elle vendait aux prescripteurs plutôt qu'aux décisionnaires.
Pour expliquer ceci, Shimko avançait la raison suivante : le décisionnaire dans une grande entreprise adopte plus facilement une approche basée sur les chiffres et illustrée par « les faits, rien que les faits ». La personne influente, (par exemple une secrétaire ou le responsable du traitement courrier, plus directement utilisateur de la machine) sera plus réceptive au fait qu'une entreprise sera là derrière sa machine, prête à l'aider en cas de besoin.

L'entreprise fit une analyse en se référant à ses concurrents. Puis, elle développa un certain nombre de mesures à l'attention de sa clientèle. Cela pouvait aussi bien être des séminaires spécialisés par type d'utilisateurs que des offres spéciales de fournitures, une ligne réservée d'appel gratuit, des repères en ligne afin que chaque employé puisse reconnaître un CPP.
Il y avait même une newsletter dans laquelle Shimko prônait l'identité de la marque aux CPP, pour un coût infime par rapport au budget de publicité générale.
L'entreprise repéra aussi l'élite de ses clients CPP, c'est-à-dire le petit millier de sociétés clientes, moins de 0,1 % de sa base qui générait 12 % de son revenu.
La plupart de ces clients d'élite étaient déjà repérés comme grands comptes par la force de vente mais dorénavant leurs avis sur les besoins en services et produits annexes étaient soigneusement sollicités par le service marketing. Cela permettait en outre de repérer avant la concurrence des créneaux inoccupés.

Pour qu'un tel travail d'ensemble puisse s'accomplir, il fallait que les deux services de Pitney Bowes coordonnent leurs efforts. Le service Marketing produits continua de gérer la rentabilité de la ligne actuelle, les lancements de nouveaux produits et le positionnement des produits.
Pendant ce temps, le nouveau service Marketing clients avait la responsabilité de maximiser l'espérance mathématique de marge des clients et la part de client.
Shimko constata qu'il pouvait remanier les ressources existantes et installer cette nouvelle fonction avec un faible coût. Le Marketing produits continua d'être évalué selon l'augmentation des résultats de vente d'une année sur l'autre pour chacun des produits individuels. Le Marketing clients fut désormais jugé en fonction de l'augmentation de revenu et de profit constatée d'une année sur l'autre, sur les portefeuilles de clients acquis.

LA DIFFÉRENCIATION DES CLIENTS : LA BASE DU MARKETING 1:1

L'expérience de Pitney Bowes a su intégrer, de façon concise, les différences qui existent entre le marketing de masse traditionnel, centré sur le produit et le marketing piloté par le client, pratiqué par l'entreprise 1:1.
Les hommes de marketing traditionnel se sont toujours focalisés sur la démarche qui consiste à attirer le maximum de clients possible. L'entreprise 1:1, quant à elle, ne se concentre pas uniquement sur la manière de les recruter, mais aussi sur la façon de les conserver et de les développer.
Et pas tous les clients, mais uniquement les plus précieux.

Shimko, aujourd'hui directeur Marketing pour le marché américain chez Pitney, constata que ces deux formes de concurrence ne se contredisaient pas entre elles. Il n'y a pas de raison pour qu'un service Marketing produits et un service Marketing clients ne puissent pas cohabiter.
La différenciation des clients constitue la discipline la plus importante à laquelle l'entreprise 1:1 doit se plier lorsqu'elle cherche sa voie au milieu de cette nouvelle forme de concurrence.

Pour réussir, l'entreprise 1:1 doit être capable de prendre des décisions précises par rapport aux deux types de clients qui méritent le plus d'être fidélisés : ceux que l'on peut développer rentablement et ceux qui ne valent pas la peine d'être recrutés.

Et les clients en sont ravis. Ils ne font aucune résistance. Les clients ne veulent pas être traités de façon égalitaire. Ils veulent être traités individuellement. À long terme, le principe de traiter les clients individuellement rapportera beaucoup plus que de travailler les produits individuellement.

Comprendre les différences qui existent entre un client et un autre représente seulement un aspect du travail de l'entreprise 1:1.
Peu importe le niveau de détail avec lequel nous décrivons toutes les différences individuelles entre les clients.
Le succès de la stratégie adoptée dépend de notre manière d'agir face à chacun de ces clients, en fonction de notre compréhension des différences.
Pour réussir, l'entreprise doit faire correspondre les bons produits et services avec les bons clients.
Le compétiteur traditionnel commence par produire une gamme de produits. Ensuite, il essaye que, pour chaque client, cela soit aussi simple que possible de trouver le produit qui lui convienne.

Mais à l'ère de l'interactivité, les clients peuvent décrire eux-mêmes leurs attentes à l'entreprise avant même que le produit ne soit fabriqué.

Avec la technologie des ordinateurs, on voit de plus en plus d'entreprises qui sont capables de créer, avec un bon rapport coût-efficacité, des produits sur mesure répondant aux caractéristiques de chaque client. Chaque produit au catalogue possède ses caractéristiques particulières, sa configuration ou son style.

C'est la personnalisation qui assure la boucle en feed-back avec un client individuel, permettant ainsi à l'entreprise 1:1 de créer une relation d'apprentissage. La personnalisation de masse n'est rien de plus qu'une méthode de personnalisation généralisée, selon un rapport coût-efficacité satisfaisant.

Nous achevons ici notre discussion sur les différences entre les clients. Dans les prochains chapitres, nous aborderons la question de savoir comment l'entreprise se comporte avec chaque client, comment elle facture, comment elle emballe, elle fait la promotion et livre ce produit ou ce service.

La personnalisation de masse sera le premier thème abordé.

CHAPITRE 6

TROUVER CHAUSSURE À SON PIED

COMMENT PROFITER DE LA PERSONNALISATION DE MASSE

Le système de libre entreprise dans lequel nous vivons nous a tous confronté un jour ou l'autre avec la difficulté de choisir. L'efficacité croissante de la technologie a permis la production effrénée d'un nombre incalculable de produits sous différentes couleurs, formes, tailles, matières, modèles, configurations, styles, goûts, etc.
Mais paradoxalement, au lieu de nous faire plaisir, le nombre de choix que nous devons faire chaque jour peut, à la longue, devenir pénible.
Pour atteindre des niches très ciblées et fournir le produit qui leur correspond finement, les hommes de marketing traditionnels ont inondé le marché d'une pléthore de produits qui sont de véritables variations sur un même thème. Pour un producteur, offrir un très grand choix peut être une stratégie intéressante, mais pour le client qui ne veut acheter que ce qu'il a en tête, un trop grand choix peut s'avérer une pierre d'achoppement.

La personnalisation — le fait de fabriquer un produit qui correspond exactement à la commande du client — permet à l'entreprise de traiter différemment des clients différents *sans* les obliger à explorer un trop grand nombre de sélections. Cependant, jusqu'à une époque récente, la personnalisation était par définition trop coûteuse à réaliser sauf pour les produits de luxe ou les produits très chers. Aujourd'hui, la puissance des ordinateurs qui gèrent le processus industriel est telle qu'un nombre croissant d'entreprises peut envisager rentablement la production en masse de produits ou services adaptés.
La force de la personnalisation de masse réside dans le fait qu'elle permet de relier l'entreprise au comportement et aux besoins d'un client particulier, instaurant ainsi une relation d'apprentissage avec chaque client.

L'EMBARRAS DU CHOIX

Quel effet vous fait une annonce dans un magazine qui proclame « Venez choisir votre canapé parmi des milliers de modèles » ?
N'êtes-vous pas un peu lassé ? Après tout, vous n'avez qu'un seul salon !

Pour le consommateur butineur d'aujourd'hui, se retrouver parmi des milliers de choix possibles pour trouver l'article qui lui convient est un exercice fréquent et fatigant.

Il arrive même assez souvent que, pour des services ou des produits que nous achetons de manière répétée, nous ayons à faire un choix chaque semaine et même chaque jour, parmi des centaines de variétés. Pensons un instant par exemple aux différentes manières dont les gens commandent leur tasse de café.
Chez Starbucks ou dans d'autres cafés spécialisés, tous les produits sont élaborés à la commande. On tient compte des désirs de chaque client, vite et bien. On propose de nombreuses variétés différentes et chaque consommateur peut obtenir son café favori.
Tous les clients reçoivent un produit différent, sur mesure.

Alors, qu'est-ce qui ne va pas dans ce système ?

Ce qui ne va pas, c'est que chaque jour, chaque semaine, chaque fois que le client revient et commande son café, il doit redire le type et la force de son café et comment il désire son lait. La commande aura beau être identique chaque jour pendant des semaines ou des mois, il faudra vraisemblablement la repréciser à chaque fois.
Non seulement ce système est agaçant, mais en plus il présente un risque à chaque commande. En effet, le serveur n'aura peut-être pas bien compris les détails de la commande ou confondra deux commandes et ne s'apercevra de son erreur que lorsque le client sera sorti et aura déjà tourné le coin de la rue[1] . Le serveur en outre doit vérifier chaque commande, s'assurer de la présence d'un deuxième couvercle pour le client qui désire amener son café au bureau et le garder chaud le plus longtemps possible.

Alors, quelle est la solution ?

N'avons-nous pas analysé plus haut à quel point les clients sont différents ? Les clients ne sont pas satisfaits des mêmes prestations, du même service ou du même rapport qualité-prix. Vous serez sûrement d'accord sur le fait que si les clients ont réellement des besoins différents, il faudra leur proposer la plus grande variété de produits différents, et ce d'autant plus que ces besoins seront divers. Les clients du café préfèrent sans nul doute avoir un café au lait fait sur commande plutôt qu'un café au lait standard ; de même, il n'y aurait pas de magasins de canapés passant le type d'annonces mentionnées plus haut, s'il n'y avait pas une demande pour des milliers de modèles de canapés différents.

1. Les cafés Starbucks vendent beaucoup de café à emporter. (NDT)

Alors, la conclusion pour rendre les consommateurs heureux serait-elle de proposer plus de simplicité et moins de choix ?

En fait, oui. La réalité, c'est que les consommateurs, particuliers ou entreprises *ne veulent pas vraiment du choix*. Plus précisément, ils ne veulent pas avoir à choisir.
Ce qu'ils veulent, c'est que *vous* sachiez ce qu'ils veulent, quand et comment. Ils veulent que vous choisissiez pour eux... mais comme eux.

Il y a bien sûr une différence importante entre le magasin de canapés et le café. L'acheteur potentiel d'un canapé va examiner des dizaines, voire des centaines de modèles avant de se décider. Dans le magasin, les canapés sont peut-être classés par style et gamme de prix ; un vendeur compétent dirigera l'acheteur vers la zone adéquate du magasin. Cependant, tous les modèles en exposition ont été déjà fabriqués. Si le client souhaite un autre tissu de recouvrement, il devra commander le canapé à l'usine. Dans ce cas, il le recevra plusieurs mois après, alors que s'il choisit un modèle présent en magasin, il l'aura chez lui en quelques heures, au pire en quelques jours.

Le consommateur de café, de son côté, dispose immédiatement de sa commande. Mais chaque fois, il devra en répéter les caractéristiques, ce qu'il a fait auparavant des dizaines de fois.

DÉTAILLER ET MÉMORISER

Ces deux exemples illustrent deux principes fondamentaux à appliquer si l'on veut transformer la personnalisation en avantage concurrentiel.

1. Concevoir l'interface de contact

Dans un monde « sur commande », l'entreprise a besoin de mettre en place un moyen commode mais fiable qui permette au client d'exprimer exactement ce qu'il désire. Si le seul choix possible pour acheter le canapé de ses rêves consiste à arpenter un magasin de 3 000 mètres carrés ou entraîne un délai de 8 semaines pour fabriquer le produit sur mesure, alors il n'est ni pratique pour le client ni particulièrement rentable pour l'entreprise[2] .

2. Mémoriser les spécifications du client

L'un des premiers principes que doit appliquer une entreprise qui pratique le 1:1 est de ne jamais demander deux fois la même chose à son client.

2. Il suffit à ce propos de considérer les coûts de stockage de milliers de canapés.

L'entreprise peut s'attacher irrésistiblement ses clients si elle se *souvient* réellement des désirs de chacun d'eux, individuellement.

Ces deux aspects de la personnalisation doivent être parfaitement maîtrisés si l'on veut en faire un outil efficace de fidélisation et de développement des clients. Il est clair que le magasin de canapés a une interface de personnalisation insuffisante, tandis que la cafétéria échoue dans l'enregistrement des désirs de ses clients. Chacune de ces deux faiblesses est suffisante pour faire dérailler une entreprise 1:1. Seule une entreprise qui surmontera ces deux difficultés pourra transformer la personnalisation en un avantage concurrentiel, inexpugnable à long terme.

Choisir constitue une espèce de barrière entre le client et vous. La hauteur de cette barrière est fonction de l'étendue du choix que vous proposez à votre client et du nombre de fois où vous lui demanderez la même chose. Les hommes de marketing direct savent cela depuis le démarrage de la vente par correspondance. Le bon moyen d'*abaisser* les rendements d'un mailing consiste à proposer au prospect le choix entre plusieurs options. Personne ne sait exactement pourquoi les rendements baissent quand on propose un choix. Une hypothèse vraisemblable est qu'on transforme ainsi une décision simple à un seul niveau (vais-je ou ne vais-je pas répondre à cette offre ?) en une décision à plusieurs niveaux (bon, je décide d'abord de commander mais ensuite, quelle est l'option qui me convient ?)

Quand le constructeur automobile Nissan a flirté avec la personnalisation de masse dans les années 90, il a proposé en option à ses clients pas moins de 87 modèles différents de volant pour équiper leur voiture.
En fait, les préférences des clients se limitaient à certains d'entre eux et ils avaient horreur de perdre autant de temps à choisir dans un catalogue inutile.

BARISTA BRAVA : SERVIR DES CLIENTS, PAS DU CAFÉ

Revenons un instant aux cafés Starbucks et réfléchissons à l'interface que cette entreprise a mis en place avec ses clients et à la manière dont elle a mémorisé leurs préférences. Starbucks sait clairement personnaliser ses produits pour satisfaire les goûts de chacun de ses clients. L'interface est très simple : il suffit que le client dise ce qu'il veut au moment de la commande. Cependant, le client devra répéter ses préférences à chaque achat, tant que Starbucks ne sera pas organisé pour *se souvenir* des préférences de chaque client, d'un jour sur l'autre. Ce client précisera ainsi ce qu'il veut lundi, puis mardi de nouveau et encore mercredi et ainsi de suite, même si la commande est identique chaque jour, chaque semaine, chaque mois...

En effet, chaque fois qu'un client va chez Starbucks, il doit exprimer son choix favori parmi les centaines et même parmi les milliers de possibilités qui existent.

Barista Brava — un nouveau concurrent de Starbucks — procède d'une façon diamétralement opposée. Ses employés travaillent en équipe de deux ou trois et font tout. Ils prennent la commande, la préparent et la servent. Le client qui entre chez Barista Brava doit seulement choisir de faire la queue pour un café normal ou pour un expresso. Ce partage du travail, qui est le principe de base dans la plupart des entreprises industrielles, est la seule concession que Barista Brava ait acceptée.
Chaque équipe est dirigée par un « barista[3] » qui observe la queue et voit quel type de client vient d'entrer dans son établissement. À l'instar du maître d'hôtel d'un grand restaurant, le barista regarde son client et se souvient de ses préférences. Tant et si bien que lorsque le client arrive au comptoir pour commander, son café est déjà prêt, préparé selon son désir habituel.

George Harrop, le propriétaire de Barista Brava est fier de dire que l'un de ses barista a pu servir 28 clients d'affilée sans leur demander une seule fois ce qu'ils désiraient !
Le slogan permanent de George Harrop est : « Nous sommes ici pour servir des clients et pas pour servir du café ». George Harrop sait que le fait de se souvenir des goûts individuels de ses clients, leur évitant ainsi l'effort de répéter à chaque fois ce qu'ils veulent, est la façon la plus directe et la plus simple de bien les servir.

Bien sûr, un client régulier qui commande un café *différent* chaque jour ne s'apercevra pas de l'avantage de la formule, car, dans son cas, il n'y a pas de commande habituelle à mémoriser. Mais l'immense majorité des consommateurs de bon café est fidèle à un seul type de café. De toute façon, chez Barista, un serveur peut se souvenir des choix différents faits par un client : par exemple, ceux d'un client qui vient deux fois par jour et commande un café au lait décaféiné avant d'aller travailler et un double expresso après le déjeuner.

PERSONNALISATION ET PERSONNALISATION DE MASSE

Les avantages de la personnalisation sont vraiment immenses. Quand une entreprise 1:1 utilise la bonne interface de contact avec ses clients et mémorise leurs préférences individuelles, elle développe une relation vraie et puissante avec eux. Cette relation devient possible quand l'entreprise adopte une approche intégrée du marché, client par client.

3. *Barista :* barman, en italien.

Ainsi, elle peut faire le lien entre les réactions de chaque client et tout ce qu'elle connaît déjà sur lui et utiliser cette masse de connaissances pour orienter son processus de production. En bref, le consommateur nous dit ce qu'il veut et nous lui livrons ce qu'il a demandé, en traitant chaque cas individuellement.

Cependant, installer une base de données nourrie d'informations issues des comportements individuels, et constamment à jour des transactions réalisées avec les clients, ne représente qu'une première étape. La deuxième étape consiste à orienter la production de l'entreprise et son mode de distribution afin de satisfaire les demandes individuelles. Toute entreprise qui a mis au point des méthodes axées sur l'analyse permanente des coûts-efficacité dans le but de produire de grandes quantités de produits ou services identiques, considérera probablement que le passage vers une organisation 1:1 est un obstacle au coût insurmontable.

C'est là qu'entrent en ligne de compte les nouveaux moyens qu'offrent les technologies informatiques. Non seulement ils rendent possible le dialogue permanent et améliorent radicalement l'efficacité des bases de données, mais en plus, ils font progresser les procédés utilisés pour la logistique et le montage. Ainsi, la fabrication et la livraison de produits personnalisés peuvent s'effectuer avec une rentabilité croissante.

On parle de *personnalisation* quand un produit livré à un client est fait sur mesure. On parle de *personnalisation de masse* quand le procédé de personnalisation fait partie de la routine de fabrication.
Joe Pine, auteur du livre *Personnalisation de masse, la nouvelle frontière des affaires* (Harvard Business School Press, 1993) définit la personnalisation de masse comme un processus rentable de production de biens et services *à l'unité.*
Pour devenir un personnalisateur de masse, une entreprise doit découper en tranches ses processus de production pour produire non plus un produit ou un service complet, mais des éléments de produits ou de service qui pourront être assemblés selon de multiples combinaisons, coïncidant avec les souhaits des clients pris isolément.

Pine affirme que le découpage par une entreprise de ses processus de production pour devenir un personnalisateur de masse ressemble plus ou moins à la manière dont on construit des jouets avec les briques Lego. Les briques Lego n'existent qu'en nombre limité, de tailles et de formes standard ; chaque brique est munie d'un système d'assemblage qui permet à son utilisateur de les coupler facilement avec n'importe quelle autre brique. Un enfant peut réaliser une infinité de montages différents en assemblant un nombre limité de briques Lego.

Plutôt que de considérer la personnalisation de masse comme un simple processus de fabrication, il faut le voir sous le même angle que l'assemblage des briques Lego, c'est-à-dire un assemblage d'éléments prémanufacturés.

La personnalisation de masse telle qu'on vient de l'évoquer, devient de plus en plus diversifiée et foisonnante au fur et à mesure qu'on augmente la compatibilité des pièces élémentaires ; cette compatibilité a pour effet d'augmenter de façon exponentielle le nombre de possibilités.

À l'inverse d'un homme de marketing à la recherche de niches, le personnalisateur de masse ne fabrique pas toutes les combinaisons possibles d'un produit mais attend qu'un client lui en demande une.
De toute façon, dans la plupart des cas il y a tant de possibilités qu'il serait pratiquement impossible de tout produire.
Le personnalisateur de masse attend de recevoir une demande de la part d'un client et crée alors le produit, ou rend le service, en l'assemblant à partir d'une combinaison d'éléments de base.

Une autre condition pour démarrer un processus de personnalisation de masse est, pour l'entreprise, de créer un système d'apprentissage qui tire parti de chaque nouvelle personnalisation.
L'organisation qui pratique la personnalisation de masse doit pouvoir la généraliser, en mémorisant les différentes étapes qui ont jalonné la constitution du produit pour chaque nouvelle demande.

Joe Pine dit que la plupart des structures conçues pour une personnalisation de masse sont analogues à des organisations en évolution permanente : elles mettent en place des systèmes de veille technologique multidisciplinaires à la recherche constante d'opportunités d'amélioration des produits ou des services. Il y a cependant une différence entre les deux types d'organisation ; les structures qui s'efforcent d'optimiser la sortie du produit final se focalisent souvent sur la production, l'engineering et les procédés de distribution. À l'inverse, les organisations conçues pour la personnalisation de masse se concentrent sur les désirs individuels des clients, et comparent ces désirs à ceux des autres clients.

Pour bien comprendre les différences entre ces deux types d'organisation, nous allons étudier comment l'hôtel Ritz Carlton adapte ses services aux souhaits de sa clientèle.
La chaîne des hôtels Ritz Carlton forme tous ses employés — du réceptionnaire à la femme de ménage ou au chargé de l'entretien – au traitement immédiat des réclamations et au dialogue avec les clients. De plus, chaque employé dispose d'un « carnet d'hôte » dans lequel il note toutes les préférences des clients, glanées en permanence à partir de conversations ou d'observations.

Dans son programme de qualité totale de renommée mondiale (« Des hommes et des femmes du monde au service d'hommes et de femmes du monde »), le Ritz Carlton appelle « occasion » tout type de réclamation ou commentaire formulé par ses clients. S'il vous arrive de descendre dans un Ritz Carlton et que vous saisissiez la conversation de deux employés qui parlent de « l'occasion » qu'ils ont eue avec la cliente de la chambre 315, ne vous méprenez pas ! Ils sont sûrement en train de discuter d'une cliente qui avait besoin de serviettes de toilette supplémentaires ou d'un client particulièrement irrité parce que son téléphone ne fonctionnait pas.
Chacune de ces « occasions » est enregistrée dans une base de données qui contient à l'heure actuelle les profils de plus d'un demi-million de clients. Les employés de chacun des 28 Ritz Carlton à travers le monde peuvent accéder à ces profils à travers le système de réservation COVIA.

Ce que fait le Ritz Carlton est simple : il mémorise les demandes de ses clients et, à partir de ce qu'il a appris, adapte son service à chacun de ses clients. Si par exemple, vous descendez au Ritz Carlton de Marina del Rey (Californie) et demandez un oreiller un peu plus ferme, votre demande est notée et le mois suivant, quand vous descendrez au Ritz Carlton de Buckhead (Atlanta), vous trouverez dans votre chambre un oreiller un peu plus ferme... même si vous avez oublié de le demander. Quelle que soit votre demande, ordinateur dans la chambre, mini-bar sans alcool, glaçon dans votre verre de vin blanc apporté par le garçon d'étage, toutes vos demandes personnelles, vos suggestions, vos réclamations seront notées et *mémorisées*. Le Ritz Carlton est particulièrement fier d'adapter ses séjours aux goûts individuels de ses hôtes.

Cependant, bien que cette chaîne d'hôtels soit indubitablement l'une des meilleures au monde pour la qualité de son service[4] , on ne peut pas dire qu'elle pratique la personnalisation de masse. En effet, si vous demandez au concierge d'un Ritz Carlton dans lequel vous séjournez, l'adresse d'un bon teinturier pour nettoyer un vêtement très particulier, il vous la trouvera et s'assurera de votre satisfaction. Ensuite, il entrera votre demande dans la base de données des préférences client.
Quand un autre client demandera une adresse similaire, par exemple l'adresse d'un teinturier pour nettoyer un vêtement en cuir, le concierge de service devra *réinventer* toute la recherche. Il en sera de même pour tous les concierges des Ritz Carlton confrontés au même problème.

L'interface de contact au Ritz Carlton est simple, pas très éloignée de celle de Barista Brava ou de Starbucks. La mise en mémoire des besoins du client est forcément excellente, car elle utilise une base de données

4. Le Ritz Carlton a gagné le prix Baldridge en 1992.

régulièrement mise à jour et accessible à tous les employés qui sont en contact avec les clients. Mais la fourniture d'un service réellement personnalisé devra évoluer pour devenir rentable.
Pour se transformer en une organisation de personnalisation de masse authentique, il faut non seulement apprendre les besoins des clients particuliers et y répondre, mais aussi adapter les méthodes de production et de fourniture du service.

MISE EN ŒUVRE DE LA PERSONNALISATION DE MASSE

Nous avons évoqué au chapitre 3 le cas de Dell Computer, exemple idéal d'une entreprise 1:1. Dell vend directement au consommateur des ordinateurs personnels par correspondance, c'est-à-dire par mailing et téléphone. Dell propose un grand choix d'unités centrales, de moniteurs, d'imprimantes et d'autres périphériques. Tous ces éléments peuvent se combiner en plus de 14 000 configurations opérationnelles. Dell propose bien sûr un catalogue à ses clients pour les aider à sélectionner leurs produits, mais il est pratiquement impossible de rassembler en un seul catalogue toutes les configurations possibles.

Quand un client potentiel (ou un client actif) appelle Dell, le service des ventes commence par lui poser des questions relatives au type d'utilisation qu'il prévoit pour son micro. Le vendeur analyse soigneusement les réponses par rapport au degré de connaissance manifesté par le client. Par exemple, on demandera à un client qui achète un ordinateur pour la première fois, s'il prévoit d'utiliser son micro pour autre chose que du traitement de texte. Après ce questionnaire, Dell sera en mesure de recommander un système qui coïncide parfaitement avec les besoins de ce client.

Le système utilisé par Dell illustre clairement l'importance d'une interface qui met l'accent sur les besoins du client plutôt que sur l'offre des produits. Le télé-vendeur est formé pour, d'une part comparer les besoins de son client avec les besoins analogues exprimés par d'autres clients, et d'autre part comparer ces besoins avec toutes les configurations possibles d'ordinateur. Le système de gestion administrative de Dell est conçu de telle sorte que chaque ordinateur soit configuré à partir d'éléments modulaires, assemblés sur demande.
Il est facile de voir comment travaille Dell : la société n'est finalement qu'un centre de regroupement de commandes, qui collecte et expédie des composants manufacturés, ressemblant plus ou moins à des Lego électroniques.
La personnalisation de masse concerne une grande variété d'entreprises où les choses hélas ne se présentent pas toujours aussi simplement. Voyons quelques exemples caractéristiques de réussite :

- Les jeans Levis pour femme, fabriqués sur mesure, sont vendus environ 20 % plus chers que les jeans prêt-à-porter achetés en magasin. Les mesures de la cliente sont prises dans l'un des 26 magasins en Amérique du Nord et envoyées par modem à l'usine. Là, le jean est fabriqué selon l'une des 10 000 combinaisons possibles.

- Bally Engineered Structures, une entreprise de Pennsylvanie qui fabrique des gros systèmes de réfrigération, vient de se convertir à la personnalisation de masse. Auparavant, cette entreprise fabriquait les articles commandés par ses clients (des chambres et des armoires réfrigérées) selon un processus d'assemblage standardisé. Les éléments de base des produits, tels que les planchers, les panneaux isolants, les unités de réfrigération, etc. sont aujourd'hui découpés en modules, de telle manière qu'un client a le choix parmi plus de 10 000 modèles. Avant cette transformation, le client ne pouvait choisir que parmi 12 modèles standard.

- La division d'impression digitale de R.R. Donnelly imprime simultanément des documents différents comportant des changements de couleur, de textes et de photos gérés par ordinateur. Ces changements ne requièrent aucune intervention manuelle. La division s'est spécialisée dans l'impression de documents à 5 000 exemplaires ou moins. Le siège de cette unité d'impression est situé à Memphis, centre important de répartition de FedEx. Un client peut ainsi commander ses documents par téléphone ou directement par ordinateur : ils lui sont expédiés dans la nuit qui suit la commande. La possibilité de réaliser des petits tirages convient particulièrement bien aux agences immobilières qui vendent des maisons individuelles. Il suffit de prendre la photo de la maison à vendre avec un appareil de photo numérique, et d'envoyer l'image par modem chez Donnelly. Une fois l'image reçue, Donnelly complète l'annonce par les informations données par l'agent immobilier. Ainsi, la brochure présentant cette maison ou des dizaines d'autres, imprimée en un petit nombre d'exemplaires est disponible dès le lendemain.

- My Twin est le nom d'une poupée fabriquée à Littleton, Colorado, selon un procédé de personnalisation de masse : elle ressemble à l'enfant à qui elle est destinée ! Les traits du visage, la coupe et la couleur des cheveux et la couleur des yeux sont faits sur mesure selon une photo de l'enfant qui accompagne la commande.

- Ross Control fabrique des pompes pneumatiques selon un procédé de personnalisation de masse assisté par ordinateur. Ce procédé permet de répondre aux besoins spécifiques des clients et d'améliorer en permanence le niveau technique. Par exemple, la division métallurgique de General Motors commande 600 systèmes de pompes adaptés chacun à une presse d'emboutissage particulière. Ces pompes Ross rendent un meilleur service que les pompes standard et coûtent trois fois moins cher.

- Morley Companies, dont le siège est à Saginaw (Minnesota), exerce plusieurs activités, dont une spécialisée dans la motivation par le voyage. Morley tire parti de l'expérience acquise auprès de chacun de ses clients et va jusqu'à mettre dans les chambres de ses hôtes leur boisson préférée, du Coca light, de l'eau minérale venant d'Europe ou encore le fameux café Blue Mountain de la Jamaïque.

- Indigo America (Massachusetts) imprime en grandes quantités des brochures et des emballages avec des méthodes de personnalisation de masse. Par exemple, vous verrez la tête de Joe Paterno[5] imprimée sur des verres de Coca Cola ou des emballages de hot dog, en allant assister à un match de football américain.

- Datavision fait des bandes vidéo sur mesure. Par exemple, un constructeur automobile qui veut faire connaître un nouveau modèle à l'aide d'une bande vidéo de démonstration, pourra faire fabriquer rentablement des milliers, voire des centaines de milliers de bandes sur mesure. Sur cette bande, on montrera à un golfeur la capacité du coffre ; à des parents d'enfants en bas âge, on insistera sur les problèmes de sécurité, et ainsi de suite. Chaque cassette peut présenter le modèle que le client désire, avec sa couleur exacte, ses options et tout autre caractéristique qui aura été enregistrée lors du passage du client chez le concessionnaire. De plus, la cassette pourra contenir un court message de son vendeur et du directeur du service Clients.
  Datavision fait ces cassettes et les expédie pour moins de cinq dollars l'unité.

- Lenscrafters fait des verres de lunettes sur mesure en une heure environ, pendant que le client attend. Il n'y a pas si longtemps, on devait attendre plusieurs semaines pour recevoir les verres correspondant à une ordonnance de l'ophtalmologue. Aujourd'hui, la société d'optique japonaise Miki Corporation va encore plus loin. Dans son magasin de Paris (un magasin pilote qui vient d'ouvrir dans la Galerie du Carrousel du Louvre), un spécialiste exécute l'ordonnance, dessine la forme des montures et adapte les verres selon un millier de combinaisons possibles.

5. Célèbre joueur de football américain. (NDT)

- Lutron Electronics à Coopersburg (Pennsylvanie) est un des leaders mondiaux de l'appareillage électrique. Sa méthode de personnalisation va jusqu'à proposer des couleurs spécifiques pour les interrupteurs, les rhéostats et les câbles qui desservent chaque pièce de la maison.
- Personnalized Books à Millstadt (Illinois), produit des livres personnalisés pour les enfants. Après avoir enregistré le nom de l'enfant et quelques autres détails, l'entreprise les inclut dans une histoire standard. Le texte personnalisé est intégré aux illustrations en couleurs, comme dans tous les autres livres pour enfant. La photo de l'enfant peut être aussi incorporée à un album destiné aux nouveaux nés.

Le secret du succès de la personnalisation de masse réside dans le fait que le client *participe* à la conception et à la fabrication. En conséquence, il a toutes chances d'être satisfait des caractéristiques du produit fabriqué pour lui exclusivement.

French Rags pratique la personnalisation de masse de vêtements tricotés pour femmes. Cette société, basée à Los Angeles, s'est transformée non pas tant pour se créer un avantage concurrentiel, que pour survivre face à ce qu'elle considérait comme un système de distribution hostile.
Brenda French, la fondatrice et propriétaire de French Rags s'est trouvée confrontée à un réseau de détaillants peu réactif, coûteux et rigide. Elle produisait des articles en maille pour femmes, qu'elle expédiait dans des supermarchés où, dit-elle, les acheteurs et chefs de rayon ne comprenaient rien au produit. Par exemple, elle recevait des retours en quantité inhabituelle de certains magasins où la marchandise était exposée sur des cintres (et était déformée) alors que les instructions jointes aux documents d'expédition expliquaient clairement qu'il fallait éviter de pendre les vêtements sur des cintres.

Même aujourd'hui, Brenda French se met en colère quand elle évoque les problèmes qu'elle avait lors des négociations avec les jeunes acheteurs des chaînes de détaillants. Ceux-ci avaient un très grand pouvoir de décision mais ne parvenaient pas vraiment à saisir la nature de son produit.
En 1989, au bord de la faillite, Brenda commença à réduire sa capacité de production. Mais au fur et à mesure qu'elle abandonnait la vente au détail, elle reçut de plus en plus d'appels téléphoniques provenant de clients fidèles demandant où ils pouvaient continuer à se procurer ses tricots.
Brenda acheta alors une machine à tricoter Stoll (conduite par ordinateur) et commença à prendre des commandes à travers tout le pays, pendant des ventes promotionnelles. Elle embaucha des représentants, en particulier parmi ses clients les plus fidèles. Ils étaient volontaires pour accueillir

chez eux des « semaines de ventes », et inviter des clients habituels ou des prospects. Pendant ces semaines, les clients pouvaient choisir un modèle, une couleur, un style et donner leurs mesures. L'article était alors fabriqué et expédié par Brenda French.
Chez Brenda French, le contact avec le client est, comme dans les cafés Starbucks, un contact de personne à personne. Brenda French continue d'acheter elle-même son fil en Angleterre, là où elle s'approvisionne depuis des années. C'est lui qui a fait le succès de ses modèles au démarrage de son entreprise. La différence aujourd'hui réside dans le fait que le fil alimente un métier contrôlé par un ordinateur, et que ses produits ne sont pas manufacturés à l'avance et expédiés vers de nombreux magasins de détail où ils étaient stockés, mais faits sur mesure selon les commandes des clients.

L'interface des jeans Levis rencontre, elle aussi, beaucoup de succès. Il a été conçu par Custom Clothing Technology Corporation (CCTC). Selon Sung Park, le jeune et talentueux fondateur de CCTC, une des activités de personnalisation de masse les plus intéressantes pour les prochaines années, dans le domaine des vêtements, sera centrée sur un élément de base du textile féminin : le soutien-gorge.
CCTC travaille en ce moment sur un sujet très complexe : les êtres humains sont fondamentalement asymétriques. Leur côté gauche n'est pas le miroir exact de leur côté droit. Certaines personnes sont plus asymétriques que d'autres et il y a là une piste formidable d'amélioration de leur confort et de leur aspect dans la mesure où les soutiens-gorge sont tous fabriqués aujourd'hui selon un modèle rigoureusement symétrique.
CCTC étudie toutes les variables qui interviennent dans l'ajustement d'un soutien gorge. La prochaine étape consistera, si le projet voit le jour, à créer une interface d'essayage commode pouvant mesurer précisément toutes les variables afin de les introduire dans un ordinateur, relié directement au processus de fabrication.

Custom Foot : une relation personnelle avec les clients... qui marche

Concevoir une activité à partir du principe de la personnalisation, plutôt qu'adapter la personnalisation à une activité existante, ouvre un univers de possibilités fascinantes.

C'est ainsi que Custom Foot vient d'ouvrir un magasin à Westport (Connecticut) et va très bientôt en ouvrir beaucoup d'autres aux États-Unis ; il s'agit d'une nouvelle chaîne de magasins vendant des chaussures sur mesure. Le magasin vend des chaussures pour homme et femme, faits sur commande et fabriqués à la main en Italie, selon une grande variété de modèles et de matières. Les chaussures sont non seulement fabriquées selon un système de personnalisation de masse pour ce qui concerne le modèle et ses caractéristiques, mais tiennent compte aussi des mesures de chaque client.

Un client qui entre chez Custom Foot commence à passer 7 à 10 minutes devant un scanner qui enregistre les contours exacts de ses deux pieds. Une fois les mesures prises par l'ordinateur, un vendeur prend manuellement quelques mesures supplémentaires en utilisant les outils traditionnels.
Jeff Silverman, président de Custom Foot, dit que les mesures manuelles ne sont jamais utilisées mais les études en clientèle ont montré que de nombreux clients font plus confiance à leur marchand de chaussures si les mesures sont prises à la main. Le scanner électronique se trouve derrière une glace sans tain ; aucune activité électronique n'est visible par le client. Ensuite, le client s'assoit quelques minutes devant une console d'ordinateur et répond à quelques questions concernant le genre de confort qu'il recherche et d'autres questions du même type. Les réponses sont intégrées au processus de fabrication afin d'assurer au client un meilleur bien-être. De plus, des questions d'ordre marketing sont posées afin d'alimenter la base de données en informations concernant la vie du client. En répondant à ces questions supplémentaires, le client bénéficie d'une ristourne sur son achat. La vie privée du client est protégée dans la mesure où Custom Foot lui dit très clairement que ces données ne seront pas utilisées en dehors de l'entreprise.

250 modèles environ sont présentés dans les magasins Custom Foot ; la plupart existent physiquement, les autres sont sous forme de photo. Le stock du magasin n'est pas destiné à la vente. Le client choisit un modèle, sélectionne plusieurs types de semelles, choisit la variété du cuir (type, qualité, couleur, prix) ainsi que tous les autres accessoires.
Sans compter les différences de conformité des pieds de chaque client, 12 000 000 de combinaisons peuvent être commandées.

Une fois mesurées, les données sont envoyées par modem directement à l'usine en Italie, où les chaussures sont confectionnées à la main, en fonction de la commande. Trois semaines plus tard, les chaussures sont expédiées au magasin à disposition du client ou, en option, envoyées directement chez lui. La gamme de prix pour ces chaussures va de 100 $ à 250 $. Ces prix ne sont pas plus élevés que ceux de n'importe quelle autre paire de bonnes chaussures.
L'objectif de Jeff Silverman est cependant plus ambitieux que de créer simplement des chaussures sur mesure qui s'ajustent parfaitement aux

pieds de ses clients. La société va bientôt les inviter à apporter au magasin une photo de n'importe quelle chaussure qu'il ou elle souhaiterait acquérir, découpée dans un magazine ou même dans le catalogue d'un concurrent. Si Custom Foot n'a pas en « stock » ce type de chaussure, c'est-à-dire si l'usine n'a pas encore mis au point les méthodes pour créer des chaussures très semblables à celles dont le client a apporté la photo, ce modèle sera reproduit d'après la photo.

De cette manière, l'entreprise pourra proposer, en permanence, un choix de nouveaux modèles à ses clients, à partir d'un stock digitalisé en augmentation constante.

De plus, Jeff Silverman envisage de faire noter par ses clients les différents styles de chaussures présents sur les étagères de son magasin. Ainsi, l'entreprise disposera d'une base de données plus riche et plus utile, recensant les goûts et les préférences de ses clients. Avec cette base de données contenant les appréciations de ses clients, le magasin saura ainsi, non seulement quelle chaussure le client a acheté, mais aussi quel modèle il aurait aimé acheter, mais n'a pas encore acheté jusqu'à aujourd'hui.

On peut imaginer que l'assemblage, la fabrication et la livraison de ces chaussures sur mesure doivent conduire à un prix sensiblement plus élevé que pour des chaussures fabriquées en grandes séries, bien qu'il n'y ait aucune intervention manuelle dans le processus.

Mais la personnalisation de masse entraîne de nombreuses économies tout au long de la chaîne. Par exemple, il y a peu ou même pas du tout de coût de stockage, et le coût des retours et pertes est insignifiant. Ces économies sont si importantes que le coût de la production informatisée continue à dégringoler et qu'une dynamique de production nouvelle va bientôt apparaître.

Dans de nombreuses industries, la production en personnalisation de masse sera bientôt moins chère que la production de produits standard prémanufacturés.

Sans même tenir compte des coûts, ce procédé contribue à augmenter notablement les profits de Custom Foot. Tout d'abord, il y a la mise en place du mécanisme d'apprentissage ; l'enregistrement dans la base de données de tout ce qui concerne les mensurations et les préférences de chaque client donne un avantage concurrentiel immense lors des achats suivants. En effet, même si un concurrent vient proposer le même type de produit sur mesure en pratiquant une fabrication avec personnalisation de masse, le client régulier trouvera plus commode de continuer d'acheter chez Custom Foot plutôt que de spécifier de nouveau ses préférences et ses mensurations. En pratique, il arrive fréquemment qu'un client qui achète pour la première fois chez Custom Foot commande immédiatement

d'autres paires de chaussures de même configuration mais de style différent. Autrement dit, des chaussures d'aspect sophistiqué qui ne blessent pas ses pieds !
Custom Foot appelle chaque client après chaque achat, et demande si tout va bien. Même s'il est vraisemblable que le client n'ait jamais eu une paire de chaussures qui lui aille aussi bien, l'entreprise sait qu'il subsiste peut-être encore quelques points mineurs à discuter. C'est en découvrant le plus tôt possible les sujets de réclamation - si le client est d'accord pour les donner — que l'on peut y répondre et les enregistrer dans la base de données.

Citons J. Silverman :

> *« Notre activité ne consiste pas à vendre des chaussures. Les produits que nous vendons, bien qu'ils soient de très grande qualité, ne sont pas notre unique raison d'être. Custom Foot a pour ambition, purement et simplement, d'offrir les tailles et les modèles qui correspondent aux besoins de ses clients. Le dialogue que nous instaurons avec nos clients est tel que nous ne les perdons* ***jamais****, à partir du moment où nous avons su les satisfaire. Nous faisons tout ce qui est possible pour continuer à rendre le meilleur service à chacun de nos clients.*

En dépit du fait que Custom Foot a pour objectif de répondre à toutes les demandes de ses clients, ils seront confrontés tôt ou tard à un véritable problème : la *marque* des chaussures. Beaucoup de gens achètent leurs chaussures en partie pour la marque. Une paire faite par Custom Foot peut ressembler comme deux gouttes d'eau à une paire de Ferragamo, mais ce ne sont pas des Ferragamo ; la marque n'est pas visible et cela peut représenter un obstacle dirimant pour certains clients.
La solution à ce problème pourrait consister à lancer une nouvelle ligne de produits en signant un contrat de licence avec des grandes marques. Ainsi, Custom Foot aurait le droit de faire, selon son système de personnalisation de masse, des vraies chaussures de marque plutôt que des imitations.

Il y a là peut-être une opportunité de développement extraordinaire en produisant sous licence. Cette opportunité a été clairement mise à profit par quelques compagnies aériennes.
Toute une nouvelle industrie concernant les systèmes de réservation informatisée est née quand les compagnies aériennes ont commencé à vouloir accélérer l'enregistrement des passagers et améliorer le coefficient de remplissage de leurs avions. Ces systèmes de réservation électronique devinrent vite la source d'informations très précieuses, quelles que soient leurs compagnies propriétaires.

Aujourd'hui, 20 ans après l'apparition de ces systèmes, la plupart des compagnies aériennes ne passent plus par la sous-traitance et ont créé des filiales qui vendent leurs services à d'autres sociétés, y compris des compagnies concurrentes. Tout le monde sait que le système Sabre d'American Airlines génère un profit supérieur à celui de la compagnie elle-même.

Que se passerait-il si une société comme Custom Foot vendait sa licence de fabrication à d'autres fabricants de chaussures, qui produiraient leurs propres modèles à partir des mensurations prises par Custom Foot ? En allant jusqu'au bout de cette logique, Custom Foot deviendrait le système Sabre de l'industrie de la chaussure.
Imaginons que dans cinq ans, vous receviez votre catalogue Land's End et que vous passiez, par téléphone, commande d'une paire de chaussures de marche. Le télévendeur vous demandera votre numéro d'identification chez Custom Foot et vos chaussures seront fabriquées selon vos mensurations. Dans ce scénario, de qui êtes-vous vraiment le client ? De Land's End ou de Custom Foot ?

Ces quelques exemples illustrent parfaitement la manière dont une entreprise 1:1 doit mettre en phase, sans rupture, la chaîne de production et de distribution avec tout ce qu'elle a appris de son client.

L'entreprise 1:1 enferme son client dans une relation de longue durée très rentable. D'une part, elle a connaissance de ses besoins profonds et de ses préférences ; d'autre part, elle fabrique des produits sur mesure qui satisfont ses goûts individuels.
Dans une relation de ce type, le prix passe au second plan. La valeur du fonds de commerce de l'entreprise ne réside plus dans sa gamme de produits mais dans son capital-client, c'est-à-dire dans la connaissance intime qu'elle a des besoins de chacun de ses clients.

STREAMLINE : SOCIÉTÉ DE COURSES D'ÉPICERIE À DOMICILE

Streamline est une société de Boston, spécialisée dans la livraison, sur demande et à domicile, des courses hebdomadaires de ses clients. Ces courses concernent des produits et des services très variables tels que l'épicerie, les produits pharmaceutiques, les fournitures de bureau, le nettoyage et repassage et même la location de cassettes vidéo. Quand vous adhérez à ce service, Streamline installe une armoire chez vous, dans un endroit accessible — le garage par exemple. Cette armoire contient un réfrigérateur avec congélateur, un espace de rangement, une penderie, des étagères pour cassettes, et divers tiroirs ; elle ferme à clé. Streamline possède une clé et son client aussi.

Le coût d'adhésion à ce service est de 49$ au moment de l'installation puis 30 $ par mois. Cette cotisation vous donne droit à une livraison hebdomadaire ; des livraisons intermédiaires sont possibles moyennant un coût supplémentaire. Streamline achète ses produits en gros et les revend au détail. Les prix des produits d'épicerie, livrés à domicile, sont comparables à ceux pratiqués par la plupart des supermarchés, le prix du blanchissage n'est pas plus cher que celui pratiqué habituellement et l'étendue du choix des vidéocassettes est aussi large que celui qu'on trouve dans les boutiques spécialisées.

Une fois par semaine, la société livre votre commande, d'épicerie ou autre. Il n'est pas nécessaire d'être présent au moment de la livraison, car le livreur a libre accès à l'armoire Streamline. Au moment de la livraison, Streamline dépose votre commande et reprend les vidéocassettes ou le linge à nettoyer. Quand vous rentrez le soir, il vous suffit d'ouvrir l'armoire et de transférer les marchandises dans votre maison. Avec ce système, vous n'avez plus besoin de vous habiller pour aller faire vos courses, décider s'il faut amener les enfants avec vous ou y aller avant ou encore s'il faut y aller après votre entraînement de foot. Il suffit de remplir ou mettre à jour votre liste de courses, à minuit ou à cinq heures du matin si cela vous convient.
Streamline présente les caractéristiques d'une entreprise 1:1 dans la mesure où elle consolide parfaitement ses liens avec les clients. Les modalités de contact sont remarquablement directes et peuvent initier une relation d'apprentissage. Quand vous adhérez au service Streamline, un vendeur vient chez vous pour faire la mise en route, avec un lecteur manuel de code barre et un ordinateur portable. Le vendeur scanne tous les produits qui se trouvent chez vous : épicerie, liqueurs, produits d'hygiène et de soins, produits pharmaceutiques, etc. et crée ainsi votre liste type de courses, comprenant un minimum de 150 produits différents. Selon le désir du client, cette liste est digitalisée pour entrer dans son ordinateur ou elle est tout simplement imprimée et faxée par Streamline. Si vous ne disposez pas de fax chez vous, Streamline vous en fournit un au prix coûtant. Ainsi équipé, le client a la possibilité d'envoyer chaque semaine sa liste de courses mise à jour, via son PC et le modem ou via son fax.

En pratique, la plupart des clients de Streamline passent leur commande par téléphone. Ils sont connectés à un télévendeur qui a sous les yeux leur liste de courses et la met à jour en temps réel. Dans tous les cas, la mise au point de la commande prend quelques minutes, à comparer aux deux ou trois heures que le client passait chaque semaine lors de la tournée des magasins.

Le fonds de commerce de Streamline réside dans l'enregistrement des données relatives à chacun de ses clients. Non seulement Streamline tient à jour la liste des courses de tous ses clients, mais en plus la société les interroge régulièrement afin d'améliorer la précision de son service. Le client remplit toutes les semaines un questionnaire sur lequel il note le service sur une échelle de 1 à 10. Ce baromètre est suivi individuellement ; si une série de 10 chute subitement à 9, Streamline se rend compte immédiatement qu'il y a peut-être un problème à résoudre. Les commentaires sont encouragés ; ils peuvent concerner la livraison de tomates plus mûres pour la prochaine fois ou une information sur un incident de circulation survenu au conducteur lors de la dernière livraison.
Toutes les semaines, on compare la commande avec les commandes précédentes. Dans ces conditions, la société connaît de plus en plus précisément les besoins de chacun de ses clients et peut leur envoyer automatiquement une liste de courses type révisée en même temps que la confirmation de la commande. Le service de Streamline s'améliore donc constamment au fur et à mesure que la société accumule des informations sur chacun de ses clients.

Tim DeMello, le président-fondateur de Streamline, affirme que chaque remontée d'informations de la part de ses clients permet de démarrer la Relation d'Apprentissage avec eux. La société apprend par exemple que l'un d'eux souhaite avoir ses chemises amidonnées et livrées sur cintre, qu'un autre souhaite avoir des bananes vertes et qu'encore un autre a des enfants qui raffolent des cassettes Disney.
Selon Tim DeMello, la moitié des informations sur un client provient des trois ou quatre premières semaines de la relation avec l'entreprise. Après cette période, l'entreprise continue néanmoins l'apprentissage des habitudes de ses clients durant plusieurs mois.
Pendant les quatre premières semaines — phase d'apprentissage rapide — on encourage les clients à appeler et dialoguer avec les vendeurs de Streamline, plutôt que d'utiliser leur ordinateur ou leur fax. On recueille ainsi leurs remarques et on met à jour leur liste de courses. Ce dialogue permet d'abord à Streamline de mettre en valeur la qualité de son écoute et de son service, et ensuite d'enrichir rapidement les informations initiales.
Au fur et à mesure que Streamline collecte des informations de plus en plus fiables sur le rythme de consommation du ménage, elle place certains articles sur une liste de « livraison automatique ». Cela consiste à livrer certains produits à intervalles réguliers en fonction de leur rythme de consommation. Le papier hygiénique, la poudre de vaisselle et tout autre produit dont la fréquence d'utilisation peut être programmée après quelque temps d'observation, sont basculés sur la liste de livraison automatique.

On voit facilement comment la relation entre Streamline et ses clients évolue. Au départ, la société répond aux besoins du client, puis elle s'occupe progressivement de tout ce que le client n'a plus à se rappeler.

À la fin de cette démarche, Streamline pourra demander à ses clients de vérifier s'ils n'ont pas besoin de renouveler certains produits qu'ils ont probablement complètement consommés. En allant encore plus loin, le service de réception des commandes de Streamline pourra, au moment de la commande — par téléphone ou modem — envoyer un message au client qui dirait par exemple :

« Voulez-vous vérifier votre réserve d'œufs ou de jambon ?
D'après nos informations, vous risquez
d'être bientôt à court. »

La connaissance intime des besoins d'un client requiert bien sûr une longue période de dialogue attentif avec lui. C'est cette connaissance qui donne un avantage concurrentiel encore plus fort à Streamline. Tout comme la voiture à qui vous apprenez votre manière de conduire, vos commandes chez Streamline transmettent à la société une masse d'informations qui servent à *vous* servir mieux. Après une certaine période, ce n'est plus le client qui enverra toutes les semaines sa liste de courses à Streamline, mais l'inverse. Le client n'aura plus qu'a faire les quelques modifications qu'il souhaite et renvoyer la liste corrigée à l'entreprise.

La vision stratégique de DeMello pour Streamline s'exerce dans plusieurs directions porteuses de succès.
Dans la pratique, il cherche constamment les moyens d'améliorer les modalités de contact entre Streamline et le client au moment de la commande. DeMello sait très bien que le maintien de son avance sur ses concurrents passe par la multiplication des moyens de communication interactifs ; l'entreprise doit proposer les médias interactifs que les clients préfèrent. Bien que les moyens principaux de communication avec ses clients restent le téléphone et le fax, il améliore en permanence le système de transmission des commandes par PC et modem et il envisage de mettre Streamline sur le réseau Internet. En outre, il veut être présent dans les nouvelles technologies interactives, rendues possibles par la télévision câblée ou les compagnies de téléphone locales.

DeMello pense que, dans le futur, le point clé résidera dans l'essaimage du système interactif entre le client et sa société *dans chaque pièce de la maison.* Aujourd'hui, la commande se fait uniquement dans la pièce où se trouve l'ordinateur ou le fax.

La raison d'être de Streamline n'est pas de faire le livreur de produits de consommation, mais d'être l'initiateur et le gestionnaire des relations avec chacun de ses clients.
Approfondir ces relations constitue l'objectif principal de l'entreprise et la distribution des produits n'est qu'un moyen d'y arriver. Streamline s'attache en permanence à proposer de nouveaux produits et accueille favorablement toutes les suggestions des clients dans ce domaine, comme par exemple les fleurs, le ressemelage des chaussures, etc. Ces suggestions ont déjà débouché sur la fourniture de plats préparés, que de nombreux clients commandent deux fois par semaine et se font livrer avec leur commande d'épicerie.

En plus des produits ou services disponibles aujourd'hui, DeMello voudrait proposer des informations supplémentaires qui permettraient d'approcher encore plus finement les préférences de ses clients. Par exemple, un guide des calories et des informations nutritionnelles relatives aux commandes d'épicerie réellement passées ; ou des informations pratiques sur la manière de cirer un parquet. L'entreprise pourrait aussi rendre service à ses clients en gardant la trace d'événements du foyer, tels que la liste des invités et le menu qui leur a été servi ; ainsi, le client saura ce qu'il a préparé lors d'une réception au printemps dernier et qui est venu.

Streamline envisage enfin de proposer un service de carte de vœux clé en main : les adresses des amis et de la famille de chacun des clients seraient gérées sur la base de données de l'entreprise.
Seuls les progrès de l'informatique ont rendu possible l'activité de Streamline. Ceux-ci ont permis de simplifier les relations avec les clients dans les deux sens, en enregistrant tout ce qu'ils disent ou veulent et en adaptant en conséquence le comportement de l'entreprise. La vocation de Streamline toute entière repose sur le postulat qu'il faut traiter différemment des clients différents. Il s'agit d'un tout nouveau type d'activité, voire d'un nouveau type d'entreprise.

Personne ne sera vraiment surpris de savoir que l'ambition de Streamline conduit à de nouvelles méthodes de production des produits et services, par rapport aux méthodes traditionnelles de la production standardisée et de la communication de masse dans un seul sens.
Au démarrage de son activité, Streamline proposa, en partenariat, son service de livraison à domicile à plusieurs magasins mais cette offre fut repoussée d'un revers de main méprisant : « Pourquoi livrer nos produits à nos clients ? Nous avons un grand magasin où nous pouvons présenter la marchandise et influencer le comportement du consommateur. Les clients qui viennent nous voir pour acheter un article se laissent souvent tenter par d'autres produits ».

Dans ces conditions, Streamline décida de ne pas utiliser les supermarchés et les boutiques de vidéo en tant que fournisseurs, en se contentant d'ajouter ses frais de livraison et sa marge au prix d'achat. Au contraire, Streamline acheta ses produits directement chez des grossistes pour les vendre au détail. DeMello affirme qu'il aurait préféré pratiquer comme Peapod[6] en lançant une activité de livraison à domicile pure. Peapod est associé avec Jewel à Chicago et Safeway à San Francisco.

Les clients paient des frais à chaque livraison, en plus d'un droit d'adhésion mensuel. Les frais de lancement de l'activité de Streamline ont été considérables puisqu'il a fallu mettre au point l'activité épicerie, l'activité blanchissage et nettoyage, la location des cassettes vidéo et tout le système de livraison. Les clients ont exprimé clairement que c'est ce type de service qu'ils souhaitaient et DeMello n'a pas hésité à foncer quand il s'est rendu compte qu'il n'aurait aucune aide des magasins existants. Aujourd'hui, Streamline n'est pas un service supplémentaire offert par un supermarché (comme le fait Peapod) mais un nouveau type de supermarché qui est devenu un véritable concurrent face aux supermarchés qui avaient rejeté son offre au moment du lancement.
Streamline, tout comme French Rags, s'est clairement rendu compte que les systèmes de distribution traditionnels ne conviennent pas à cette nouvelle activité. Pour lancer leur entreprise 1:1, DeMello et French ont dû d'abord inventer un nouveau système de distribution et la morale de cette histoire pourrait être :

Casser les intermédiaires est la meilleure des revanches.

La part de client de Streamline, qui a démarré son activité en 1995, avoisine les 85 % en épicerie et atteint pratiquement les 100 % en blanchissage. Le chiffre d'affaires par foyer et par an est d'environ 6300 $, soit plus du double que le revenu par client généré par Peapod.
Il est clair que la puissance de Streamline, en matière de développement de clientèle et de personnalisation, réside à la fois dans ses modalités de contact très simples avec ses clients et dans l'amélioration constante de l'enregistrement de leurs attentes.
L'importance de la personnalisation ne se trouve ni dans l'efficacité de la production, ni dans la diminution des stocks, ni dans la réduction des coûts logistiques. Elle se manifeste dans l'intégration des relations courantes qu'une entreprise entretient avec ses clients.

Les progrès croissants des technologies de l'information transforment la totalité de notre système économique : le modèle du « fait sur commande »

6. Société de livraison à domicile en épicerie, basée à Chicago.

a succédé au modèle « fabriquer puis vendre ». Dans ce dernier modèle, la possibilité de choisir est un préalable quand on veut satisfaire les besoins individuels. Plus le choix sera large et plus l'offre des produits correspondra aux goûts des clients. Dans le modèle « fait sur commande » au contraire, les facteurs déterminants sont :

- l'interactivité avec le client (comment savoir quoi fabriquer ?)
- la mise en mémoire des préférences du client (pour éviter qu'il nous les répète).

Ces deux facteurs doivent être présents *en même temps*. Aucune entreprise 1:1 ne peut négliger l'un ou l'autre.

La Relation d'Apprentissage avec un client individuel existe quand cette relation a un seul objectif : approfondir la connaissance de ses besoins particuliers. Dans le prochain chapitre, nous allons disséquer cette Relation d'Apprentissage pour étudier ce qui la rend si puissante et voir quels types d'activités sont propices à son épanouissement.

CHAPITRE 7

UNE HABILE RÉCUPÉRATION

Comment conserver vos clients pour toujours, tout en augmentant vos marges

Pensez à vos habitudes de consommateur. Il doit bien y avoir quelque part une boutique, une épicerie ou un disquaire chez qui vous allez volontiers acheter parce que vous y trouvez quelqu'un qui semble toujours savoir exactement ce que vous voulez. Maintenant, imaginez que vous vous rendiez dans cette boutique et qu'ils se trompent sur quelque chose ; cela vous met de mauvaise humeur. En sortant, vous vous dites en vous-mêmes que, s'il s'agissait de n'importe quelle autre boutique, vous iriez voir ailleurs.
Mais vous ne le faites pas, car cela engendrerait trop de complications. Dans une autre boutique, vous devriez redire à un vendeur quels sont vos goûts personnels, alors que quelqu'un les connaît déjà dans la première boutique et en plus vous devriez apprendre la nouvelle implantation des rayons.

Une relation d'apprentissage est fondée sur un principe de base simple : *donnez à votre client l'opportunité de vous indiquer ce qu'il désire. Souvenez-vous en ; offrez-lui un avantage réel et en retour vous conserverez ce client pour toujours.*

Au cours de ce chapitre, nous allons d'abord examiner à travers plusieurs exemples les conditions nécessaires à l'instauration de cette stratégie. Nous verrons aussi comment exploiter une relation d'apprentissage non seulement pour accroître la fidélité de la clientèle, mais aussi la marge unitaire. Car après tout, si nous réussissons à faire naître le désir de fidélité chez l'un de nos meilleurs clients, nous devrions être en mesure d'améliorer notre marge sur le chiffre d'affaires généré par ce client.

Personnalisation et relation d'apprentissage

La puissance que dégage une stratégie concurrentielle basée sur la personnalisation est due en partie, mais en partie seulement, à la satisfaction accrue du client qui reçoit un produit mieux conçu.

L'entreprise ne va pas forcément bénéficier d'un avantage durable du simple fait que le client peut acquérir un produit parfaitement adapté à ses attentes.
Car, dès l'instant où chacun adopte cette technologie et qu'un certain nombre de concurrents offrent du sur-mesure, le client pourra trouver son bonheur partout. Une fois encore la concurrence se fera au détriment des marges.

Ce qui donne toute sa force à la personnalisation, c'est qu'elle permet à une entreprise de tisser une relation d'apprentissage avec le client. En vertu de cette relation, le client continue d'être lié à l'entreprise même si l'approche 1:1 est adoptée par tous les concurrents.

Deux conditions sont nécessaires pour nouer une relation d'apprentissage :

1. L'entreprise doit pouvoir créer un produit ou un service avec un bon rapport coût-efficacité, et mémoriser précisément les caractéristiques du client, comme nous l'avons souligné dans le chapitre précédent.

2. Le consommateur doit faire un effort pour renseigner l'entreprise sur ses préférences.

Lorsqu'une entreprise prend connaissance des nouvelles caractéristiques et besoins d'un client individuel, il se passe deux choses : l'entreprise apprend et le consommateur renseigne.
Une véritable fidélité naît de l'interaction de ces deux activités. Le client devient fidèle lorsque qu'il se rend compte que l'effort qu'il fait pour renseigner l'entreprise est récompensé par l'obtention d'un produit ou d'un service plus satisfaisant pour lui. En accomplissant ce travail, le client accroît l'intérêt que l'entreprise lui porte. La relation d'apprentissage cimente la fidélité du client et protège par conséquent la marge de l'entreprise.

La chaîne américaine de chaussures Custom Foot mémorise la forme de vos pieds, votre style de chaussure et votre pointure. Le Ritz-Carlton se souvient que vous préférez un oreiller ferme. Streamline se rappelle que vous aimez les bananes bien mûres et que vos chemises doivent être livrées sur un cintre.
Dans chacun de ces exemples, la réussite dépend de la somme d'efforts et du temps que le client lui-même accorde à la procédure d'apprentissage.
Dans l'exemple de Custom Foot, le client doit d'abord se rendre dans le magasin pour donner sa pointure, accorder quelques instants pour répondre à des questions et pour dire si la dernière paire de chaussure était à la bonne pointure, repérer le style qui lui convient et émettre quelques suggestions en matière de qualité de cuir ou de type de semelle.

Tout ceci, du début jusqu'à la fin, prend une bonne vingtaine de minutes dans le magasin. Bien sûr, passer vingt minutes dans un magasin, ce n'est pas très long.
D'ailleurs, si ce client achetait ses chaussures ailleurs, il devrait très certainement passer autant de temps à essayer plusieurs paires pour trouver la bonne pointure, et essayer ensuite de faire correspondre le style qui lui plaît avec la bonne taille.
Chez Custom Foot, le client doit passer, la première fois, vingt minutes dans le magasin, et c'est tout.
Lors de cette première visite, le magasin collecte toutes les informations et les mémorise. Que se passerait-il si un concurrent se mettait à proposer les mêmes chaussures sur mesure, selon la même technologie ? Le client qui s'est déjà rendu chez Custom Foot pour spécifier sa pointure et ses préférences réfléchirait à deux fois avant de changer de marque.
Dans le cas de Streamline, la personnalisation n'exige pas autant d'implication de la part du client. Mais sa mise en oeuvre nécessite une longue période, qui doit être répétée, avant qu'un concurrent puisse offrir au client le même niveau de commodité (encore une fois, en supposant qu'un concurrent surgisse).

Chaque semaine, le client réactualise sa liste de course et fait ses remarques sur la livraison de la semaine précédente. Il devient alors de plus en plus difficile à un concurrent d'accéder au même niveau de connaissance que Streamline.
L'informatique de Streamline peut avoir besoin de plusieurs mois pour se faire une idée précise du rythme de consommation d'un client en papier toilette ou en liquide vaisselle. Mais avec le temps, elle se fait une représentation de plus en plus exacte des besoins de ce client particulier. L'avantage de rester avec Streamline ne cesse d'augmenter pour ce client.

Les entreprises qui proposent des produits sur mesure n'ont pas toutes su mémoriser la manière dont leurs clients désiraient le produit. Elles considèrent la personnalisation simplement comme une amélioration coûteuse de leurs produits plutôt que comme une manière d'entretenir la fidélité.
Par exemple, pendant des années Burger King a utilisé pour sa promotion le thème « Dégustez-le à votre façon ». Mais encore aujourd'hui très peu de personnes profitent de ce service, précisément parce que Burger King ne mémorise pas la manière dont un client a demandé son hamburger la dernière fois ! Il est certes moins pratique de devoir expliquer comment vous le voulez que de dire simplement « donnez-moi le hamburger façon numéro trois ».

Ce n'est pas très difficile d'imaginer comment Burger King fonctionnerait s'il permettait à ses clients de s'identifier eux-mêmes au moyen d'une carte de membre ou d'un code personnel.

La chaîne serait ainsi capable de mémoriser pour chaque client quel est « son style ». Ceux-ci pourraient même spécifier plusieurs types de menus différents. Si Burger King se dotait d'une telle capacité, on pourrait rapidement entendre au comptoir un client annoncer : « Je voudrais *mon* numéro trois, s'il vous plaît ».

Imaginez que les cafés Starbucks et Barista Brava soient situés côte à côte, et que leurs produits n'aient guère de différences notoires en terme de qualité et de prix. Dans l'une des enseignes, les clients doivent repréciser chaque jour la boisson qu'ils veulent, alors qu'ils n'ont pas besoin de le faire dans l'autre.

Chez Starbucks, devoir préciser chaque jour sa commande n'est pas seulement du temps perdu, c'est aussi une source d'erreur le jour où le serveur ne comprend pas bien la commande.
Barista ne connaît pas cette perte de temps ni ce risque d'erreur.
Ce sera aussi simple pour un client de Starbucks de commander son café demain chez Barista. Alors qu'il sera plus difficile pour un client de Barista de commander demain son café chez Starbucks. Les clients de quelle enseigne seront-ils les plus fidèles ?
Il existe beaucoup d'exemples d'entreprises qui auraient intérêt à mémoriser ce que leurs clients leur disent.
Par exemple, si une banque voulait vraiment éviter à ses clients de répéter deux fois la même chose, elle ne leur ferait jamais remplir un formulaire de demande de prêt. Car après tout, la banque dispose déjà de toutes ces informations. Noms et adresses, numéros de compte, solde, etc. Toutes ces données sont déjà mémorisées électroniquement quelque part dans les ordinateurs de la banque. Il s'agit alors d'exploiter la technologie de l'information pour éviter aux clients une perte de temps et des difficultés à chercher une information courante.

C'est à cette compétence que fait appel la Bank of America, en préparant pour bientôt un « entrepôt de données » (data warehouse) développé par NCR.
Lorsqu'un client de la Bank of America appelle pour une demande de prêt, on remplit à sa place son formulaire. La banque utilise une base de données intégrée qui lui donne accès à tous ses relevés de comptes des trois derniers mois, à l'historique de sa carte de paiement et à d'autres données concernant ses autres emprunts. Pour compléter le formulaire, le client aura juste à fournir les informations que ne possède pas la Bank of America. Par exemple les emprunts et les autres comptes que le client peut détenir dans d'autres établissements financiers, concurrents de la banque.
Dès que la Bank of America aura installé ce programme, il sera plus facile

à un client actuel de contracter un prêt à la « B-of-A » plutôt que de partir dans une banque concurrente où il devra remplir lui-même tous les papiers.

Pensez aussi aux distributeurs de billets. On peut difficilement trouver un meilleur moyen pour communiquer, personnaliser et nouer une Relation d'Apprentissage avec des clients individuels, et pourtant bien des banques ignorent son pouvoir. Sauf à la New York City Bank, par exemple, une banque réputée pour son expertise informatique et qui a été la première à adopter avec succès les guichets automatiques pour accroître sa domination du marché. Chaque client qui se présente aujourd'hui devant un distributeur automatique banal est identifié au moyen de sa carte et de son code secret. Une fois identifié, le client doit toujours répondre à la sempiternelle question : « Quelle langue choisissez-vous ? ».
Dans une ville aussi cosmopolite que New York, l'idée est bonne de proposer tout un éventail de langues, y compris le coréen et l'arabe. Mais puisque vous avez inséré votre propre carte bancaire dans la machine, la banque ne devrait-elle pas savoir qui vous êtes et la langue que vous parlez ?

En fait, si vous utilisez les guichets automatiques de votre réseau bancaire et que votre type de transactions est relativement constant, la banque ne devrait-elle pas mémoriser votre transaction puis faire appel à sa mémoire pour faciliter et réduire sa durée?

« Bonjour, M. Smith. Désirez vous retirer le montant habituel de 1 000 F sur votre compte courant, sans reçu ? Oui ? Non ? »

Devant un parterre de cadres du secteur bancaire, nous avons évoqué un jour l'idée que le guichet automatique puisse repérer les clients réguliers de la banque et leurs habitudes.
L'un d'entre eux nous a demandé si nous ne risquions pas de faire du harcellement en offrant à chaque client de la banque une personnalisation aussi pointue. Car après tout, continua-t-il, on peut tout à fait comprendre que l'on veuille développer cette forme de mémorisation avec un guichet automatique, lorsque l'on veut faire gagner du temps à un très bon client. Mais qu'en est-il pour un client non rentable qui a un petit solde et qui nous coûte cher ?

Réfléchissons à ce raisonnement. Tandis qu'un client non rentable (CNR) posté devant un guichet se demande s'il est bien raisonnable pour lui de faire un retrait de 100 F, d'après vous qui risque de se trouver derrière lui à attendre ?

Au chapitre 6, nous avons dit que les produits et les services personnalisés en série se révéleraient rapidement moins chers à fabriquer et à distribuer que les produits et services standardisés proposés « en taille unique ».

Rapidement, on va s'apercevoir que, lorsqu'une tendance ressort statistiquement, le guichet automatique offrant à chaque client un service personnalisé, sera capable de traiter beaucoup plus de transactions à l'heure.

S'AFFRANCHIR DU PRINCIPE « LA MÊME QUALITÉ POUR TOUS »

À ce stade, il est nécessaire de noter deux conséquences possibles. Chacune a trait à la manière dont l'entreprise combine ses relations commerciales avec ses méthodes de production et de distribution.
Barista Brava, en premier lieu, a dû réorganiser ses méthodes de travail pour pouvoir servir ses cafés comme il le fait. Au lieu d'avoir un serveur qui donne ses instructions à un employé en cuisine, les cafés sont maintenant préparés par des équipes intégrées qui prennent elles-mêmes les commandes. Si un client spécifie une demande particulière, elle est immédiatement prise en compte dans le mode de préparation.
Dans le cas de « French Rag », par exemple, on a intégré les demandes individuelles de chaque client, en terme de style et de couleur, dans le traitement de la chaîne de production (c'est-à-dire le tissage numérique) pour que s'établisse un lien continu entre le client et le produit.

Si Burger King créait un système d'identification pour mémoriser les préférences individuelles des clients, afin de capitaliser sur son idée de « dégustez-le à votre façon », le simple fait d'intégrer cette information dans la méthode actuelle de production donnerait un avantage considérable à l'entreprise.
Comme pour Barista Brava, cela entraînerait sûrement un grand changement dans le mode de production.
On imagine facilement McDonald s'atteler à une telle tâche. Mais il est probable qu'en l'état actuel des choses, cela soit au-dessus des capacités de Burger King, qui a un contrôle moins rigoureux de son réseau de franchise et une qualité de service irrégulière et peu fiable.

Cela nous amène à examiner un autre facteur important : la qualité du produit et du service. Les stratégies 1:1 menées pour l'acquisition de nouveaux clients reposent sur la promesse d'une qualité de produit ou de service au moins équivalente à celle des concurrents.

Un client ne renvoie jamais plus d'une fois un produit.

Utilisons le terme abrégé de QQJ pour indiquer le niveau de qualité qu'il est nécessaire d'atteindre pour rivaliser avec une entreprise 1:1.
QQJ correspond à Qualité du produit, Qualité du service et Juste prix, trois composantes du modèle 1:1. Le produit ou le service d'une entreprise 1:1 ne

doivent pas être nécessairement de qualité supérieure ; il leur suffit d'atteindre un niveau qui les rende comparable à celui de leurs principaux concurrents. Dans le contexte actuel où chaque société se focalise sur l'amélioration de la qualité, il s'agit sans doute là du seul objectif de qualité qui doive être poursuivi.

Comme nous l'avons souligné au chapitre 5, de plus en plus de dirigeants sont soucieux du fait que même lorsque les clients de l'entreprise affichent un niveau de satisfaction élevé, quelquefois exceptionnel, l'attrition reste toujours endémique. La qualité du service et du produit ne suffit plus à différencier l'entreprise. En conséquence, la plupart des entreprises industrielles se trouvent confrontées à une situation que les consultants appellent « qualité égale », lorsque chaque concurrent réel du produit ou du service se situe déjà à un niveau très élevé.

Cela ne veut pas dire que nous minimisions la somme de travail et de motivation qu'il est nécessaire de déployer pour améliorer la qualité. En fait, comme nous l'avons indiqué dans le chapitre précédent, l'entreprise qui désire personnaliser en masse aura intérêt à adopter un modèle d'amélioration permanente de ses produits.

Quels que soient les progrès que vous accomplirez dans votre entreprise en terme de qualité, vous n'empêcherez jamais un de vos concurrents de travailler avec la même volonté d'améliorer, lui aussi, sa qualité.

Dans leur excellent livre : *The Discipline of Market Leaders : Choose Your Customers, Narrow Your Focus, Dominate Your Market*[1] (Reading, Mass. : Addison-Wesley Publishing Co., 1995), les auteurs Michael Treacy et Fred Wiersema présentent trois « principes de valeur » :

- l'excellence opérationnelle,
- la position dominante du produit,
- la proximité avec le client.

Les auteurs montrent que l'entreprise qui veut réussir sur un marché concurrentiel doit se concentrer sur un seul de ces principes de valeur. Or, chacun de ces trois principes offre un avantage concurrentiel à court terme. Mais seule une relation de proximité avec le client peut réellement créer un avantage durable dans le temps.

Votre entreprise aura beau exceller dans la conduite de ses affaires et posséder des produits leaders sur leurs marchés, vous ne pourrez jamais empêcher un concurrent de faire aussi bien que vous, à moins que vous ne bénéficiez par ailleurs d'une position de monopole auprès de fournisseurs, de services de recherche ou encore que vous disposiez d'un brevet incontournable.

1. *La discipline de ceux qui dominent le marché : choisir ses clients, ne pas se disperser, dominer sur son marché.*

Par contre, admettons que vous développiez une entreprise 1:1 cherchant à connaître les besoins de chaque client en particulier et répondant à ses demandes, tout en étant, au fil du temps, de plus en plus proche de lui. Vous créez alors, autour de chaque client particulier, un mur quasiment infranchissable par la concurrence.
Il est toujours indispensable d'offrir une qualité de produit et de service équivalente à celle de vos principaux concurrents. Mais les entreprises qui remporteront la prochaine bataille concurrentielle sont celles qui sauront engager une relation de qualité.

En tant qu'entreprise 1:1, la relation d'apprentissage que vous entretenez avec votre client doit vous garantir qu'il résistera devant la séduction exercée par un éventuel concurrent. Parce que ce dernier ne connaîtra pas aussi bien que vous ses besoins spécifiques[2].

De manière analogue, l'entreprise 1:1 n'est pas obligée d'offrir le prix le plus bas, mais simplement le juste prix.
« Juste prix » signifie pour nous un prix qui ne soit pas exorbitant par rapport à la qualité du produit et du service. La gamme de prix de vos produits et vos services doit se situer plus ou moins au même niveau que celle de vos principaux concurrents.
Par contre, plus le produit se rapprochera du « sur-mesure », plus le client accordera de valeur à la fois au produit, et au fait de ne pas devoir tout ré-expliquer à chaque nouvelle commande.
Avec le temps, cela conduira les plus fidèles clients à accepter de payer un prix supérieur.

La relation d'apprentissage n'est pas un concept difficile à comprendre et il est incroyablement facile à appliquer dans un grand nombre de cas, dans les entreprises individuelles comme dans les grandes firmes industrielles.
Par exemple, après avoir commandé des fleurs pour l'anniversaire de votre mère, le fleuriste 1:1 se rappellera à votre bon souvenir l'année suivante, quelques jours avant son anniversaire.
L'agent de voyage 1:1 se souvient que vous préférez les sièges côté hublot, les berlines 4 portes et les chambres d'hôtel avec une prise de connexion pour votre micro.
Le programme de fidélité d'un libraire combine tous vos achats pour apprendre finalement que vous êtes amateur de romans policiers, de livres

2. La définition que donnent Treacy et Wiersema de la proximité avec le client n'est pas tout-à-fait comparable à notre définition d'une concurrence 1:1. Ils se fondent sur un certain nombre de raisons et d'initiatives, spécifiques à un marché de masse, mais qui en elles-mêmes ne produiront pas un avantage compétitif aussi fondamental que celui développé par un vrai marketing 1:1. Cependant, certains de leurs arguments en faveur d'une proximité avec le client rejoignent certains des principes spécifiques que nous développons dans le modèle 1:1.

sur l'efficacité personnelle et de romans. Sur le Web, une librairie comme Amazon.com pratique ceci sans avoir recours à une carte de fidélité.

Il est important de noter ici que la relation d'apprentissage telle que nous l'avons définie ne repose pas sur un lien affectif. Le type de relation marketing que nous préconisons n'a rien à voir avec l'affection que pourrait ressentir votre client pour votre produit ou votre marque.
Il s'agit ici plutôt de commodité. Mémoriser les préférences et les goûts du client, poursuivre le dialogue avec ce client en particulier là où vous l'avez arrêté la fois précédente, revient à créer ainsi autour de lui un « mur infranchissable » qui le conduit à ne plus jamais vouloir s'adresser à votre concurrent. A condition toutefois que vous continuiez à lui offrir la QQJ, c'est-à-dire un produit et un service de qualité au juste prix.

Ceci ne veut pas dire que les liens affectifs n'ont pas leur rôle à jouer pour nourrir les relations commerciales. Ils y participent et l'entreprise 1:1 est mieux placée que toute autre entreprise pour capitaliser sur de tels liens. Dans une entreprise 1:1, chaque personne qui est en relation avec vous se souviendra de votre nom et de la façon dont s'est déroulé votre dernier échange.

Les liens affectifs tissés avec un client ne sont pas fondamentaux dans la constitution de la fidélisation d'une clientèle ; en revanche, la commodité des relations avec un client est fondamentale.

S'APPUYER SUR LES RELATIONS D'APPRENTISSAGE POUR ACCROÎTRE LES MARGES DE L'ENTREPRISE

Il existe un axiome économique largement répandu selon lequel l'accroissement des volumes, sur un marché concurrentiel de masse, ne peut se faire qu'en acceptant une baisse des marges unitaires.
Prenons le cas d'une entreprise qui vend 100 000 articles ce trimestre, et qui espère en vendre 110 000 le trimestre suivant.
Toutes choses égales par ailleurs, cette augmentation de volume ne s'obtiendra probablement qu'en pratiquant une baisse du prix, en offrant un coupon de réduction, une remise, une prime pour la force de vente, une campagne publicitaire ou tout autre investissement.
En général, les coûts unitaires baissent lorsque le volume augmente. Mais la plupart des entreprises travaillent déjà de façon compétitive avec des volumes de production qui induisent des coûts unitaires minimum.
Aucune entreprise ne peut se permettre de fabriquer et de vendre de petites quantités, en raison du coût unitaire de fabrication et de distribution qui serait prohibitif.

Par conséquent, tous les concurrents sérieux fonctionnent déjà avec des coûts unitaires similaires aux vôtres, les plus bas possibles. Et aucun autre concurrent ne pourra accroître son volume de vente sans éviter une baisse de ses marges unitaires.
L'entreprise 1:1 va constater, lorsqu'elle calcule ses ventes par client, qu'il lui est possible d'accroître ses marges unitaires tout en augmentant son volume de vente.

Une entreprise 1:1 peut accroître ses marges unitaires sur une longue période de plusieurs manières :

- en collaborant individuellement avec ses clients,
- en communiquant avec eux,
- en créant des produits sur mesure et des services spécifiques,
- en instaurant une Relation d'Apprentissage avec chaque client pris isolément.

Partez du principe que les clients d'une entreprise parmi les plus fidèles sont généralement les plus enclins à payer le prix normal, et les moins susceptibles de partir systématiquement à la chasse au meilleur prix.
C'est d'ailleurs une des raisons qui explique que nous les considérions comme nos meilleurs clients.
Lorsqu'un fleuriste vous adresse un petit mot pour vous rappeler l'anniversaire de votre mère et qu'il vous propose ensuite de lui livrer cette année encore un bouquet, à la même adresse et de débiter la carte de crédit utilisée l'année dernière, quelle est la probabilité pour que vous décrochiez votre téléphone pour essayer de trouver un fleuriste moins cher ?

Toute entreprise essaie de limiter la pratique des prix de lancement aux nouveaux clients en offrant une réduction « de bienvenue ». Ces nouveaux-venus qui n'ont peut-être pas encore l'habitude du produit, ont besoin d'un petit coup de pouce supplémentaire pour essayer le produit la première fois. Mais dès que l'entreprise noue une Relation d'Apprentissage pour augmenter la fidélité de ses clients, elle n'est plus dépendante de prix discountés. Il s'agit en fait de la seule arme vraiment efficace dont disposent les concurrents voulant pénétrer un marché de masse et acquérir un flot important de nouveaux clients (beaucoup d'entre eux n'étant généralement pas aussi « nouveaux » que cela).

L'effritement des prix représente l'aspect le plus coûteux d'une politique de discount visant à acquérir de nouveaux clients.
Même si l'objectif principal de votre campagne publicitaire est d'attirer de nouveaux clients, n'oubliez pas que vous avez déjà des clients en portefeuille. Beaucoup sont prêts (ou auraient été prêts) à payer le prix plein pour votre produit ou service.

Lorsque vous annoncez une réduction de prix pour attirer de nouveaux clients, vos clients déjà acquis en profitent également, bien qu'ils soient prêts à payer le prix normal. C'est ce que nous appelons l'effritement des prix.

Les CPP (clients les plus précieux) ont une plus grande valeur pour l'entreprise parce qu'ils achètent plus souvent, en plus grosse quantité ou sur une plus longue durée.
Et ce n'est pas injuste que de leur faire payer le prix fort. Vos meilleurs clients accordent simplement plus d'importance à votre entreprise et à ses produits, à condition toutefois que vous les suiviez d'achats en achats, avec la même attention que celle qu'ils manifestent auprès de vous au moment de commander.
Un client régulier est prêt à payer le prix normal parce que c'est plus facile pour lui d'acheter chez vous. C'est plus commode : il a déjà acheté chez vous, peut-être même de nombreuses fois. Il connaît déjà la qualité de vos produits et de vos services. Il sait dans quelle gamme de prix se situe votre produit, comment il est emballé, livré, garanti et révisé. Il a déjà été content de vos services par le passé. Et s'il devait aujourd'hui s'adresser ailleurs — à une entreprise par exemple chez qui il n'aurait jamais été client — il prendrait un certain risque. La qualité du produit risquerait de ne pas être la même, ou bien ne pas être aussi régulière que celle à laquelle il est habitué avec votre produit.
Il est toujours plus difficile d'évaluer un nouveau fournisseur que de continuer à traiter avec l'actuel. Votre client peut vous joindre en consultant l'annuaire du téléphone ou sa liste de fournisseurs « agréés ».
Et quand il cherche un nouveau produit, il s'adresse naturellement à vous. Cela lui évite de devoir engager une négociation avec quelqu'un qu'il ne connaît pas, de rechercher une nouvelle piste, de perdre son temps à évaluer, à décider une nouvelle fois et à chercher un compromis entre le prix, la qualité et la rapidité.

Fred Reichheld a décrit la situation bénéfique qui résulte d'une augmentation de la valeur des clients fidélisés sur des périodes de plus en plus longues. Dans son excellent livre *The Loyalty Effect : The Hidden Force Behind Growth, Profit and Lasting Value*[3] (Boston, Harvard Business School Press, 1996), qui depuis fait autorité en la matière, Reichheld traite de l'aspect économique de la rétention de la clientèle. Il prend comme exemple de nombreuses entreprises et industries et y décrit avec précision les avantages qui résultent de la volonté de retenir les clients le plus longtemps possible. *The Loyalty Effect* met en lumière beaucoup trop de concepts et de bonnes idées pour que nous puissions en rendre compte dans un résumé sommaire. Nous nous limiterons à dire qu'à la longue, les clients fidèles permettent

3. *L'effet fidélité : la force cachée derrière la croissance, le profit et la valeur à long terme.*

d'abaisser les coûts du service après-vente et génèrent des revenus complémentaires. Ils font aussi plus souvent l'éloge de l'entreprise que d'autres personnes et sont prêts à payer un supplément de prix pour un service additionnel.
Il apparaît clairement que, dans les entreprises qui calculent les marges unitaires pour chaque client, ceux ayant la marge la plus élevée seront les CPP (clients les plus précieux). En d'autres termes, les CPP procurent à l'entreprise non seulement une augmentation de volume d'achats mais aussi une marge supérieure sur chaque unité vendue.

Enfin, ajoutons à cela la notion de commodité qui résulte d'une relation d'apprentissage fortement personnalisée, permise grâce à l'effort consenti par le client sur une longue période. Il est certain que les raisons qui pousseront un CPP à payer un prix plus élevé, non discounté, doivent être largement justifiées.

Revenons de nouveau sur le cas de ce directeur de la diffusion d'un magazine, pris comme exemple au chapitre 2.
En offre de bienvenue, les nouveaux abonnés bénéficient d'un prix réduit; le tarif est plus élevé pour les abonnés qui ont plus d'un an d'ancienneté. Pour un premier abonnement, les 52 numéros du magazine coûtent 35,90 $ seulement alors que le tarif de réabonnement à partir de la deuxième année grimpe à 75,90 $.
D'ailleurs, cette différence de prix est une des raisons pour lesquelles les magazines (et beaucoup d'autres services basés sur l'abonnement) ont tendance à perdre massivement leurs clients dès le début.

Certains lecteurs arrêtent leur abonnement puis se réabonnent, en utilisant un nom légèrement modifié, ou le nom de leur épouse pour pouvoir bénéficier du tarif proposé en offre de bienvenue.

Dans la mesure où toutes les bonnes affaires
sont réservées aux nouveaux clients, les clients astucieux
s'efforcent d'être toujours considérés par l'entreprise
comme des « nouveaux ».

Mais les éditeurs pourraient presque arriver à stopper ces désabonnements en série s'ils devenaient de vraies entreprises 1:1, en ajustant le contenu du produit livré à la somme d'informations échangée, elle-même alimentée par les caractéristiques de leurs clients. En un mot, s'ils créaient une relation d'apprentissage avec leurs abonnés individuels.

Imaginez que pour chaque lecteur, un magazine repère les articles qui sont balayés rapidement ou lus en détail. Puis qu'il édite chaque semaine une version individuelle, sur mesure, et de plus en plus pertinente pour ce lecteur.

Supposons alors que ce lecteur soit abonné et qu'il constate de semaine en semaine, que le numéro qu'il reçoit par la poste est à chaque fois mieux centré sur les articles qu'il considère comme les plus intéressants.
Si ce magazine fonctionnait par abonnement, le lecteur recevrait alors, au bout d'un an d'abonnement, un magazine « intelligent », conçu sur mesure selon ses propres centres d'intérêt. Au moment de devoir payer plus cher le renouvellement de son abonnement, il se poserait sérieusement la question de savoir si, pour bénéficier à nouveau du tarif d'introduction, cela vaut bien la peine d'annuler son abonnement et de tout recommencer.
L'abonnement coûtera certes plus cher en deuxième année, mais il aura beaucoup plus d'intérêt.

Cette idée, naturellement, est utopique aujourd'hui dans le cas des abonnements à des magazines. Un magazine qui arrive par la poste ne peut pas « repérer » les articles sur lesquels un lecteur particulier porte son regard. Il n'existe pas de remontée d'informations vers le magazine, du moins dans l'état actuel où ils sont fabriqués et distribués.
On peut facilement imaginer qu'un magazine « intelligent » soit accessible *on line* (c'est d'ailleurs ce que proposent déjà de nombreux services *on line* aujourd'hui) mais peu de personnes sont prêtes à s'asseoir devant un écran pour faire défiler un magazine.
On lit un magazine dans le train, en avion, ou on le prend sur la table du salon, sans raison ni appareillage particuliers.

Mais d'un autre côté, la technique d'impression digitale permet déjà de personnaliser en masse des documents imprimés ; quant aux chercheurs, ils insèrent de nos jours des puces électroniques à la surface d'un quotidien pour déterminer combien de temps une personne tient son journal en main. On peut s'attendre à ce que quelqu'un découvre rapidement comment personnaliser à grande échelle des magazines dans lesquels seront incorporés des puces permettant d'obtenir en retour une information individuelle sur le lecteur.

Sommes-nous trop en avance pour vous ? Et bien, pensez à l'abonnée qui est cliente chez Streamline depuis un an ou plus, c'est-à-dire le temps nécessaire pour que tous les produits qu'elle consomme soient connus. Streamline sait alors parfaitement choisir les tomates en fonction des pâtes qu'elle a commandées et saura lui recommander des vidéos pour ses enfants. Au cas où elle aurait oublié quelque chose, cette abonnée comptera sur Streamline pour le lui rappeler.

Très clairement, un client a tout intérêt à rester fidèle sur une longue période. Mais cela veut aussi dire que Streamline peut ajuster ses tarifs de

telle sorte que lorsqu'un client reste fidèle à la société pendant un certain temps, les prix augmentent.
Dans les faits, cela devra sans doute s'apparenter davantage à une réduction de bienvenue pour les nouveaux clients qu'à une augmentation de tarif pour les anciens clients. Le prix de l'abonnement pourrait passer de 30 $ à 45 $ par mois, sauf la première année où il resterait à 30 $. Ou peut-être qu'à l'issue de la première année, les clients se verraient facturés des frais de « traitement des données » ou un supplément automatique pour la remise à jour des informations.

Une chose est certaine :

> *Dès lors qu'une entreprise 1:1 connaît les besoins individuels d'un client, l'attractivité qu'elle représente pour ce client particulier augmente de façon considérable.*

Il existe très certainement une limite au-delà de laquelle même un client fidèle considérera que les prix fixés par l'entreprise sont trop élevés. Plus les prix affichés par Streamline seront élevés, plus son chiffre d'affaires sera menacé par des concurrents qui chercheront à l'imiter.

Mais l'entreprise peut très certainement justifier un prix élevé si le produit est toujours mieux adapté à chaque demande et si la relation devient encore plus précieuse pour ce client.
On est loin de la dynamique de tarification conduite sur un marché concurrentiel de masse, où un client fidèle paye le prix plein pour un produit alors que ce même produit est proposé à moitié prix aux nouveaux clients.

Revenons encore à la dynamique commerciale qui anime Custom Foot. Une fois que l'on a scanné la forme de ses deux pieds et déterminé sa bonne pointure, le client n'a plus aucun effort à faire pour commander sa prochaine paire, à la même taille.
Plus besoin de choisir parmi les tailles qui existent dans l'arrière boutique. Ni d'essayer un grand nombre de paires, ni même que l'on reprenne de nouveau sa pointure. Il n'a même pas besoin de se rendre dans le magasin !
Chez Custom Foot, un client régulier pourra facilement commander sa prochaine paire de chaussures, ou ses douze prochaines paires de chaussures, par téléphone grâce au catalogue Custom Foot. Custom Foot pourra même travailler à partir d'un modèle présenté dans un catalogue concurrent !

C'est nettement plus facile et plus court que de se rendre sur place, même pour quelques minutes seulement, et de choisir parmi les modèles qui se trouvent en stock. Il est facile d'imaginer que de nombreux clients soient prêts aujourd'hui à payer un peu plus cher pour cette commodité.

ACHATS INDÉPENDANTS CONTRE ACHATS CONDITIONNÉS

Pour comprendre facilement comment fonctionne ce principe, référons-nous à « l'espace marketing » que nous avons posé comme postulat au chapitre 1. Nous estimions qu'une attaque du marché pilotée par le client devait être vue sous un angle différent que celle centrée sur un marché de masse.
Nous avions dessiné une colonne horizontale et une colonne verticale sur un espace marketing hypothétique représentant le nombre des besoins satisfaits par rapport au nombre des clients servis.

Revenons à cet espace marketing et imaginons qu'il contienne un grand nombre « d'occasions d'achats », chaque carré de cet espace représentant un client individuel qui satisfait un besoin particulier à un certain moment. Comme sur un marché de masse, ces occasions d'achat sont tout à fait indépendantes les unes des autres. Il n'y a aucune corrélation entre le fait qu'un client achète ou non un produit et le fait qu'un autre client achète aussi.

La situation d'un marché de masse concurrentiel se présente ainsi :

Situations d'achat indépendantes

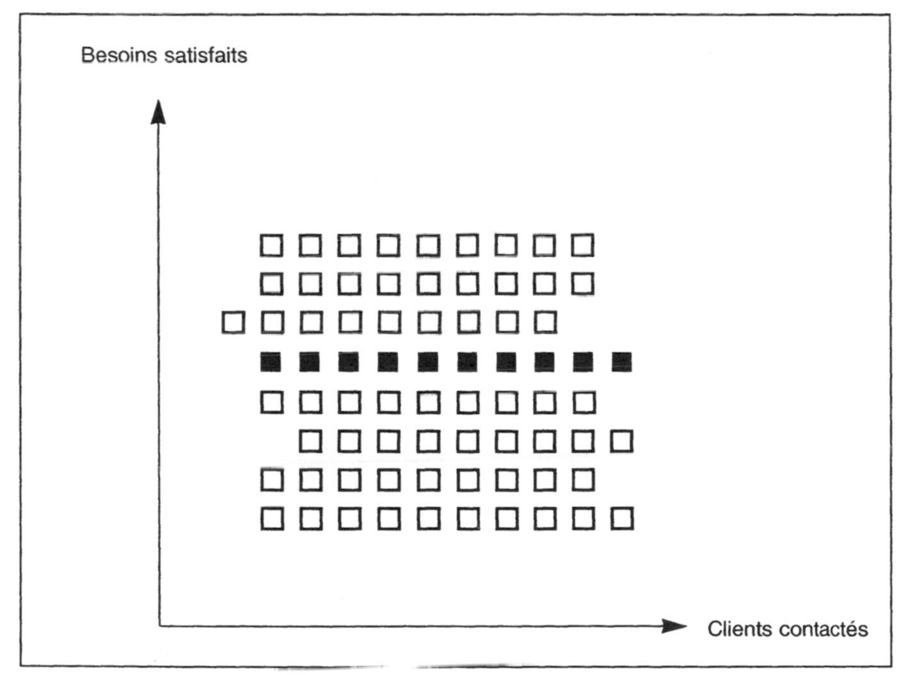

Le compétiteur sur un marché de masse veut « aligner » le maximum de clients possible qui ont un besoin précis, un besoin auquel l'entreprise peut bien sûr répondre. Les occasions d'achat étant indépendantes les unes par

rapport aux autres, l'entreprise sur ce marché de masse est obligée de diminuer ses prix pour remporter plus d'affaires.
Sur un marché de masse où le même produit est offert à tous les clients, c'est le marché qui détermine à quel prix doit se situer un concurrent pour acquérir le dernier de ses nouveaux clients, le plus marginal, le moins intéressant.

À l'inverse, le compétiteur orienté vers le client, c'est-à-dire l'entreprise 1:1, regarde quant à lui ce même espace marketing sous un angle différent. De son point de vue, les occasions d'achat sont *conditionnées* au lieu d'être indépendantes. Elles sont toutes accomplies par le même client et cela suppose bien entendu que ce client se souvienne de l'entreprise d'une fois sur l'autre.

Situations d'achat conditionnelles

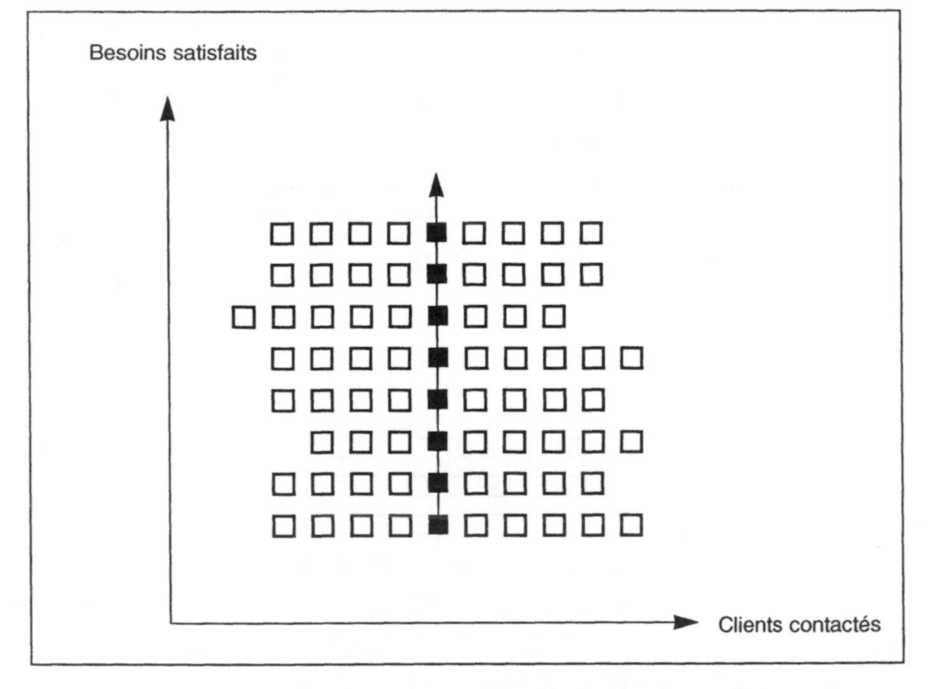

L'entreprise 1:1 doit s'assurer que le client a toujours l'entreprise en tête, afin que chaque nouvelle occasion d'achat soit facile pour le consommateur, et non dirigée vers la concurrence.

La relation d'apprentissage : elle n'est pas toujours aussi simple

Les avantages d'une relation d'apprentissage sont certes convaincants, mais ce modèle commercial radicalement nouveau ne s'applique pas de la même manière pour tous.

Des entreprises telles que les agents immobiliers, les fabricants d'appareils électriques et les entrepreneurs en bâtiment — rarement en relation avec les clients finaux — n'ont souvent pas suffisamment de matière pour nouer une relation d'apprentissage viable sur une durée relativement longue.

Mais chaque entreprise aura intérêt à tisser ce type de relations. En satisfaisant le maximum de besoins individuels des clients ne faisant qu'un seul achat, chacune bénéficiera de recommandations nombreuses de la part de ces clients dorlotés.
Reichheld analyse dans son livre *The Loyalty Effect* la principale différence qui existe entre un entrepreneur en bâtiment rentable et un autre non rentable : le premier bénéficie d'un taux de recommandations beaucoup plus élevé.
Lorsque l'entreprise se caractérise par des achats à prix élevés, espacés dans le temps, les recommandations (ou « parrainages ») sont un élément de différenciation essentiel.

C'est paradoxalement la même chose pour les fabricants de produits tels que les trombones, dont le revenu ou la marge par client est trop faible pour justifier la mise en place d'une relation d'apprentissage avec chaque client final.
Pour eux, il sera néanmoins intéressant d'entretenir une relation d'apprentissage avec les chaînes spécialisées dans les fournitures de bureau qui interviennent directement auprès des utilisateurs finaux ou des acheteurs. Au chapitre 12, nous examinerons plus en détail pourquoi et comment une entreprise doit créer une relation d'apprentissage avec les membres de son réseau de distribution plutôt qu'avec ses clients utilisateurs finaux.

Les fabriquants de produits de base qui ne peuvent pas être facilement personnalisés (le pain ou le gaz naturel par exemple), ou les négociants de marchandises vendues quasiment à prix coûtant, vont avoir des difficultés à établir avec leurs clients une relation d'apprentissage.
Ils ne pourront tirer les fruits de cette approche qu'à la condition d'élargir le champ d'action de « leur produit ». Nous examinerons plus en détail cette stratégie au chapitre suivant, mais l'initiative poursuivie par Bandag, le rechapeur de pneus de camions est un bon exemple de ce principe.

Bandag vend à plus de 1 400 concessionnaires-installateurs dans le monde, du caoutchouc pour rechaper les pneus de camions. Chaque concessionnaire est équipé d'une machine qui polit l'enveloppe extérieure du pneu, évalue chacun des défauts qui pourrait rendre impossible le rechapement (cela consiste à revêtir d'un nouveau caoutchouc n'importe quelle structure). Le coût et la qualité du rechapement Bandag est tout à fait comparable à ceux de ses concurrents.

Après avoir lustré le vieux pneu, l'expert du concessionnaire pourra découvrir l'existence d'une faille dans le pneu, rendant impossible tout rechapement. Quelquefois la faille provient d'un défaut de fabrication et le propriétaire du pneu peut faire valoir sa garantie. Bandag encourage ses concessionnaires à facturer, au nom du client, le fabricant pour le dédommagement, à collecter le paiement et à renvoyer directement le remboursement au client. Avec le concours de son plus grand et plus proche client au niveau national, Bandag a commencé à proposer une aide beaucoup plus pertinente de la gestion du parc automobile, pour créer une relation d'apprentissage.
Il projette, par exemple, de placer des puces électroniques, communicant par fréquence radio, à l'intérieur du revêtement d'un nouveau pneu rechapé (la puce pourrait d'ailleurs être « incorporée » lorsque Bandag fabrique le caoutchouc). La puce indiquera non seulement la pression et la température du pneu, mais elle comptera aussi les tours de roue, afin que le concessionnaire de Bandag puisse déterminer le nombre de kilomètres parcourus par le pneu, simplement en « lisant » électroniquement et à distance la puce. Dès lors, le client ne dépendra plus du contrôle visuel, de la mémoire du camionneur ou d'une évaluation manuelle de la profondeur de la sculpture du pneu pour déterminer à quel moment ce pneu doit être rechapé.
À la longue, cette méthode procurera à Bandag une vision exacte de la performance du parc automobile sous contrat.
Bientôt, on pourra déterminer à quel niveau de qualité, de coûts de fonctionnement et d'efficacité des pneus se situe un parc de voitures ou de camions par rapport à d'autres parcs similaires.
Elle pourra mettre en avant les paramètres qui ont progressé depuis la dernière inspection et ceux qu'il reste à améliorer.

L'expérience et les connaissances acquises par le concessionnaire auprès du propriétaire du parc automobile viendront enrichir la relation. En effet, chaque client propriétaire de parc automobile renseignera Bandag, et son vendeur de pneus rechapés, sur les besoins individuels du parc, ses propres habitudes en matière de pneus et transmettra les paramètres de ses coûts de fonctionnement.

Relation d'apprentissage et base de données clients

La relation d'apprentissage est séduisante pour l'entreprise parce qu'elle engendre la fidélité du client. Elle l'est aussi pour le client en raison de sa commodité.
Du point de vue du client, ne pas devoir repréciser à chaque fois ses propres besoins représente un gain de temps et d'énergie, principal moteur d'une relation d'apprentissage.

Lorsque les besoins d'un client sont plus complexes ou lorsqu'ils sont uniques — c'est-à-dire lorsqu'ils sont différents des besoins des autres consommateurs — ils risquent d'être plus difficiles à expliquer et il serait plus simple dans ce cas de ne pas avoir à les préciser à chaque achat.
L'avantage qui découle donc pour l'entreprise d'une relation d'apprentissage est directement proportionnel à l'évaluation des besoins de sa clientèle :

Matrice de différenciation de la clientèle

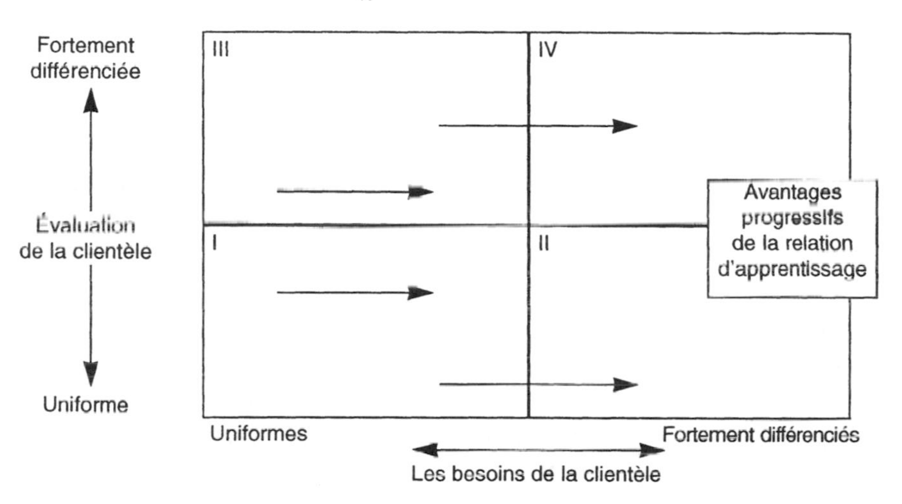

La relation d'apprentissage tirera un plus grand parti d'une différenciation déterminée par les besoins plutôt que par la valeur. Plus l'éventail des besoins de la clientèle est large, plus la relation d'apprentissage est bénéfique.
Dans une banque, le distributeur automatique de billets qui sait mémoriser les retraits réguliers d'un client gagnera aussi bien la fidélité d'un client CNR (clients non rentables) à 100 F, que celle d'un CDR (clients du 2e rang) à 1 000 F ou d'un CPP (clients les plus précieux).

Cela ne veut pas dire que la courbe des valeurs ne compte pas ou soit négligeable. Comme nous le verrons au chapitre 13, la méthode la plus logique, et la plus rentable pour l'entreprise désireuse de passer d'une attaque sur un marché de masse à une concurrence pilotée par le client, est la suivante : axer cette transition sur le principe client-par-client.
Il y a des méthodes commerciales et des échanges avec la clientèle, comme le service rendu par un guichet automatique, qu'il est préférable de personnaliser. Il y en a d'autres pour lesquels les coûts de la personnalisation ne se rentabilisent que s'ils sont réservés en premier lieu aux clients les plus précieux de l'entreprise. Ainsi, plus la courbe d'évaluation des clients est pentue, plus cette stratégie de transition sera facile et d'un meilleur rapport coût-efficacité pour l'entreprise.

Même la fréquence des achats, par la suite, sera dictée par la variation des besoins plutôt que par la variation des valeurs.
L'entreprise attribuera certainement une valeur élevée au client qui achète souvent. Mais ce n'est ni la fréquence ni le volume des achats qui rendront attractive la relation d'apprentissage. C'est surtout la somme d'efforts que le client doit consentir pour reformuler ses souhaits lors de chaque nouvel achat. Réduire ce niveau d'effort constitue un réel avantage pour un client et détermine le niveau d'intérêt qu'il accorde à l'entreprise, constituant à la fois les composantes de sa fidélité et de sa marge.

Lorsqu'il s'agit de créer une relation de fidélité à forte marge, la relation d'apprentissage ne peut reposer sur les seules différences de valeur. D'ailleurs, dans la plupart des cas, le client n'aura aucune idée, et se moquera bien, de savoir s'il est plus précieux pour l'entreprise que d'autres clients[4].

C'est le niveau de différenciation des besoins qui est important dans ce cas. C'est la raison pour laquelle les entreprises qui vendent des produits de première nécessité ont plus de difficulté à nouer des relations d'apprentissage. Les clients d'une station essence, d'une compagnie aérienne ou d'un négociant en blé ont tous les mêmes besoins basiques. Bandag a détourné ce dilemme en élargissant la définition de son « produit » pour y inclure non seulement l'offre de rechapement des pneus de camions mais aussi un service de gestion du parc automobile.

Dans le prochain chapitre, nous parlerons d'une méthode rationnelle pour limiter les inconvénients d'une clientèle qu'on ne peut pas différencier par besoins. Nous vous montrerons comment accroître la diversité des besoins des clients en épluchant les couches successives du produit afin de révéler la gamme entière des besoins du client dans toute leur vraie complexité.

4. Beaucoup de clients ne prêteront pas grande attention à la valeur que leur accorde l'entreprise. Néanmoins, les clients les plus précieux seront sans doute les plus suceptibles de s'y intéresser, parce qu'ils ont l'impression que cette valeur leur conférera plus de poids. Nous avons un jour assisté à une scène dans un avion au cours de laquelle un passager s'est plaint, s'attendant à ce que son problème soit résolu en arguant du fait qu'il avait payé plein tarif. Le steward ne s'est pas démonté. « Nous ne faisons pas de différence entre quelqu'un qui a payé le prix plein et quelqu'un qui bénéficie d'un tarif réduit » répondit le steward, probablement pour bien faire comprendre que chaque personne est importante aux yeux de cette compagnie aérienne. Le passager répliqua : « Ah bon ? alors vous devriez me faire bénéficier d'une réduction. Parce que moi je la sens la différence ! »

CHAPITRE 8

L'EXTENSION DES BESOINS

COMMENT PERSONNALISER DES PRODUITS USUELS

L'astuce de base, quand on veut établir une relation d'apprentissage, consiste à observer toutes les petites différences entre les clients, et de s'en souvenir. Chaque élément de préférence, de rythme d'action, de modalité de livraison, de mode d'utilisation des produits contribue à l'établissement de la relation d'apprentissage. L'entreprise doit non seulement mémoriser tous les besoins de base de ses clients vis-à-vis de ses produits mais en plus, elle doit aussi s'intéresser à tout ce qui entoure le produit, comme par exemple les modalités de facturation, les types d'emballage et la gamme des services annexes qui l'accompagnent.
Nous présenterons dans ce chapitre une méthode systématique destinée à étendre les besoins de n'importe quel client individuel, depuis le produit de base jusqu'au package produit-service.

Les raisons pour lesquelles une entreprise doit chercher à élargir la palette des besoins d'un client résident dans le fait qu'elle peut alors mettre en lumière des différences complexes entre les clients. L'entreprise tirera profit de ces différences et pourra ainsi créer avec eux une relation d'apprentissage.
En élargissant la palette des besoins des clients, l'entreprise repositionne la base de données sur la matrice de différenciation des clients, en la déplaçant sensiblement vers la droite, c'est-à-dire dans la direction du progrès pour la relation d'apprentissage.

Bien entendu, cette méthode n'est pas limitée à ceux qui vendent des produits usuels ; elle peut porter ses fruits dans tous les types d'activité. Un pharmacien pourra par exemple se souvenir non seulement des ordonnances, de l'adresse et du numéro de téléphone de ses clients, mais aussi de la composition de leur famille, de leurs allergies, du nom de leur médecin et de leur compagnie d'assurance.
L'achat des médicaments sera tellement facile et commode chez ce pharmacien que le client ne sera pas tenté d'aller raconter tout cela à un autre pharmacien[1] . Dans la pratique, une chaîne de pharmacies d'un nouveau

1. N'oublions pas que nous sommes aux USA ! (NDT)

type vient de se lancer aux USA ; elle capte les meilleurs clients des pharmacies traditionnelles en proposant un numéro vert pour transmettre leur ordonnance, suivi d'une livraison à domicile sous 24 heures.

Merck & Co, laboratoire pharmaceutique, a acheté en 1993 Medco Containment Services pour 6.6 milliards de dollars dans le seul but de pouvoir créer une relation d'apprentissage avec ses clients individuels et leurs médecins.
En s'appuyant sur la base de données médicale de Medco, Merck peut se rendre compte par exemple que la prescription du médecin, telle qu'elle figure sur l'ordonnance, est insuffisante si l'on tient compte de la pression artérielle du « client » enregistrée au préalable dans la base de données. Merck travaille également avec des groupes de pharmaciens et de médecins dans le but de recommander à certains patients un traitement pharmaceutique plutôt qu'une opération chirurgicale.

Comment faire saliver vos consommateurs

La relation d'apprentissage, du point de vue de la matrice de différenciation des clients, entraîne des conséquences importantes pour ce qui concerne la stratégie client. Si votre base client se trouve dans les quadrants 1 et 3, c'est-à-dire dans la partie gauche de la matrice, vos chances de créer une relation d'apprentissage sont faibles. Dans le quadrant 3, vous pourrez tenter « d'acheter la fidélité » de vos clients les plus intéressants, au moins à court terme, en utilisant des méthodes inspirées des programmes RFM[2] ou des programmes qui les récompensent de manière souvent disproportionnée. À long terme cependant, vous serez confronté à une surenchère permanente pour les CPP, pas très éloignée de celle que rencontrent les compagnies aériennes, les sociétés de téléphone à longue distance et les opérateurs de cartes de crédit pour augmenter leurs parts de marché.

En conséquence, la plupart des entreprises souhaitent déplacer progressivement leur base de données vers le côté droit de la matrice de différenciation des clients, soit vers une zone où les différences sont de plus en plus grandes. Pour vendre plus à vos clients et les rendre plus fidèles et plus rentables, il faut leur fournir ce qu'ils désirent : c'est une évidence souvent négligée ou oubliée.

Les clients les plus fidèles sont ceux qui sont très sensibles au fait que la société qui a leur préférence, se souvienne d'eux. Mais les difficultés commencent quand la base de données contient des clients qui veulent

2. Récence, Fréquence, Montant moyen de commande.

tous la même chose. Quel sera le bénéfice-consommateur s'il n'y a aucune différence entre les clients ?
Bien entendu, les clients aiment *par-dessus tout* qu'on se souvienne d'eux et qu'on les reconnaisse. Mais il est tout à fait insuffisant de reconnaître et d'appeler vos clients ou vos prospects par leur nom, même si cela augmente un peu la qualité du service rendu.

La plupart du temps, la fidélité de vos clients est verrouillée, non par l'étincelle d'émotion qui surgit quand on les appelle par leur nom, mais par beaucoup d'autres choses qui leur apportent un réel bénéfice.
Une entreprise qui considère que les besoins de ses clients sont relativement uniformes les regarde fréquemment de manière standard.
En réalité, les produits les plus usuels présentent en plus de leur fonction de base, un ensemble de caractéristiques qui sont loin d'être banales, telles que les modalités de livraison, les délais de paiement, les services annexes, etc.

Finalement, les produits que nous vendons sont généralement beaucoup plus complexes que ce que nous croyons.
Un produit (ou un service) se présente en réalité comme un oignon, avec de multiples pelures constituées de services annexes et de caractéristiques qui entourent le cœur du produit lui-même.
Le produit sera d'autant plus riche et complexe que nous tiendrons compte d'un nombre élevé de couches autour du noyau, et la base de données sera, elle aussi, d'autant plus diversifiée que nous y intégrerons tout ce que le client attend du produit.
En se concentrant sur ces couches supplémentaires, l'entreprise peut repositionner sa base de données de sorte qu'elle corresponde à des besoins sensiblement différenciés.
L'astuce consiste à considérer le produit sous l'angle le plus large possible. Votre produit n'est pas seulement un produit mais un objet qui rend un service. Posez-vous la question :
« Quel est le service rendu par mon produit ? » Il est évident que Custom Foot peut créer une relation d'apprentissage avec des chaussures faites sur mesure. Une paire de chaussures rend un meilleur service et prend plus de valeur aux yeux du client si elle correspond exactement à la configuration physique de son pied tout en satisfaisant son goût esthétique.

Chaque pied est unique et chaque client a une idée différente du style qui lui convient le mieux.
Mais quels sont les services spécifiques rendus par une cassette magnétique ou un disque d'archivage ? Imaginons qu'Ioméga décide d'inclure dans ses logiciels un écran pense-bête qui rappelle à son utilisateur qu'il est temps d'archiver ses données. Où décrire ce dispositif dans la fiche technique du produit ?

Imaginons encore que Lego propose dans les boîtes destinées à ses jeunes clients férus de jeux de rôle, des cassettes vidéo et des panoplies de déguisement pour augmenter l'attrait de ces jeux. Que peut-on dire alors de la vocation de Lego ?

Le produit-service peut être pensé, avec la vision la plus large possible, selon trois niveaux successifs complexes :

1. *Le produit de base*

On entend par là le produit physique lui-même (si c'est un produit réel) ou les composantes du service et ses modalités d'utilisation. La personnalisation du produit de base concerne :

- sa configuration
- ses caractéristiques et ses performances
- sa taille
- sa gamme de couleurs et ses modèles
- sa période et sa fréquence d'utilisation

2. *L'ensemble produit-service*

On entend par là les services et modalités d'application qui accompagnent le produit de base. La personnalisation de l'ensemble produit-service concerne :

- la facturation, les modalités de paiement et les coûts (vus du côté du client)
- l'emballage et la palettisation du produit
- la logistique et le système de livraison
- la communication (promotion et marketing)
- les services de renseignement téléphonique et la documentation produit
- le service clients

3. *L'élargissement des besoins*

On entend par là tous les compléments éventuels qui pourraient être joints au produit-service de base afin d'élargir l'éventail des services rendus au client. La personnalisation de l'élargissement des besoins concerne :

- les produits ou services connexes
- le partenariat avec d'autres entreprises qui s'intéressent aux mêmes clients
- les collaborations occasionnelles
- toute valeur ajoutée qui peut accompagner la vente d'un produit ou d'un service

Le tableau suivant résume la manière dont on peut étendre, pour un client, la satisfaction des besoins. Il sera utile pour une entreprise qui souhaite créer une relation d'apprentissage en différenciant ses clients d'après leurs besoins particuliers et qui souhaite ensuite leur proposer des produits qui correspondent à leurs spécificités.

Élargissement des besoins d'un client

LE PRODUIT DE BASE	L'ENSEMBLE PRODUIT-SERVICE	ÉLARGISSEMENT DES BESOINS
Configuration	Facturation, modalités de paiement et contrôle des coûts	Produits et services connexes
Caractéristiques et Performances	Emballage et palettisation du produit	Partenariat stratégiques
Taille	Logistique et système de livraison	Collaborations occasionnelles
Gamme de couleur et modèles	Communication (Promotion et marketing)	Valeur ajoutée accompagnant la vente d'un produit ou d'un service
Période et fréquence d'utilisation	Services de renseignements téléphoniques et documentation produit	
	Le service client	

À partir du moment où les besoins du client s'étendent, les produits deviennent plus complexes et cette complexité peut être à l'origine d'une personnalisation plus rentable. Chaque niveau de complexité crée en effet une occasion de mémoriser quelque chose qui sera plus tard à l'origine de traitements différents parmi les clients.
Quand une entreprise comme Custom Foot ou French Rags fabrique des articles d'habillement sur commande, en respectant les modèle, taille et couleur demandés par le client, elle pratique une personnalisation de ses produits de base. C'est aussi le cas pour Dell Computer qui personnalise les configurations de ses systèmes informatiques en fonction de la demande de ses clients ; c'est encore le cas de Streamline qui livre les courses sur commande.

Dans tous ces cas, le produit de base de l'entreprise est personnalisé selon les besoins et les goûts des différents clients. Ces exemples supposent que le contenu de la base de données soit déjà très différencié en termes de besoins des clients. On l'a vu pour les produits d'habillement, les chaussures, les systèmes informatiques, les courses de la maison ; dans tous ces cas, l'entreprise est capable de procéder à de petits changements de son produit de base pour accéder à une personnalisation de masse.
Mais que se passe-t-il quand la base de données est constituée de clients aux besoins plus uniformes ?

Il est absolument nécessaire d'étendre l'éventail des besoins si l'on veut créer une relation d'apprentissage avec des clients qui ont des besoins analogues. Dans ces conditions, les clients se différencieront d'eux-mêmes dans la mesure où ils exprimeront leurs besoins individuels. Et, la base de données se repositionnera naturellement vers le quadrant supérieur droit de la matrice de différenciation des clients.

La personnalisation : clé du succès

L'élargissement des besoins est une condition nécessaire mais pas suffisante pour augmenter à coup sûr la fidélité et la rentabilité des clients. Il est bien sûr toujours utile d'augmenter la qualité de service que vous rendez à vos clients mais vous ne pourrez pas empêcher l'un de vos concurrents de fournir la même qualité que vous. Vous ne prendrez une avance déterminante qu'en vous concentrant sur la *personnalisation* de votre prestation, face à chacun des besoins de vos clients.

La seule question à vous poser, quand vous analysez vos produits et vos services, est la suivante :

> *« Quels produits ou services puis-je proposer aujourd'hui à mes clients, qui vont renforcer leur fidélité et augmenter leur rentabilité, même si un concurrent propose en même temps les mêmes produits ou services personnalisés, et au même prix ? »*

La réponse à cette question est simple : proposer le maximum de produits et de services.

La simple amélioration de la qualité de votre produit ou de votre service aura, certes, des effets à court terme mais ne produira pas nécessairement des avantages déterminants à plus longue échéance.
La meilleure clé du succès est la personnalisation.

Personnaliser vos services

Chaque produit ou service se présente toujours accompagné de produits annexes. Une entreprise se concentrera peut-être sur l'emballage et la palettisation de ses produits. Les bons de commande et les tickets de caisse seront conservés pour éviter de demander des précisions aux clients à chaque commande. Un fabricant qui vend aux détaillants devra pouvoir palettiser ses produits de manière spécifique afin de satisfaire les besoins des clients en bout de chaîne.

Sam's, le club-entrepôt[3] qui fait partie de la chaîne Wal-Mart, demande à ses fournisseurs de conditionner leurs produits en quantités très élevées pour justifier en partie le prix de vente unitaire très faible qui correspond à son positionnement. Les chaînes d'assemblage de certains fournisseurs sont incapables de répondre à cette exigence et ils sont obligés d'expédier leurs céréales, soupes et autres produits surgelés dans un entrepôt spécialisé où les produits sont reconditionnés pour satisfaire les normes de Sam's.

Pour une société qui s'adresse à d'autres entreprises, l'une des façons les plus simples de personnaliser ses produits-services consiste simplement à mémoriser quand et comment *chaque client* désire être facturé. Une société de cartes de crédit qui gère des cartes de sociétés, une compagnie de téléphone ou n'importe quelle entreprise qui vend des produits de haut niveau à d'autres entreprises devrait être en mesure de proposer à ses clients la possibilité de modifier les modalités de facturation.

Par exemple, proposer une facturation hebdomadaire plutôt qu'une facturation mensuelle. Ou facturer sur relevé trimestriel ou même accepter que le client spécifie lui-même la fréquence de ses relevés de facturation. Bien sûr, cette souplesse peut s'exercer par régions, par direction, par ligne de produit et d'une manière générale pour tout sous-ensemble de facturation. Les sociétés dont les produits sont déjà plus ou moins personnalisés peuvent tirer des profits supplémentaires de ces services annexes.

Prenons l'exemple d'une compagnie d'affichage. On peut considérer que son produit est suffisamment personnalisé. En effet, un client peut acheter la quantité de panneaux qu'il désire, afin de couvrir exactement la période ou la zone concernées. Il peut même choisir des emplacements particuliers qui ne font pas partie du module d'affichage général.
Les sociétés clientes des compagnies d'affichage sont, pour la plupart, des agences de publicité. Elles achètent une grande variété de médias, pour une grande variété d'annonceurs. Les annonceurs souhaitent de leur côté, que leur agence leur propose une grande variété de réseaux d'affichage ; les agences ne désirent qu'une seule chose de la part des sociétés d'affichage avec lesquelles elles sont en relation : un très large éventail de médias d'extérieur afin de satisfaire le mieux possible les stratégies de leurs clients. On retrouve là des différences analogues à celles qui existent entre les éditeurs et les libraires : les libraires vendent des livres différents à chaque client tandis que les éditeurs vendent les mêmes livres aux libraires.
Une idée toute simple serait de facturer les agences selon le rythme de facturation de chacun de leurs clients. Le media-planner d'une agence de

3. Cet hypermarché n'est ouvert qu'aux titulaires d'une carte, comme Métro en France. (NDT)

publicité nous a dit que si l'un de ses clients veut acheter une campagne d'affichage mensuelle qui ne démarre pas le premier du mois, il reçoit deux factures. D'où des problèmes ultérieurs de contrôle et de concordance.

Une campagne de deux mois, qui commencerait par exemple le 25 du mois, donnerait lieu à trois factures. La première, du 25 à la fin du premier mois, la deuxième pour la totalité du deuxième mois et la troisième du 1er au 24 du troisième mois. La situation est encore plus compliquée, car le cycle de facturation de l'agence de publicité démarre, selon les clients, le premier ou le quinze de chaque mois !

En *business to business*, la relation d'apprentissage peut se constituer d'une autre façon en proposant au client des récapitulatifs de coûts, des tableaux de bord et autres rapports financiers mis en place par des logiciels *choisis expressément par le client.*
Expliquer clairement, d'une part, les charges qu'il supporte de la part de votre entreprise et simplifier d'autre part la transmission de ses propres coûts vers l'entreprise aura deux conséquences : augmenter votre attractivité aux yeux de vos clients et renforcer leur valeur à vos propres yeux.

L'IMBRICATION DES OPÉRATIONS

De plus en plus d'entreprises considèrent que l'augmentation de l'interactivité avec leurs clients passe par une meilleure utilisation de l'information disponible. Cette « imbrication des opérations » peut créer un lien puissant. Bien souvent, elle permet au client de réaliser lui-même des opérations annexes qui autrement auraient dû être réalisées par le fournisseur.

Nous avons emprunté l'expression « imbrication des opérations » à la National Australia Bank où nous l'avons vu utilisée pour la première fois à propos de services pratiques réalisés par les clients plutôt que par la banque. Une entreprise devrait encourager ses clients à réaliser eux-mêmes des opérations ; celles-ci entraînent une relation très personnalisée et très fidélisante.
Chaque fois par exemple qu'un client utilise un guichet automatique pour transférer de l'argent d'un compte de dépôt à un compte courant, le client collabore avec sa banque alors que, il y a quelques années, cette transaction aurait nécessité l'intervention d'un employé. Cette collaboration permet la réalisation d'opérations ou de services de plus en plus complexes ; elle simplifie la vie du client, tout en augmentant sa fidélité. Le client qui utilise le guichet automatique s'implique de lui-même, très étroitement, avec sa banque.

Quand une société est, directement ou indirectement, en relation commerciale avec des entreprises publiques, il y a fort à parier qu'elle devra remplir une multitude de formulaires pour répondre à un appel d'offre : enregistrement, identification, certificats de conformité, etc. Toute entreprise qui travaille dans ce secteur doit considérer que l'établissement de cette paperasserie administrative fait partie de sa mission. Une société spécialisée peut s'en charger pour vous : « Si vous nous dites ce qu'il est nécessaire de savoir sur vous, nous remplirons ces formulaires à votre place. Si votre activité concerne des déchets toxiques, nous préparerons votre dossier sur la protection de l'environnement. Ou bien nous pourrons tenir et mettre à jour les dossiers de stocks de produits toxiques qui se trouvent dans les différents entrepôts de votre entreprise. »

FedEx installe des ordinateurs dans les locaux d'expédition de ses plus gros clients qui peuvent ainsi enregistrer, suivre, et payer leurs propres expéditions sans même avoir à leur téléphoner.

Si l'on va jusqu'au bout de la logique, cela veut dire que ces gros clients font presque partie de FedEx. Cette imbrication des entreprises permet de vendre encore plus d'expéditions, de manière plus commode et moins chère.
FedEx et ses concurrents pourraient aussi imaginer de s'impliquer chez le réceptionnaire du colis en lui affectant un numéro d'identification unique. Ce numéro permettrait de gagner du temps dans l'acheminement des colis et éviterait les adresses erronées. Le jour où vous recevrez un colis sans avoir de numéro d'identification, un message de FedEx vous en affectera un. La prochaine fois, si quelqu'un veut vous envoyer un colis, vous devrez lui épeler vos coordonnées complètes (nom, adresse, code postal, numéros de téléphone et de fax), ou tout simplement lui donner votre numéro d'identification.

Le département des valeurs mobilières de la banque First Boston a récemment mis en place un système pour ses clients institutionnels. Il permet de négocier directement leurs valeurs, en utilisant la plate-forme de Bloomberg. Après l'installation du système, la négociation des bons du Trésor, des ordres de réachat, des effets de commerce et d'autres produits est possible, en accès direct.
La First Boston tire un avantage immédiat de ce système, car ces opérations très chronophages deviennent beaucoup plus faciles.
Tout cela est très bien mais quel avantage la First Boston aura-t-elle réellement si ses concurrents installent un système identique ? En réalité, l'avantage sera minime, à moins que l'entreprise tire parti de son système en

temps réel pour personnaliser ses relations avec chaque client institutionnel, en lui faisant économiser du temps et de l'énergie à chaque transaction.

Imaginons qu'un client trouve sur l'écran de son ordinateur, chaque fois qu'il l'allume, une information qui concerne précisément les marchés qu'il a l'habitude de pratiquer, cette information étant issue de l'analyse des transactions précédentes. Ce client sera beaucoup plus résistant aux attaques de la concurrence.
C'est dans cette voie que se dirige la First Boston. Cette entreprise pense qu'un système électronique totalement personnalisé peut être un point de passage obligé pour des transactions qui peuvent être très importantes (jusqu'à un milliard de dollars) et qui éliminent l'intervention humaine tout au long de la chaîne. Non seulement ce système réduit les coûts mais en plus il verrouille la fidélité des clients institutionnels de l'entreprise.

LA VENTE DE SERVICES ANNEXES

En plus des services qui accompagnent naturellement un produit de base, on peut imaginer de nombreux autres produits et services pouvant satisfaire des besoins voisins chez les consommateurs. Quand un client achète une maison neuve auprès d'un promoteur immobilier, il y a fort à parier qu'il aura besoin d'une assurance multirisques, d'un crédit, d'une assistance juridique, etc.
La plupart du temps, la proposition de services étendus consiste simplement à satisfaire des besoins supplémentaires qui prolongent, dans une suite logique, l'achat réalisé.

Si vous êtes le patron d'une blanchisserie, pourquoi ne pas proposer de conserver les boutons et morceaux de tissus de secours des costumes ou robes neufs ? Ainsi, le jour où le client devra réparer son vêtement, il n'aura pas à explorer les fonds de tiroir à la recherche du bouton ou du bout de tissu manquants.

Pourquoi ne pas offrir à ses clients un service de ramassage des vieux vêtements ? « Si vous en avez assez de vos robes, amenez-les nous ; nous en ferons l'estimation, les donnerons à des œuvres de charité et vous transmettrons le reçu fiscal ».

L'Hôtel La Fontana à Bogota (Colombie) accueille des grands voyageurs internationaux. Si vous avez l'intention de vous rendre à Bogota, l'hôtel prendra vos rendez-vous. Il vous suffira de dire les noms et numéros de téléphone des interlocuteurs que vous souhaitez rencontrer. L'hôtel met également un avocat à votre disposition, pour les consultations juridiques de dernière minute concernant tous vos problèmes, des formalités de dédouanement aux modalités de transfert de fonds.

Dans le film *Miracle sur la 34e rue*, il y a une scène où l'on voit une petite fille qui grimpe sur les genoux du Père Noël, chez Macy's. Elle lui glisse à l'oreille combien elle serait déçue de ne pas recevoir une paire de patins à glace en cadeau. Le Père Noël la rassure et lui dit qu'elle aura son cadeau et au moment où le chef de rayon passe à portée de voix, il dit tranquillement à sa mère d'aller plutôt chez Gimbel's, l'éternel concurrent de Macy's. Il ajoute que les patins de chez Gimbel's seront moins dangereux pour les chevilles de la petite fille en cas de chute. Prêt à renvoyer sur-le-champ ce père Noël indiscipliné, le chef de rayon est interrompu par une autre mère de famille à qui le Père Noël vient de donner un conseil aussi farfelu à propos de la voiture de pompiers de son fils. Elle dit au chef de rayon, complètement abasourdi, qu'elle trouve formidable qu'un grand magasin comme Macy's puisse faire passer l'esprit de Noël avant son propre intérêt. Elle ajoute que désormais elle sera une cliente inconditionnelle de Macy's. Au moment de revenir dans son bureau, le chef de rayon rencontre six autres mères de famille enchantées qui lui disent la même chose, après avoir reçu les conseils de ce sacré Père Noël.

La manière la plus simple pour illustrer la différence de philosophie entre le marketing traditionnel et le marketing 1:1 est la suivante :

> *L'idée fixe d'une entreprise 1:1 n'est pas de trouver*
> *plus de clients pour ses produits, mais de trouver*
> *plus de produits pour ses clients.*

L'objectif du Père Noël dans *Miracle sur la 34e Rue* était de satisfaire le client complètement, et ce doit être aussi votre objectif. Au-delà de cet objectif, on peut affirmer que la relation d'apprentissage avec vos clients sera d'autant plus forte que vous aurez réussi à comprendre leurs besoins profonds et individuels. La fidélité que vous gagnerez de la part de vos clients ne reposera pas seulement sur la gratitude mais sur le fait qu'il leur sera simplement plus *commode* d'être fidèle. Aussi longtemps que le client estimera que ses intérêts sont respectés, il vous fera confiance et vous donnera une part de plus en plus grande de sa pratique.
Pour l'homme de marketing de masse, la base de données clients est une réserve de pêche qui constitue une cible potentielle pour ses produits. Le marketer 1:1 est dans un état d'esprit diamétralement opposé. La réserve de pêche est un bassin d'accueil pour d'autres produits et services qui, selon toute vraisemblance, sont attendus par chaque client. Il est vraiment extraordinaire de constater combien une philosophie aussi simple et aussi pleine de bon sens, soit aussi peu pratiquée.

Une de nos relations professionnelles rencontrait quelques difficultés à trouver du temps pour meubler son salon et sa salle à manger. Elle prit rendez-vous avec un décorateur de Ethan Allen qui vint chez elle avec force mètre, catalogues, échantillons de tissus, papier quadrillé et maquettes magnétiques de meubles pour tester plusieurs dispositions. Ensemble, mon amie et le décorateur dressèrent les plans des cloisons, déterminèrent l'emplacement des cheminées, des ouvertures, des fenêtres et des portes.
Ils firent plusieurs essais de placement pour les meubles et choisirent deux canapés, une table de salle à manger avec ses chaises, des lampes, des tables de rangement, un secrétaire, des fauteuils...

Mais au dernier moment, Ethan Allen s'aperçut que le tapis du salon était en rupture de stock, et cela bloqua l'ensemble de la commande. En effet, on ne pouvait pas commander les tissus d'ameublement parce qu'ils devaient être assortis au tapis. Le décorateur se rendit compte que sa société n'aurait pas avant longtemps le tapis qui correspondait au choix de sa cliente et lui demanda de l'appeler quand elle aurait trouvé le tapis de ses rêves. Quelques semaines plus tard, la cliente prit une heure ou deux pour aller acheter un tapis et en trouva un extraordinaire (style Moyen-Orient, de 3 mètres sur 4,5 mètres) dans un grand magasin. Ce magasin vendait aussi des canapés, des tables de salle à manger avec chaises, des lampes, des tables de rangement, des secrétaires, des fauteuils, etc. Elle dépensa 15 000 $ dans ce magasin, en plus du tapis.
Le décorateur aurait dû, bien entendu, tirer profit de la connaissance qu'il avait de la cliente concernant ses goûts et ses attentes (acquise après un entretien approfondi d'au moins deux heures) pour lui trouver un tapis, même dans une autre marque ou dans un autre magasin. Le décorateur devait absolument trouver ce tapis même sans faire de marge dessus, d'autant plus que la cliente était si pressée qu'elle aurait volontiers payé un surcoût afin d'éviter de repasser un entretien de deux heures avec quelqu'un d'autre.

Si les besoins d'un client concernent des produits ou des services qui n'entrent pas dans le catalogue de l'entreprise, celle-ci aura tout intérêt à contracter des partenariats stratégiques avec d'autres entreprises afin de satisfaire ces besoins.
Cette idée de « recherche de produits pour le client », même à l'extérieur du champ de compétence de l'entreprise, est parfaitement illustrée par USAA, la compagnie d'assurances très célèbre basée à San Antonio. Dans les années 30, les militaires se trouvaient devant la quasi-impossibilité de souscrire une assurance auto à un prix raisonnable. Un groupe d'officiers créa alors le United Services Automobile Association, ou, pour faire court,

l'USAA. Cette compagnie d'assurance ne fonctionne que par courrier ou téléphone et propose ses services presque exclusivement aux militaires ou aux retraités de l'armée.

Les produits proposés vont aujourd'hui bien au-delà des polices d'assurance auto, avec par exemple des assurances-vie, des multirisques habitation et des fonds de pension, des assurances pour véhicules spéciaux tels que les motos, les bateaux, les caravanes, les avions. USAA a même passé des accords de partenariat avec des sociétés proposant des catalogues de produits, des prêts immobiliers, des cartes de crédit, etc.
La maîtrise des relations avec ses clients a constitué la clé du succès d'USAA. Un affilié d'USAA qui appelle, par exemple, pour demander des renseignements sur un prêt relais, sera mis directement en contact avec une société partenaire. Cette société n'est pas une filiale mais un allié stratégique qui a été choisi car il remplissait parfaitement les normes très strictes de qualité et de service d'USAA. La base de données d'USAA sera connectée avec la base de données du partenaire, et pourra être mise à jour en temps réel, en fonction des transactions réalisées.
Trouver des produits pour ses clients fait partie de la philosophie de qualité et de service d'USAA, orientée vers le client. De tels partenariats fonctionnent le mieux avec des sociétés non concurrentes, surtout quand l'entreprise cherche à satisfaire les besoins d'un très grand nombre de clients. Il arrive que la satisfaction des besoins d'un client particulier, même en faisant appel à une entreprise concurrente, puisse être opportune. Par exemple, une banque d'affaires ayant un client qui ne désire pas mettre tous ses œufs dans le même panier et désire avoir une autre banque, pourra faire appel à un concurrent.
Plus le client est important et plus il sera rentable pour l'entreprise de s'efforcer de satisfaire tous ses besoins, en allant même jusqu'à sortir de son territoire de base.

Une de nos amies passe beaucoup de temps à son travail et achète des vêtements pour ses enfants sur catalogue, en passant deux commandes par an ; cela représente un chiffre d'affaires annuel d'environ 1 000 $. Signalons au passage que pour le cataloguiste, il devrait être facile de prévoir les achats de sa cliente dans la mesure où elle passe commande tous les ans pour ses deux enfants qui en toute logique augmentent d'une taille à chaque saison. Un soir de l'automne dernier, elle a passé sa commande habituelle. Le télé acteur, connecté probablement à un ordinateur, l'informa de la disponibilité des articles et des dates probables d'expédition. Toute la commande était prête à être expédiée, sauf une petite paire de chaussures noires vernies qui était en rupture de stock et ne serait pas réapprovisionnée avant longtemps. Notre amie fut très déçue, car ces chaussures devaient être

assorties à un costume sombre que son fils allait porter le mois prochain, lors d'un mariage. Le télé acteur lui dit de ne pas s'inquiéter : « Ces petites chaussures sont assez faciles à trouver ; arrêtez-vous chez n'importe quel Wal-Mart et vous les trouverez à coup sûr ».
Notre amie fit une suggestion :
« Pourquoi n'allez-vous pas vous-mêmes chez Wal-Mart pour acheter ces chaussures et les joindre à mon colis ? Si j'avais le temps d'aller chez Wal-Mart, je ne paierai pas le prix que vous me demandez et honnêtement, je profiterai de ma visite pour acheter sur place tout ce dont j'ai besoin ».
Bien sûr, cette demande originale du client n'était pas prévue par l'ordinateur, programmé pour traiter des commandes standard.
Ce cataloguiste s'est fixé l'objectif de vendre ses produits à tous les clients qui l'appellent. Il n'a pas imaginé que son activité pouvait être de trouver les produits qui satisfassent les autres besoins de ses clients, même s'ils sont CPP, même si ces besoins sont par ailleurs parfaitement identifiés.

Les alliances stratégiques peuvent se nouer entre sociétés indépendantes mais aussi entre divisions du même groupe. Dans l'optique du marketing 1:1, la création de partenariats a des conséquences importantes sur la vente conjointe, l'objectif étant de conserver les clients le plus longtemps possible et de les développer.

Les obstacles liés à l'organisation peuvent être immenses, surtout à l'intérieur de groupes dont les divisions sont autonomes, avec une décentralisation complète des décisions.
Faire des ventes croisées à partir de deux divisions d'un même groupe est la stratégie marketing la plus simple à imaginer. Cependant, cette stratégie peut devenir très difficile à mettre en place en raison de problèmes dus aux systèmes de commissionnement et de territoires de distribution. La meilleure méthode à utiliser pour vaincre ces obstacles est de déployer une stratégie marketing reposant sur des « directions clients » dont le champ d'activité n'est pas uniquement le produit mais plus généralement la satisfaction des besoins, complexes et variés, des clients de l'entreprise.

LES OPPORTUNITÉS DE PARTENARIAT

Un client qui apprend à une entreprise ce qu'il veut, et comment il le veut, génère les meilleures conditions pour une vente future. Plus nombreuses seront les informations que le client fournit à l'entreprise (à condition que l'entreprise soit capable de fournir ce que veut le client), et plus élevées seront les chances de conserver ce client.
De nombreuses familles de produits et services exigent tout naturellement des occasions d'échange, surtout dans le domaine des services à forte

valeur ajoutée et des produits très personnalisés. Mais des entreprises qui considèrent que leurs clients ont plus ou moins les mêmes types de besoins, doivent souvent faire des efforts pour créer des opportunités de collaboration qui permettent d'augmenter l'étendue de ces besoins.

Prenons l'exemple d'une Regional Bell Operating Company [4] (RBOC) qui cherche à protéger son monopole de l'intrusion de concurrents, maintenant que les barrières de régulation disparaissent.

La plupart des employés de la RBOC considèrent que leur monopole local facilite leurs affaires. Dans la pratique, la valeur ajoutée de l'opérateur est faible, car il suffit de prendre un combiné téléphonique et de faire le numéro pour être connecté au réseau. Le seul désir du client est que sa connexion soit rapide, fiable... et peu coûteuse, car après tout il ne s'agit que d'une simple connexion téléphonique. Que peut on imaginer de plus simple qu'une connexion téléphonique ?
En réalité, il s'agit de beaucoup plus que ça. C'est en imaginant comment on peut adapter, sur mesure, un éventail de besoins élargi qu'on trouvera la solution à la fidélisation des clients et à l'accroissement des marges. Ne l'oublions pas, seule la *vraie* personnalisation garantit la conservation des clients et l'amélioration des marges.

Analysons deux approches diamétralement opposées de ce même problème ; l'une sera conçue par un responsable marketing de masse n'ayant en tête que la satisfaction du client ; l'autre sera conçue par un responsable marketing 1:1 polarisé par la personnalisation et la Relation d'Apprentissage.
Dans « l'Effet Loyauté », Fred Reichheld suggère que la RBOC devrait, pour retenir ses clients, d'une part concentrer ses efforts sur la qualité des produits et la satisfaction des besoins de sa clientèle et d'autre part s'attacher à concevoir des services spécifiques destinés à les séduire et à les retenir.
Par exemple :

> *Les petites entreprises souhaitent toujours conserver leur ancien numéro de téléphone quand elles déménagent. Ainsi, leurs clients les atteignent plus facilement et le vieux matériel de promotion et les anciennes annonces conservent leur efficacité. Pour s'attacher la fidélité de ce segment très intéressant des petites entreprises, une compagnie de téléphone locale a mis au point un service qui propose de conserver le même numéro de téléphone, quel que soit l'endroit où déménage l'entreprise. Une autre*

4. Société locale d'exploitation Bell. (NDT)

compagnie de téléphone locale propose à ses meilleurs clients une gamme complète de services à haute valeur ajoutée, tels que le transfert d'appel, l'accès au réseau cellulaire, les appels longue distance à prix réduit, les cartes de téléphone à facturation différée, le tout combiné dans une seule facturation.

Dans la lutte sans merci que se livrent aujourd'hui les compagnies de téléphone pour les appels locaux ou longue distance, l'escalade de la concurrence conduit à des stratégies d'élaboration d'offres groupées. Ces produits donnent lieu à une facturation consolidée et à une kyrielle de services comme la connexion par modem et même le courrier électronique, le tout assorti d'une relation et d'une communication uniques.
Apparemment, il s'agit d'une stratégie sans faille, sauf sur un point. En effet, un concurrent qui voudrait pénétrer ce marché et aurait une petite entreprise téléphonique dans son collimateur l'emporterait dans tous les cas. Prenons l'exemple de Time Warner qui souhaiterait entrer dans ce marché du téléphone pour les petites entreprises, en tirant parti de son réseau de télévision câblée. Il est probable que Time Warner copierait les services les plus attractifs de ses concurrents locaux dont les avantages initiaux disparaîtraient ainsi très vite. En effet, l'offre Warner proposée aux petites entreprises serait identique à celle proposée antérieurement avec la conservation du numéro de téléphone en cas de déménagement et le même système de facturation consolidée.
La réponse à un tel paradoxe est toujours la même : quand les avantages d'une innovation d'un produit ou d'un service sont réels, ils ne peuvent être que temporaires. Les consultants qui donnent cette réponse suggèrent en permanence que la compagnie locale de téléphone ne pourra garder son avance sur ses concurrents moins rapides et imaginatifs, qu'en fournissant un service toujours plus performant. Le corollaire de cette réponse est que l'avance technique n'est pas toujours un avantage déterminant. On ne peut empêcher un concurrent de copier votre produit, votre service et votre prix. Vous devez être parfait dans la réalisation technique. Mais ça ne suffit pas.

Le seul moyen d'empêcher un concurrent de copier vos innovations, c'est la personnalisation.

Si, en plus de fournir le service de base, de la même manière, à tous ses clients, les sociétés Bell s'efforçaient de fournir un service personnalisé (c'est-à-dire des produits utilisés différemment par des clients différents), elles auraient la chance d'initier une relation d'apprentissage avec chacun de leurs clients. La fidélité de chaque client serait ainsi très renforcée, même si un concurrent offrait le même type de produit et d'innovation.

L'astuce consiste à concevoir, en regard de la palette des besoins du client, des produits et des services pour lesquels la collaboration du service marketing et des clients est nécessaire. Cette collaboration a pour but de rechercher et mettre en place des bénéfices supplémentaires.

Une prestation téléphonique adossée à l'informatique ouvre des possibilités de collaboration nombreuses et riches. Un exemple que nous aimons bien concerne la possibilité de composer rapidement un numéro de téléphone en utilisant un système de reconnaissance vocale, analogue à celui proposé aujourd'hui par Sprint avec sa Foncard. Pour appeler son correspondant, le client appelle un numéro vert que Sprint lui a indiqué et prononce alors le nom de l'appelé. Ce service peut stocker jusqu'à dix noms enregistrés à l'avance.
Imaginons qu'une entreprise RBOC offre ce type de reconnaissance vocale, avec la possibilité d'enregistrer jusqu'à 50 ou même 100 noms au lieu des 10 offerts par Sprint. Pour appeler son correspondant, il suffira que le client appelle un numéro préfixe — 99 par exemple — et dise le nom de la personne à qui il veut parler et l'ordinateur de la RBOC fera lui-même le numéro. Chaque fois qu'un client de ce service appellera un nouveau numéro, il actionnera une touche spéciale sur son combiné et prononcera simplement, une fois ou deux, le nouveau nom afin qu'il puisse être enregistré.

Après quelques mois d'enregistrement de numéros et de noms, le client aura donné à l'ordinateur de la société une quantité importante d'informations. De plus, cette information aura été fournie à la société sans qu'il ait eu à remplir un questionnaire ou à répondre à une interview. Le client n'aura plus à encombrer sa mémoire de dizaines de numéros de téléphone à 10 chiffres. Il lui suffira de savoir que le système de reconnaissance vocale a déjà enregistré son correspondant.
Avec ce produit personnalisé en permanence, la société de téléphone locale aura créé une Relation d'Apprentissage avec son client. Cette relation sera quasiment imperméable aux attaques de la concurrence, même à celles de concurrents proposant les mêmes services ! Imaginons que Time Warner décide d'entrer sur le marché des petites compagnies locales de téléphone en proposant le même service de numérotation rapide par reconnaissance vocale. Certains clients pourraient être tentés de changer d'opérateur, mais pour accéder au même niveau de service que précédemment, ils devraient passer plusieurs mois à « enseigner » à l'ordinateur de Time Warner ce qu'ils ont déjà dit à l'ordinateur de RBOC.
Quelques sociétés de RBOC proposent aujourd'hui ce service de numérotation rapide par reconnaissance vocale, en le facturant de façon substantielle. Toute société qui veut créer une relation d'apprentissage avec ses

clients afin de les retenir le plus longtemps possible devrait récompenser la collaboration des clients — au moins les plus importants d'entre eux. Voici une idée non conventionnelle : les sociétés RBOC devraient envisager de récompenser leurs meilleurs clients en leur donnant des raisons d'utiliser plus fréquemment leur système de numérotation rapide par reconnaissance vocale. Après tout, plus un client utilisera ce service et plus il résistera aux tentations de la concurrence.
De toute façon, le réseau RBOC est relativement à l'abri, car une instruction gouvernementale peut interdire ce genre de pratique mais, quoi qu'il en soit, la leçon stratégique mérite d'être retenue.

L'interaction entreprise-client qui définit le produit le mieux adapté à la clientèle est très importante en matière d'accroissement de la fidélisation et des marges, dans la mesure où le client doit investir du temps et des efforts. Tout comme Streamline qui apprend sur une période de plusieurs mois et de manière très détaillée les habitudes de consommation de ses clients, ce processus appliqué à une compagnie de téléphone renforce considérablement la fidélité de ses clients et les marges. On peut imaginer que dans quelques années, un ordinateur pourra reconnaître un nom prononcé au téléphone et aller chercher le numéro correspondant dans une base de données. À ce moment-là, l'avantage de la numérotation rapide par reconnaissance vocale sera amoindri car la contribution du client, nécessaire pour personnaliser le service, sera plus faible. Il n'en reste pas moins vrai qu'il sera agréable de prononcer simplement le nom d'un ami au téléphone et d'être connecté directement.
Les sociétés RBOC pourraient également pénétrer le marché *business to business* en réfléchissant à la manière de facturer les appels. La plupart des entreprises gèrent les dépenses de téléphone comme les autres coûts. Elles sont parfois affectées aux budgets des différents départements, ou facturées directement aux clients.

Prenons le cas d'un cabinet d'avocats ou d'un cabinet de conseil souhaitant imputer certains appels téléphoniques aux clients individuels et certains autres aux départements concernés. Aujourd'hui, ces entreprises ont très souvent des numéros de compte complexes, connectés à leur standard, de telle manière que tout appel sortant soit identifié et affecté. La gestion des coûts téléphoniques serait nettement plus simple si la compagnie de téléphone fournissait un relevé de facture sur un état préimprimé (ou sur disquette ou encore on line) plutôt qu'une facture traditionnelle.

Avec un tel système, la compagnie de téléphone pourrait aller jusqu'à la personnalisation de chacune de ses factures en tenant compte des imputations de coûts de l'entreprise. Ce système éviterait de mettre en place un

dispositif complexe au niveau du standard et créerait en même temps une relation d'apprentissage avec les clients, tout en augmentant leur fidélité malgré un environnement concurrentiel.
Revenons au cabinet d'avocats dont le responsable financier reçoit pour la première fois un état informatique identifiant, compte par compte, tous les appels qui doivent être facturés aux clients. Après lecture et correction, le responsable financier renvoie l'état à la compagnie de téléphone, si bien que le mois suivant, le relevé de facture arrive avec une imputation précise des coûts.
La seule chose à faire chaque mois par le comptable du cabinet sera de gérer les exceptions en renvoyant à la RBOC l'état corrigé. Au fil du temps, le relevé de facture sera de plus en plus fiable et respectera la manière dont cette entreprise affecte ses dépenses téléphoniques.

LES FLUX DE VALEUR AJOUTÉE

Certaines entreprises n'ont rien à proposer à leurs clients qui les incite à entrer dans une relation d'apprentissage. Une firme qui fabrique un produit unique acheté très peu fréquemment est dans ce cas de figure. Dans ces conditions, la firme devra s'efforcer de créer un « flux à valeur ajoutée » après la vente effective du produit. Ce flux de valeur ajoutée peut certes représenter des services mais aussi un dialogue qui a pour objectif de dégager des profits ultérieurement.

Le promoteur immobilier qui appelle son client une semaine avant l'échéance de la garantie annuelle de construction et lui propose de faire une inspection des lieux, crée un flux de valeur ajoutée après la vente. De plus, il satisfait le client et facilite la recommandation vers d'autres prospects.
Prenons maintenant l'exemple d'un fabricant de meubles qui vend, par un réseau de magasins de détail, des produits qu'on achète à quelques reprises dans toute une vie. Comment créer une telle relation avec un client qui achète une chambre à coucher ou un tapis ? Une première façon de faire consiste à être propriétaire des magasins, de sorte que le client ait l'impression d'aller voir le fabricant directement. Ethan Allen par exemple, dont nous avons parlé précédemment, n'aurait aucune difficulté à nouer un tel dialogue avec ses clients. Mais... Ethan Allen ne se soucie guère de mettre en place un système électronique pour nouer des relations avec les clients finaux et laisse malheureusement ce travail à des décorateurs prescripteurs.
À l'inverse, la société Drexel Heritage est un fabricant de meubles qui ne possède pas de magasins en propre et n'a aucun contact avec les acheteurs finaux. Comment fait-elle dans ces conditions pour créer un flux de valeur ajoutée après la vente ? En proposant par exemple, pour la vente d'un édre-

don, son nettoyage gratuit après douze mois : « Renvoyez cette carte de garantie et nous prendrons automatiquement rendez-vous avec vous pour nettoyer et rendre comme neuf votre édredon, (ou votre tapis, ou votre canapé ou encore votre baignoire) ».

Zane's Cycles à Bradford (Connecticut) offre une garantie à vie sur toutes les bicyclettes vendues dans son magasin. Vous penserez peut-être à première vue que ce genre de service qui chouchoute le client est très coûteux pour un produit cher qu'on achète très peu souvent, mais pensez à toutes les réparations, réglages, produits annexes et autres options que vous pourrez vendre par la suite !

Imaginons maintenant que vous êtes le directeur d'un magasin de vêtements. Vos clients viennent vous voir pour acheter des chemises, des chaussures et des costumes pour un montant compris entre 500 et 2 000 $. Garder la trace des achats de vos clients, de leurs mensurations, de leurs préférences, leur affecter toujours le même vendeur est une bonne pratique commerciale. Mais pourquoi ne pas proposer en plus un service de nettoyage ou de ressemelage ?
« Achetez votre costume chez nous et pour 150 $ de plus, nous nous occuperons de son nettoyage, repassage et autres retouches pour les trois prochaines années. »

La tactique des flux de valeur ajoutée est souvent utilisée pour encourager les remontées de cartes de garantie, particulièrement pour les vendeurs de logiciels dont les produits sont vendus en même temps que les machines. Si vous nous envoyez votre carte de garantie, la société vous fera bénéficier d'une *hot-line* gratuite pendant 90 jours pour mettre en place votre logiciel. Aujourd'hui, l'installation initiale des logiciels est fondamentale et de nombreux vendeurs commencent à *offrir* le produit de base afin d'acquérir le maximum de clients et de leur vendre ensuite, à bon prix, les extensions et autres services. C'est pour cette raison que Microsoft propose gratuitement son constructeur de page Web « Front Page » et que Sun Microsystem offre son logiciel Java. Ces deux sociétés veulent faire des profits sur les flux de valeur ajoutée.

On peut même imaginer que dans un futur proche, les vendeurs de logiciels donneront de l'argent à leurs clients pour que ceux-ci achètent leurs produits. Non seulement les nouveaux logiciels seront offerts, mais d'autres produits les accompagneront comme des services gratuits, des coupons de réduction, des abonnements à des magazines, des possibilités de crédit et, pourquoi pas, un ordinateur gratuit qui incitera les clients à installer le logiciel, à l'utiliser et à devenir fidèles. C'est alors qu'ils vendront les extensions et les produits additionnels.

SYNTHÈSE

En appliquant ces stratégies, vous allez regarder vos clients au travers de lentilles de plus en plus puissantes. Au fur et à mesure que votre vision deviendra nette, vous pourrez voir apparaître des différences entre deux clients.
Nous avons utilisé plusieurs exemples pour illustrer l'étendue des besoins de base, l'ensemble des produit-services ou l'augmentation de la palette des besoins mais les entreprises ne doivent pas limiter leurs efforts à une seule de ces techniques. Pour tenter de faire une synthèse, nous allons prendre l'exemple théorique d'une entreprise qui possède une base de données clients bien renseignée mais comportant de faibles différences entre ses clients ; à partir de cette hypothèse, nous allons voir comment cette entreprise peut aborder la palette des besoins de ses clients et créer à la fois une relation d'apprentissage et se constituer un fonds de clients fidèles à haute contribution.
Notre exemple proviendra du secteur des cartes de crédit. La plupart des entreprises qui proposent des cartes de crédit utilisent leurs énormes bases de données qui enregistrent les transactions de leurs clients pour les classer par valeur (...et encore, certaines ne vont même pas jusque-là !). Les types de transaction révèlent une grande variété de besoins, dont d'ailleurs certains pourraient être encore mieux connus si un dialogue existait entre l'entreprise et ses clients. Supposons que vous soyez le directeur de cette activité carte de crédit. Vous disposez d'une masse énorme d'informations mais la seule chose que vous ayez faite dans le passé est de segmenter votre fichier client en fonction de leur contribution. Qu'allez-vous faire maintenant pour commencer à segmenter vos clients selon leurs besoins ?

LE PRODUIT DE BASE

La première tâche consiste à analyser les utilisations régulières des porteurs de la carte. Il est vraisemblable que les attitudes des porteurs de cartes sont assez diverses et n'importe quelle société de cartes de crédit disposera de quelques recherches à ce propos. Mais il est nécessaire d'aller plus loin selon le schéma suivant :

1. mieux comprendre les besoins significatifs, individuellement
2. créer des produits ou des services qui satisfont ces besoins
3. savoir quels clients ont quels besoins, afin d'offrir le bon produit au bon client, et éviter ainsi de saturer le client par une kyrielle de propositions qui ne l'intéressent pas.

Très fréquemment, la différenciation des besoins dans l'activité des cartes de crédit repose sur l'analyse des transactions effectuées avec la carte. Quelques sociétés en pointe dans ce domaine (American Express en particulier) offrent par exemple des produits et des services spécifiques à leurs clients dont les transactions montrent qu'ils sont de fréquents voyageurs, par opposition à ceux qui cantonnent leur carte à l'achat de produits. Cette analyse est certes fort utile mais elle ne remplacera jamais la compréhension intime des besoins du client, qu'on ne peut approcher que par le dialogue. C'est de cette manière qu'a procédé US West Direct avec les annonceurs des Pages Jaunes, et que Ioméga ou Lego pourraient faire... s'ils le voulaient.

Prenons un exemple : de nombreux clients de la base de données de la société de cartes de crédit désirent bien gérer leurs dépenses et leur épargne. Plutôt que d'identifier ce désir comme un souhait vague de la clientèle moyenne, la société devrait faire des recherches poussées pour trouver, de façon rentable, les clients qui ont vraiment ce désir. L'information pourrait être donnée à partir d'un court questionnaire inséré dans le relevé de facture ; elle pourrait aussi être connue d'une manière plus précise en posant une ou deux questions à l'occasion d'un appel téléphonique reçu au service Clients.
Ensuite, il faudra concevoir un produit ou un service qui rende ces clients fidèles. Pourquoi ne pas proposer l'option « Économisez en dépensant » qui consiste à prélever sur chaque facture un pourcentage défini à l'avance par le porteur de carte et mis sur un compte d'épargne ? Pour une dépense de 100 $, le client sera facturé 105 $ s'il prend cette option. Les 5 $ supplémentaires seront versés sur un compte de Sicav ou sur un compte d'épargne défiscalisé. Le pourcentage sera bien sûr laissé à la discrétion du client (5, 10 ou 50 %), de même que le type de compte d'épargne.

L'ensemble indissociable Produit-Service

L'immense majorité des porteurs de cartes de crédit bénéficient d'un traitement standard mais le « bout de plastique » peut être très personnalisé. Un possesseur de carte de crédit la porte toujours sur lui, où qu'il aille, et doit la montrer quand il veut l'utiliser. Cette carte est en quelque sorte un badge, ce dont tirent parti les cartes haut de gamme.

Beaucoup de gens préfèrent exhiber une carte gold ou platine et sont prêts à payer un supplément significatif pour cela. Dans ces conditions, pourquoi ne pas vendre vos cartes de crédit comme un moyen de

paraître ? Une banque propose à ses clients le choix de l'illustration pour leur carte, réalisée par un artiste connu. Allons plus loin et laissons le client choisir le graphisme de sa carte parmi des centaines, voire des milliers, de logos, couleurs et dessins. Et allons encore plus loin en vendant au client un logiciel de dessin qui lui permettra d'utiliser son PC pour concevoir sa propre carte de crédit, laquelle sera unique en son genre.
Dans un autre registre, celui de la gestion du compte et de la facturation, pourquoi ne pas collaborer avec vos clients et leur fournir électroniquement des factures personnalisées ? Imaginez l'utilité accrue d'une carte de crédit si son possesseur peut charger automatiquement son relevé de facture sur son ordinateur — exploité par Excel, Lotus ou Quicken — et gérer automatiquement sa comptabilité, ses impôts, son budget familial, etc. Le client pourra redessiner le modèle de sa facture, la charger dans son ordinateur et la renvoyer à l'entreprise qui gère sa carte de crédit afin de recevoir ensuite des factures qui lui conviennent. Il pourra mixer son relevé de facture avec son compte chèques et ses comptes d'épargne, qui étaient jusqu'alors gérés séparément.

Augmenter l'étendue des besoins

Pensons un instant à tous les partenaires potentiels qui pourraient aider notre société de cartes de crédit à satisfaire, de mieux en mieux, les besoins de chacun de ses clients.

Les cartes de groupe sont une piste intéressante pour une société de cartes de crédit qui souhaite augmenter la fidélité de ses porteurs, à condition de choisir le bon groupe. De nombreuses banques personnalisent déjà l'apparence des cartes et leurs attributs financiers afin de satisfaire les envies de groupes de plus en plus petits. Par exemple des cartes pour les membres de sociétés caritatives, pour des associations d'anciens élèves ou même pour des clubs d'amateurs de vieilles voitures.
Imaginons la fidélité des porteurs si des meutes de scouts allaient faire du porte-à-porte en vendant des cartes Visa comme des petits pains. « Prenez une carte Visa et pour chaque dollar que vous dépenserez, la meute recevra 0,25 cents ». Un tel parrainage pourrait se faire avec un hôpital, des associations de jeunes, des crèches ou même les casernes de pompiers volontaires.

La plupart des sociétés de cartes de crédit utilisent déjà la notion de flux de valeur ajoutée, mais la plupart d'entre elles utilisent les mêmes arguments pour chaque client.

Chaque client est prospecté pour des assurances qui couvrent la perte de la carte, pour des offres spéciales sur des produits, pour des inscriptions à des programmes de fidélisation de compagnies aériennes, etc.
Il y a très peu de sociétés qui adaptent leur offre à des clients particuliers. Un allié stratégique pourrait être les sociétés de téléphone qui commencent à bricoler dans les transferts d'argent par le réseau Internet ou par le truchement des cartes de téléphone. Mais pour réussir dans ce domaine, vous avez besoin d'ajuster votre offre de valeur ajoutée aux besoins de chacun de vos clients.
Les cartes téléphoniques à débit immédiat sont très répandues en Europe. Imaginons que l'un de vos clients de Francfort envisage de se rendre à Istanbul. Vous pouvez lui offrir, pour ce voyage, une carte de téléphone préchargée d'un montant de 60 DM, en même temps que ses billets et le facturer globalement via son agence de voyage (à condition qu'il paie ses billets avec sa carte de crédit). Tout ceci nécessite, seulement, une alliance préalable avec la compagnie qui gère le système de réservation aérienne.

Il y a des opportunités très intéressantes pour des entreprises qui désirent « débanaliser » les offres de sociétés, dans le but de créer de meilleures relations avec les clients, plus adaptées et plus durables. Une entreprise s'est lancée récemment sur ce créneau ; il s'agit de Relationship Marketing Group dirigée par Mary Naylor, la dynamique fondatrice et présidente de Capitol Concierge.
Capitol Concierge est une société qui propose toute une variété de services aux occupants des immeubles de bureau à Washington et aux alentours. Si votre immeuble ou votre société a passé un contrat avec Capitol Concierge, vous pouvez appeler votre « gardien » à n'importe quelle heure du jour ou de la nuit pour lui demander d'aller acheter un cadeau pour votre mari, ou vous indiquer le meilleur restaurant italien des environs, ou louer une limousine, ou organiser un déjeuner avec plateau-repas, ou encore porter un message, s'occuper de votre voiture ou organiser une réception. Capitol Concierge est réputée être une entreprise 1:1 typique. Elle a mis au point un centre d'appels sophistiqué et une base de données qui enregistre toutes les demandes de chaque client. Ainsi, Capitol Concierge se souvient des dates de vos anniversaires et sait parfaitement quel type de concert ou quel type de places d'opéra vous aimez, en se basant sur les communications et transactions passées.
Mary Naylor met Relationship Marketing Group à disposition d'autres entreprises afin que celles-ci puissent offrir à leurs clients un service supplémentaire. En présentant ce service sous la marque ombrelle de l'entreprise partenaire, RMG est capable de « débanaliser » le produit ou le service offert par cette entreprise. Les personnes qui possèdent une

Mercedes en crédit-bail pourront bientôt profiter des services de RMG. Le loueur de voitures Alamo offrira bientôt ce service à ses meilleurs clients haut de gamme. Les compagnies aériennes pourront également utiliser ce service comme un moyen d'étendre les différences de besoins entre ses différents clients. Si vous dirigez une société de cartes de crédit et si vous cherchez un moyen d'augmenter le niveau de service pour vos meilleurs clients, je vous invite à envisager de proposer un service comme celui de RMG.

Une dernière chose importante est à noter à propos de l'instauration de la relation d'apprentissage avec vos clients. La personnalisation, qui est la condition nécessaire pour la rendre efficace, doit trouver sa place naturelle dans le système de l'entreprise. Le client ne doit pas retenir uniquement l'information personnalisée qu'il reçoit : dans le cas par exemple de la numérotation rapide par reconnaissance vocale, il doit comprendre que c'est la compagnie de téléphone qui lui procure ce service et qu'il ne s'agit pas d'un dispositif technique présent dans son combiné. Si c'est le cas, tout le bénéfice que l'entreprise peut retirer de la relation avec son client peut disparaître... à moins que la compagnie de téléphone exploite un autre aspect que l'interactivité met à sa disposition : la manière dont d'autres clients qui ont des besoins analogues veulent être servis. C'est le sujet du prochain chapitre.

CHAPITRE 9

LA CONNAISSANCE TRIBALE

COMMENT ANTICIPER LES DÉSIRS DE VOS CLIENTS

Jusqu'à présent, nous sommes partis du principe qu'une entreprise dont l'objectif était vraiment centré sur les clients devait mémoriser toutes les manifestations du client dans le passé, non seulement pour orienter les propositions qui lui seront destinées mais aussi pour inciter le client à communiquer ses préférences personnelles. Cet état d'esprit transforme la vente ponctuelle en un véritable processus itératif continu, lequel sera de plus en plus satisfaisant pour le client au fur et à mesure que la relation d'apprentissage s'améliorera.
Ce qui importe pour une entreprise 1:1 n'est pas tant l'étendue de la base de données client que la profondeur des relations entretenues avec chaque client pris individuellement. Dans la guerre pour acquérir des clients, le gagnant sera non pas celui qui a le plus de clients mais celui qui connaît le mieux les besoins individuels de ses clients.

Certains admettront que la relation d'apprentissage fait office d'agent du client en le représentant et en défendant ses intérêts à mesure qu'elle « apprend » ses besoins et ses préoccupations au cours des échanges successifs. Mais que se passerait-il si le client conservait lui-même les données concernant ses préférences et ses achats ? Les relevés détaillés RBOC [1] pourraient par exemple être produits par le standard téléphonique du client et l'enregistrement des courses du ménage chez Streamline pourrait être conservé par le PC du client. Dans ce cas, l'avantage de l'entreprise en matière de personnalisation serait très sensiblement amoindri. Il pourrait y avoir plusieurs services tels que Streamline et chaque semaine le client les mettrait en concurrence, replaçant ainsi la bataille sur le plan des prix.
Il y a pourtant un moyen, pour une entreprise 1:1, d'éviter d'être vulnérable. Il ne s'agit pas seulement de la profondeur des relations que l'entreprise cultive avec chacun de ses clients individuellement ; il s'agit aussi de l'importance de la base de données, ce qui n'a rien à voir avec le champ d'action d'un responsable des relations clientèle. Ce moyen est celui de la connaissance tribale.

---

1. Société locale d'exploitation téléphonique Bell. (NDT)

La connaissance tribale provient d'une accumulation d'informations sur les goûts et préférences d'un groupe de clients. Cette accumulation est en quelque sorte le socle de connaissance que l'entreprise 1:1 a appris sur un ensemble de clients aux comportements et aux goûts analogues. Ce socle permet *d'anticiper* ce qu'un client particulier désire avant même qu'il ait pris conscience de ce besoin.

COMMENT SAVOIR CE QUE VEULENT LES CLIENTS, AVANT MÊME QU'ILS LE SACHENT

Un des meilleurs exemples opérationnels de connaissance tribale est le site Web de Firefly (http://www.ffly.com). Un Internaute peut aller visiter le site de Firefly pour avoir des suggestions dans le domaine musical. Tout d'abord, on lui demande de noter un certain nombre de musiques. La liste de ces morceaux est aussi longue qu'il le souhaite et il peut même en écouter certains. Après cet avis sur les morceaux et groupes préférés, Firefly lui fait des recommandations de musique et de compacts disques qu'il aimera sûrement.
Ces recommandations ne reposent pas seulement sur les goûts particuliers de ce client. Le logiciel tient compte des goûts de la tribu qui a des préférences analogues. Par exemple, si de nombreux fans des Rolling Stones aiment tel autre groupe ou un morceau des Stones interprété par quelqu'un d'autre, Firefly les recommandera même si le client n'en a jamais entendu parler.
Il est clair que le travail de Firefly sort des sentiers battus et va au-delà des goûts d'un client particulier en tenant compte de tout ce que l'entreprise a appris des goûts de nombreux autres clients qui appartiennent à la même « tribu ». Sans ce système qui bénéficie d'une connaissance élargie de la cible, il serait impossible de faire au client — *et d'anticiper* — une recommandation aussi précise et adaptée. En dehors de la musique, Firefly s'occupe de vidéos et prévoit d'aborder bientôt d'autres sujets tels que la finance et les investissements.

Examinons comment ce principe de la connaissance tribale peut s'appliquer à d'autres domaines en prenant comme exemple le cas déjà évoqué de Custom Foot. Supposons qu'une habituée entre dans la boutique et que le vendeur lui donne une fiche de notation pour évaluer les chaussures en exposition. Il suffit de se promener dans les rayons et de situer les modèles sur une échelle de cinq niveaux : de « J'aime vraiment et je pourrais l'acheter » à « Je déteste réellement et ne l'achèterai en aucun cas ». Un tel sondage servirait d'abord à voir lesquels, parmi les nouveaux modèles, ressemblent à ceux que la cliente aime particulièrement. Ensuite, si Custom Foot administre ce questionnaire à tous ses clients, cela lui permet

de bâtir une immense base de données sur les goûts et préférences individuels de ses clients. Les goûts et préférences individuels seront alors comparés à ceux de la base de données et le vendeur pourra alors recommander à un client un modèle particulier en fonction non pas de l'intérêt éventuel du client pour ce modèle mais en fonction de ce que les autres clients aimant les mêmes types de chaussures que lui, ont déjà acheté.
Restons un moment sur cette question. La connaissance tribale ne sert pas à proposer des produits en fonction de ce qu'un client a déclaré désirer. L'entreprise 1:1 qui possède une base de données contenant les goûts et préférences de ses clients est en mesure d'anticiper ce que veut un client en particulier, avant même que ce client se rende compte de ce qu'il veut[2]. La connaissance tribale est un bras de levier puissant, surtout dans les domaines où les goûts sont très marqués.

Imaginons un instant ce que la connaissance tribale peut apporter au secteur de la réservation de voyages en temps réel. Il y a peu d'obstacles pour lancer un tel service et il est vraisemblable que de nombreux concurrents — systèmes de réservation de compagnies aériennes, sociétés de cartes de crédit, éditeurs, centres serveurs de produits on line — se disputeront ce marché pour acquérir des clients et les rendre fidèles. N'importe quel voyageur fréquent a sûrement vu des publicités pour de tels services, à commencer par l'habituel SABRE ou le système de réservation de United Airlines, Apollo On line.
La première chose à faire pour rendre fidèles les clients de ces services est la personnalisation. Un système de réservation de voyages en temps réel devra absolument mémoriser le profil-voyageur de chacun de ses clients. Par exemple, ses préférences en matière de siège et de repas, son numéro de membre d'un programme «*frequent flyer*», son moyen de transport pour aller ou revenir de l'aéroport, le numéro de sa carte de crédit à utiliser, et ainsi de suite.
Plutôt que d'obtenir toutes ces informations à partir d'un long questionnaire, il faudra que le service interactif construise un profil au fil du temps, sans que l'on demande deux fois la même chose au client.
Chaque fois qu'un client utilisera ce service, il pourra aisément se procurer ses billets et ses réservations. Le premier écran d'ordinateur lui montrera les caractéristiques de ses voyages les plus fréquents au cours des semaines ou mois passés. Il suffira de cliquer sur un de ces voyages pour faire une nouvelle réservation. Quand le client cliquera sur un trajet, l'ordinateur lui indiquera toutes les réservations qu'il a déjà choisies. Si le désir du client est différent de ce qu'il a choisi dans le passé — siège en

2. Amazon propose à un client qui vient d'acheter un livre, une liste de titres achetés par d'autres clients qui ont aussi acheté ce livre précis.

première classe par exemple à la place d'un siège en classe affaires — le service l'avertira de ce changement et lui demandera s'il correspond à une nouvelle norme et s'il faut changer son profil.

La fidélité du client permettra de gagner beaucoup d'argent. La principale source de revenu ne sera pas le voyage mais la commission payée par le voyagiste. Plus un service qui fournit des billets on line aura de clients et plus sa puissance d'achats sera grande par rapport aux voyagistes. Une compagnie aérienne par exemple paie une commission moyenne d'environ 8 % ; un système de réservation *on-line* qui traite 25 000 voyageurs pourra certainement prétendre à une commission supérieure à celui qui n'en traite que 1 000.
Il est évident qu'un service de voyage interactif doit être configuré pour traiter aussi rapidement que possible les goûts et préférences de ses clients, s'il veut avoir la moindre chance de succès. La fidélité du client sera « verrouillée » si le service devient, pour lui, de plus en plus commode. Mais que se passera-t-il quand un logiciel apparaîtra sur le marché et permettra de stocker toutes ces variables dans l'ordinateur personnel de notre client ?
La riposte durable à ce danger consiste à transformer le service de voyage en générateur de connaissance tribale. La fourniture de voyage est tellement une affaire de goût personnel qu'il est surprenant qu'aucun service en ligne ne se soit jusqu'à présent posé cette question.
Les hôtels et restaurants que nous fréquentons, les aéroports que nous traversons, les voitures que nous louons, les centres de loisirs que nous visitons, presque tout ce qui fait partie de notre expérience du voyage, est à la fois très diversifié et unique.
Imaginons que le service de voyage demande simplement à ses meilleurs clients de lui donner un avis personnel sur les hôtels dans lesquels ils descendent. Chaque hôtel est différent ; leurs qualités et prestations varient d'une ville à l'autre, quelques fois énormément même s'ils appartiennent à la même chaîne. Supposons que le service de réservation vous demande votre avis selon un système de notation à trois niveaux :

A = vous avez apprécié la prestation et vous tenez à retourner dans cet hôtel la prochaine fois que vous reviendrez dans cette ville

B = vous étiez assez satisfait mais ne verrez aucun inconvénient à descendre dans un autre hôtel la prochaine fois

C = vous n'avez pas aimé cet hôtel et ne voulez plus y retourner, si possible.

Bien entendu, quand le voyageur reviendra dans cette ville, le système lui permettra de descendre dans le superbe hôtel ou d'éviter l'hôtel médiocre. L'avantage déterminant de la connaissance tribale est que le système pourra recommander le bon hôtel pour *ce voyageur* dans une ville où il n'est jamais allé ! Supposons que notre voyageur aille à Hong Kong pour la première fois. Le service de voyage en ligne qui a rassemblé la connaissance tribale sur les hôtels de Hong Kong pourra proposer un hôtel qui a été plébiscité par *d'autres* voyageurs, des voyageurs qui ont tendance *à noter les hôtels de la même manière que notre voyageur.* Ce système pourrait aussi s'appliquer à des choix de restaurants, des locations de voitures, des centres de pêche à la truite, ou au chemin le plus pratique pour aller par la route à Darwin (Australie). Ce type d'informations ne sera jamais disponible sur le PC de notre voyageur, quelle que soit sa mémoire et sa puissance. En effet, seule l'abondance des données disponible dans une entreprise 1:1 permet de proposer ce service.

LES OUTILS D'INFORMATION

Les méthodes actuelles de stockage des données, de tri, de segmentation et d'analyse peuvent conduire à bâtir des modèles plus complexes que le traditionnel *Life Time Value*. Le développement exponentiel des puces électroniques permet de se passer des méthodes statistiques. Des PC peuvent maintenant héberger des systèmes de réseaux neuronaux qui sont ni plus ni moins que des systèmes d'apprentissage par essai et erreur.

Les calculs par réseaux neuronaux émettent l'hypothèse de départ que les gens qui achètent des chaussures du modèle A auront tendance à noter très bien les modèles B et C. On analyse la base de données pour repérer les clients qui ont bien noté l'un ou l'autre de ces modèles et analyser ceux qui ont acheté le modèle A. Si un client a réellement acheté ce modèle, on peut dire que l'hypothèse est confirmée et s'applique à tous les clients de profil analogue. Si le client n'a pas acheté ce modèle, on modifie un peu l'hypothèse dans le sens de l'erreur la plus vraisemblable et on reteste. Si de nombreux clients notent haut le modèle B mais pas le modèle C, l'ordinateur modifie légèrement la formule et sélectionne dans la base de données un nouveau groupe de clients en surpondérant les clients qui ont noté B et sous-pondérant ceux qui ont noté C. Les ordinateurs calculent tout cela quasiment instantanément et peuvent, en quelques minutes, prendre en compte des centaines de variables parmi des millions de clients. Quand on utilise la connaissance tribale pour mieux connaître les clients, la puissance des ordinateurs permet d'avoir très rapidement des réponses qu'on n'aurait jamais pu imaginer. On peut découvrir par exemple qu'un client achètera probablement un certain modèle de chaussures, non pas parce que des clients qui lui ressemblent aiment ce modèle mais parce que ces clients ont dit qu'ils *détestaient* les mêmes modèles que lui.

Il n'est pas nécessaire de comprendre un résultat pour déterminer quel produit conviendra parfaitement à tel client. Plus nous testerons des hypothèses différentes et plus nous serons capables de confronter n'importe quel client particulier avec n'importe quel produit ou service dont il a envie.

Empirical Media : une société originale

Ken Lange, jeune entrepreneur issu de Carnegie Mellon University à Pittsburgh, a fait sa thèse de doctorat sur les logiciels qui combinent les réseaux neuronaux et d'autres machines d'apprentissage et qui servent à trier et filtrer les informations[2]. En 1995, Lang lança la société Empirical Media Corporation dont l'objectif était de mettre sur le marché, via un produit appelé U-Média, des applications de ses théories. La cible d'U-Média est l'ensemble des surfers sur le réseau Internet qui s'épuisent dans leurs recherches face à une énorme masse de nouvelles et d'informations.

Aujourd'hui, l'Internaute utilise des « signets » (ou marque-pages) pour mémoriser les sites Web qui lui semblent les plus intéressants. La compétition est vive entre les sociétés qui proposent les moteurs de recherche les plus rapides et les plus complets afin que l'utilisateur trouve facilement ce qu'il recherche. Mais, le maniement de ces systèmes est encore trop complexe et décourageant même pour les plus intrépides. La recherche d'informations sur le Web revient à étancher une petite soif avec une bouche d'incendie.
C'est là qu'intervient Empirical Media avec ses outils sophistiqués de réseaux neuronaux et ses algorithmes d'apprentissage. U-Media va personnaliser vos moteurs de recherche en tenant compte des informations

---

2. Lorsque l'on cherche à prédire le comportement d'achat d'une clientèle, il est parfois utile de savoir ce qui différencie les réseaux neuronaux des autres modèles plus traditionnels basés sur l'analyse statistique. Les modèles statistiques demandent en général une planification et une analyse mathématique plus minutieuses que les réseaux neuronaux. Mais les données en sortie d'un modèle statistique comprennent des variables « diagnostiques » qui aident le statisticien à comprendre pourquoi et comment le modèle obtient précisément tel résultat.
Le réseau neuronal, pour sa part, apporte juste une réponse, un point c'est tout. Il ne donne pas de diagnostic ni d'élément d'explication.
Mais ni le modèle statistique ni le réseau neuronal ne peuvent traiter de façon efficace un grand nombre de variables indépendantes. Chaque type de moteurs de calcul a pour objectif la construction d'une équation. Et celle-ci, constituée de plusieurs milliers de variables pondérées, engendre un si grand nombre de permutations et de combinaisons que le calcul lui-même peut en être considérablement perturbé.
Les réseaux neuronaux constituent eux-mêmes le sous-ensemble d'un plus grand domaine de la technologie informatique, appelé « l'apprentissage par la machine ». On place beaucoup d'espoir dans cette approche, pour traiter et comprendre des types de données et d'informations très complexes.
Des centaines de techniques fondées sur « l'apprentissage par la machine » et les réseaux neuronaux sont actuellement développées dans les centres de recherche et les universités à travers le monde.

que vous recherchez le plus, selon vos recherches passées, vos réactions et surtout d'après les comportements d'autres internautes qui réagissent comme vous.
Quand vous utilisez U-Media pour rechercher des informations ou des nouvelles, le bouton sur lequel vous cliquez pour aller à la page ou au site suivant actionne une « barre d'évaluation » avec une échelle de couleurs qui va du vert au rouge. Il vous suffit de cliquer sur cette barre à la hauteur que vous souhaitez en fonction de l'intérêt des informations ou de la page que vous venez de quitter. Le mécanisme d'analyse qui est derrière ce système de notation est très riche et permet à U-Media de se faire une idée beaucoup plus précise et rapide des préférences de chaque Internaute qu'un simple dépouillement de la chronologie des pages visitées.
Lang voit déjà toutes les conséquences de son produit : « Les utilisateurs seront enclins à rester sur notre service uniquement par le fait qu'ils ont investi du temps à construire un profil personnel qui devient de plus en plus efficace au fur et à mesure qu'il perdure ».

En conséquence, la société envisage d'offrir gratuitement le service de base d'U-Media en partant du principe qu'une fois fidélisés, ses clients généreront un double revenu considérable — par l'augmentation des tarifs de publicité payés par les annonceurs pour lesquels ils constitueront une cible captive et pointue, et par la vente à ces clients de produits additionnels ou des réactualisations de programmes à forte contribution.
Les algorithmes d'apprentissage d'Empirical Media sont plus qu'une personnalisation des informations recueillies à partir des réactions des consommateurs individuels. Ils reposent clairement sur le principe de la connaissance tribale, que Lang appelle « le filtre tribal ».

Avertissement à propos de l'éducation des clients

L'idée de la connaissance tribale est issue, en réalité, en droite ligne des relations entre une entreprise et ses clients. La plupart des entreprises qui réussissent savent qu'elles doivent autant apprendre de leurs clients qu'elles doivent apprendre à leurs clients. Une entreprise comprend les motivations de ses clients, car elle est confrontée en permanence à une grande quantité de clients analogues. En réalité, les clients *business to business* exigent cette expérience. Finalement, l'entreprise sert en quelque sorte d'organe de regroupement pour la diffusion des connaissances dans une industrie donnée.
Toutefois, le principe de la connaissance tribale est si fort qu'il est important de préciser que tout ce qu'un client devrait savoir ne doit pas être déduit des autres clients. La responsabilité de l'entreprise est de diffuser

les développements des nouvelles technologies et de montrer comment on peut en tirer parti. Dans un article de la *Harvard Business Review* « Les technologies disruptives, surfer sur la vague », Joseph Bowers et Clayton Christensen ont mis en lumière un phénomène surprenant et qui va à contre-courant de tous les sentiers battus : les entreprises qui sont leader sur leur marché n'arrivent pas à saisir les opportunités technologiques alors que d'autres le font immédiatement. La raison en est qu'elles « collent » trop à leurs clients. IBM est un bon exemple, qui a raté la première vague des PC parce que ses clients avaient tous acheté des gros systèmes informatiques et ne pouvaient absolument pas concevoir que les PC allaient révolutionner leur propre activité.
À une époque où les changements sont de plus en plus rapides, l'entreprise 1:1 doit faire de l'enseignement pour ses clients et ne plus se contenter d'être éduqués par eux. Fried Wiersema dans son livre *Customer Intimacy* dit qu'il y a trois manières de traiter les clients :

- leur montrer la totalité des bénéfices qu'ils peuvent retirer du produit
- trouver de nouvelles manières d'utiliser le produit
- changer complètement le décor.

N'importe laquelle de ces méthodes d'éducation des clients peut provenir des connaissances que l'entreprise acquiert auprès d'autres clients. Il y a là un énorme gisement à exploiter pour l'entreprise 1:1. De toute évidence, si ce que l'entreprise enseigne au client n'est pas exclusif et peut servir à la concurrence, cela n'a guère d'intérêt du point de vue de la conservation de la clientèle. En effet, le client peut facilement s'approprier la connaissance puis aller acheter le produit concurrent. C'est encore plus vrai dans le cas où le client est un distributeur (voir chapitre 12).
Les constructeurs automobiles par exemple rencontrent ce problème quand ils éduquent leurs concessionnaires à donner un meilleur service à leurs clients. Le concessionnaire Mitsubishi peut aussi distribuer Chrysler, Isuzu et Honda. Toute aide au concessionnaire profitera immédiatement aux autres marques. Certains ont tenté d'éduquer leurs clients d'une manière plus économique, et cela de diverses manières.

Par exemple, certains facturent cet apprentissage. Les compagnies informatiques ont tout intérêt à apprendre à leurs clients la manière de mieux utiliser leurs ordinateurs et la plupart d'entre elles essaient de vendre cet enseignement, même à leurs clients acquis, sous forme de conseil. Dans un tel cas, il va sans dire que l'expérience et l'expertise acquises par le consultant au contact d'un client servira largement pour le client suivant.
D'autres sociétés mettent en place chez leurs clients des plateformes-modèles et elles passent du temps à leur apprendre comment utiliser ces

plateformes. Elles pratiquent cette technique en partant du principe qu'un client qui aura fait l'effort d'apprendre un système n'ira pas ailleurs de sitôt pour apprendre un autre système.

Une autre méthode d'enseignement consiste à créer des groupes d'utilisateurs, des conférences ou tout autre système qui mette en contact les clients les uns avec les autres. Cette méthode a toujours bien marché pour les entreprises très technologiques et à l'ère de l'interactivité, elle s'applique de mieux en mieux pour celles qui vendent des produits un tant soit peu complexes.
Éduquer les clients par l'intermédiaire de groupes d'utilisateurs ou par des conférences d'initiation destinées à des utilisateurs très divers est un excellent moyen d'augmenter l'étendue de leurs besoins.

Finalement, l'entreprise 1:1 qui possède un vaste fichier clients peut utiliser le concept de la connaissance tribale pour orienter ses clients vers des produits ou des services qu'elle sait leur être utiles, même s'ils n'en ont jamais entendu parler.
C'est aussi simple que de choisir un hôtel dans une ville où l'on n'a jamais mis les pieds et cela peut s'appliquer aussi à des politiques d'investissement ou des stratégies d'amélioration de la rentabilité que les clients n'ont jamais imaginées.

COMPARAISON DU MARKETING TRADITIONNEL ET DU MARKETING 1:1

Qu'apporte le principe de la connaissance tribale par rapport à la méthode plus traditionnelle de segmentation du marché ?
Pour répondre correctement à cette question, il nous faut d'abord comprendre que les analogies et les différences entre clients sont simplement des valeurs opposées d'une même variable. Ce qui distingue une entreprise 1:1 n'est pas tant de savoir si elle utilise la variable mais la manière dont elle l'utilise. Par exemple, l'entreprise traditionnelle est complètement orientée par le produit. Peu lui importe de savoir ce que les clients ont en commun car elle s'efforce de vendre un produit unique au plus grand nombre possible de clients interchangeables puisés dans un marché de masse. Cette entreprise veut tout simplement trouver le prochain client qui, en toute logique, lui achètera son produit.
Pour ce qui la concerne, l'entreprise 1:1 est complètement orientée par le consommateur. En conséquence, l'entreprise tire parti de toutes les informations relatives à ce que ses clients ont en commun, non pas pour trouver d'autres clients à qui vendre le même produit, mais pour en déduire le prochain besoin dont ce client particulier aura très probablement besoin.

Le responsable marketing 1:1 utilise la connaissance tribale pour mieux comprendre les besoins et préférences intimes des clients. Quelques fois, il peut anticiper la satisfaction des besoins du client avant même que celui-ci ne la réclame.

Quand l'objectivité devient un produit original

Soyons réaliste : quand votre conseiller financier vous suggère d'acheter une action qui sort des sentiers battus, ne pensez-vous pas l'espace d'un instant qu'il a probablement un intérêt financier à vous la proposer ?
Le type de relations que la plupart des clients, même les meilleurs, cultivent avec leur partenaire commercial repose sur la confiance partagée. Plus les décisions du client reposent sur le jugement ou la préconisation du vendeur et plus la relation doit se nourrir de confiance. Quel que soit le degré de confiance du client vis-à-vis de son partenaire, il arrive un moment où le client souhaite rebattre les cartes du jeu.
Dans une transaction commerciale, tous les clients désirent une recommandation objective et non biaisée. Quelquefois, le client sait que la recommandation ira à l'encontre des intérêts du vendeur. Quand notre voyageur se rend à Hong Kong et qu'on lui recommande un hôtel via le service en ligne, dans quelle mesure sait-il que la recommandation est exclusivement fonction de la satisfaction de ses intérêts et non pas du montant de la commission que le réservataire recevra de la part de l'hôtel ?
Dans le même ordre d'idées, le client de Firefly qui reçoit une recommandation pour un CD spécial n'est pas sûr que ce disque lui est proposé parce que le producteur a payé Firefly pour qu'il en fasse la promotion.
Bien sûr, quand une entreprise fait une recommandation qui repose entièrement sur la comparaison des goûts connus d'un client avec ceux d'autres clients, celle-ci est tout à fait objective et sans biais. À moins qu'elle ne soit... entièrement subjective, car elle repose sur les goûts et préférences du client.

Quoi qu'il en soit, on imagine facilement que dans le futur interactif, les sociétés mettront en avant le fait qu'elles agissent essentiellement en fonction de la connaissance tribale en utilisant les remontées de leurs clients pour faire leurs suggestions.
Une entreprise pourrait même aller jusqu'à inviter ses clients à donner un avis détaillé sur différents produits, options ou services.

« Voici deux hôtels que vous aimerez sûrement si vous allez à Hong Kong ; pour chacun d'eux, nous vous donnons les commentaires de trois personnes qui y sont allées récemment ». Nous reviendrons plus longuement sur ces témoignages de clients quand nous aborderons les diverses formes des médias interactifs au chapitre 11.

L'objectivité sera certainement un outil de vente précieux à l'ère de l'interactivité, et il faudra la protéger. Une critique habituelle mais injustifiée qu'Agents, Inc. recueille souvent à propos de Firefly est que ce type de site sur le Web est influencé par les intérêts des producteurs de disques. Que se passerait-il si Warner Records demandait à tous ses employés de s'inscrire chez Firefly et de donner de très bonnes notes aux disques produits par la compagnie ?
Si l'on va jusqu'au bout de la logique, il est probable que le logiciel de notation de Firefly avantagerait ces disques de manière disproportionnée. La réponse de Nick Grouf, président d'Agents, Inc est claire, sans ambiguïté. Selon Grouf, le logiciel de Firefly est programmé de telle sorte qu'il construit ses recommandations en comparant les préférences d'un client aux préférences de tous les autres clients qui présentent un profil analogue. En effet, pour chaque client pris isolément, Firefly crée une « tribu » d'utilisateurs (c'est-à-dire un groupe d'affinités), et fait essentiellement reposer ses recommandations sur les profils individuels de ce groupe. Ainsi, si un client n'est pas enclin à noter très haut tous les disques (ou la majorité des disques) de Warner, il est peu vraisemblable que le logiciel lui fasse une recommandation en accordant son profil avec celui d'un employé de Warner.

D'un autre côté, l'influence des bonnes notes des employés de Warner sera négligeable si tous les clients ont tendance à aimer les disques Warner. Grouf insiste sur le fait que le logiciel de Firefly ne fonctionne pas comme une machine à voter qui va élire le meilleur disque pour tout le monde. Chaque client étant pris individuellement, il est en fait très difficile de biaiser le programme.
Au pire, ce qui pourrait arriver si un grand nombre d'employés s'avisait de s'inscrire pour influencer le système vers les productions de leur entreprise, serait la création d'un groupe d'affinités de cette entreprise ! Il serait composé exclusivement d'employés de Warner par exemple à qui Firefly recommanderait des titres issus du catalogue Warner.
Cependant, l'idée de faire pression soulève un point intéressant.
L'attrait de Firefly ou d'Amazon repose beaucoup sur le fait que les amateurs de livres ou de musique de ces sites Web peuvent laisser des messages sur les différents ouvrages qu'ils ont lus ou écoutés. Aucun de ces deux sites n'a un système de contrôle automatique de ces témoignages spontanés pour éviter que l'éditeur de livres ou le producteur de disques n'influence les témoignages vers ses productions. D'un autre côté, les témoignages qu'un surfer aura tendance à croire le plus volontiers chez

Firefly seront ceux déposés par des membres de son groupe d'affinité, c'est-à-dire des clients dont les goûts musicaux sont sensiblement identiques aux siens. Ce même principe s'applique bien entendu aussi aux livres pour Amazon.
La création de tels groupes d'affinité donne à des sites comme celui de Firefly, une activité supplémentaire : un système de rencontres de grande efficacité. Le site est, après tout, un endroit privilégié pour nouer des conversations avec d'autres visiteurs qui partagent vos goûts en matière de musique, de films ou de livres. Vous pouvez choisir de rester anonyme jusqu'à ce que vous soyez suffisamment en confiance pour quitter le cyberespace et rencontrer l'autre visiteur dans le monde réel.

En dépit du fait que Firefly et notre hypothétique agence de voyage on line offrent toutes les garanties d'objectivité, comment peuvent-elles le prouver et convaincre leurs clients ? La résolution de ce problème peut aujourd'hui créer les conditions favorables à la naissance d'un nouveau type d'activité indépendante, l'audit d'objectivité. On peut imaginer que dans le futur, des entreprises telles que Firefly soient auditées périodiquement par des cabinets comme Arthur Andersen. Ceux-ci certifieraient que les recommandations issues du logiciel sont vraiment impartiales. De tels cabinets pourraient aussi garantir par exemple que les préférences des consommateurs individuels ne sont pas communiquées à des tiers, compter le nombre de visites sur le site et vérifier que les fichiers de noms et adresses sont « désegmentés » avant d'être échangés avec d'autres sociétés.

LA BASE DE DONNÉES AUTO-ORGANISÉE

La connaissance tribale peut offrir d'énormes bénéfices à de nombreuses entreprises, mais particulièrement à celles qui ont :

1. Des relations interactives régulières et rentables avec leurs clients

Ce sont par exemple les services en ligne, les banques et les institutions financières, les magasins vendant au détail et les services marketing *business to business*. En un mot, tous ceux qui communiquent et dialoguent directement et régulièrement avec leurs clients.

2. Des clients aux besoins très différents

Cela concerne des activités dans le domaine de l'information, du cinéma et autres secteurs des loisirs, les livres, la mode, l'automobile, le commerce alimentaire, l'hôtellerie, les soins de santé, etc.

Quand l'objectif est de se concentrer aussi rapidement que possible sur les goûts et les centres d'intérêt d'un client individuel, l'utilisation de la connaissance tribale peut s'avérer non seulement plus efficace mais aussi moins coûteuse.
Prenons comme exemple un service de fourniture de coupures de presse. Qu'il fonctionne en temps réel ou pas, ce service emploiera une armée d'éditeurs et de documentalistes qui vont passer au peigne fin des milliers d'articles, les ranger par catégories, et les annoter en fonction de leur sujet. La fonction éditoriale est bien sûr le seul service qu'offre un service de pige. Il peut s'intéresser à des centaines ou des milliers de thèmes mais finalement, l'efficacité de ce service dépend de l'efficacité et du talent de l'éditeur qui recherche chaque rubrique particulière.
D'un autre côté, en utilisant le principe de la connaissance tribale pour détecter les articles, un service de presse interactif pourra utiliser ses clients comme documentalistes. Les clients eux-mêmes seront de bien meilleurs documentalistes et feront un travail plus précis et plus rapide que des spécialistes embauchés pour l'occasion pour deux raisons. D'abord parce qu'il y a infiniment plus de clients que de documentalistes, et ensuite parce que les clients sont bien plus impliqués par les articles qu'ils doivent apprécier. N'oubliez pas que le client est déjà prêt. Dans un système interactif, on n'a pas besoin de lui donner un salaire avant qu'il se mette au travail !
En utilisant des clients comme éditeurs, un service de presse peut ajuster rapidement les nouvelles et les informations qu'il fournit selon les centres d'intérêt précis des clients individuels.

Si la méthode dépendait exclusivement des réactions d'un client individuel, elle serait lente et pénible ; chaque fois qu'un client rencontrerait une situation nouvelle, le service devrait forcément attendre que le client réagisse. L'idée de la connaissance tribale au contraire permet à l'entreprise de prendre en compte les centres d'intérêt d'un client non pas en les comparant à ses goûts précédents mais en les comparant à des clients qui ont eu des réactions analogues dans le passé sur des sujets qui peuvent être totalement inédits à notre client individuel.
La même méthode s'applique aux autres entreprises, même si elles ne sont pas des entreprises de pige. Au lieu d'avoir des éditeurs qui analysent des articles, les entreprises qui fabriquent des produits ont un service de veille marketing qui s'intéresse aux nouveaux produits. Les magasins ont des acheteurs et des merchandisers qui décident de l'agencement des produits dans les rayons. Les sociétés de service ont des directeurs de programme. On peut dire que les entreprises qui utilisent la connaissance tribale transforment en quelque sorte leur base de données en un système auto-organisé. À l'ère de l'interactivité, au lieu de

décider arbitrairement des goûts et des couleurs des clients, l'entreprise 1:1 devient une espèce de chambre de compensation.
On pourrait rétorquer que les clients ne vont pas aimer être classés en catégories de cette manière ; ils pensent qu'ils sont uniques et ne veulent pas qu'on leur impose des produits et des services qui ont été choisis par d'autres sous prétexte que ces autres ont des profils analogues aux leurs. Le marketing traditionnel tire beaucoup plus parti d'analogies entre clients dont la plupart sont encore plus rudimentaires. Elles reposent sur des données très éloignées des véritables besoins du client individuel telles que les données socioculturelles, le niveau de revenu ou le code postal.
Qu'il s'agisse de revue de presse, de chaussures ou de service hôtelier, la comparaison entre un système qui repose sur des documentalistes ou des chercheurs en marketing et un système qui repose sur la connaissance tribale est de même nature que la comparaison entre une économie dirigée et une économie de libre entreprise.

CHAPITRE 10

SURFER SUR LA REMONTÉE D'INFORMATION

COMMENT FAVORISER LES RÉACTIONS DES CLIENTS TOUT EN RESPECTANT LEURS DROITS INDIVIDUELS

Parce qu'elle évolue dans un environnement en perpétuel mouvement, l'entreprise 1:1 dépend non seulement des données qu'elle détient sur ses clients mais aussi des renseignements qu'elle recueille de leur part.
Dialogue et remontée d'information constituent les deux éléments indispensables d'une relation commerciale.

Le fait de dialoguer avec un client (au lieu de s'adresser à lui en sens unique) joue un rôle déterminant dans la dynamique d'attaque du marché centrée sur le client.
Chaque contact qu'une entreprise noue avec un client en particulier est un moyen d'accéder à des informations dont elle ne disposerait pas autrement. L'entreprise 1:1 diffuse ensuite ces données dans tous les autres services et s'efforce d'exploiter l'information pour que ses produits satisfassent très précisément les besoins de ce client en particulier.
Dans ce chapitre, nous analyserons en détail la nature et le rôle du dialogue qui s'instaure avec un client. Nous passerons en revue les médias dont dispose l'entreprise pour nouer des contacts avec sa clientèle. Puis nous traiterons du dialogue qui existe entre l'entreprise et sa clientèle, lorsque le contact est établi.

Les clients se distinguent principalement, comme nous l'avons vu à plusieurs reprises, par leurs besoins et leur valeur. Et c'est justement en dialoguant avec un client que l'on peut recueillir les deux types d'information les plus importantes :

1. L'énoncé des besoins

En contact avec l'entreprise, le client est en mesure de spécifier précisément ses attentes.
Il peut s'agir de sa pointure, de la pression maximum que peut supporter une pompe pneumatique ou bien encore de sa préférence en matière d'hôtels.

Quelles que soient la période et la méthode utilisées pour dialoguer, l'entreprise devrait en tirer une meilleure vision des attentes individuelles de ce client. Les constats d'appréciation formulés par un client rentrent aussi dans cette catégorie. C'est le cas par exemple lorsqu'un client fait des commentaires sur sa nouvelle voiture flambant neuve dont il vient de prendre livraison ou qu'il dit préférer pour la prochaine fois des tomates un peu plus mûres. À la longue, cela permet à l'entreprise de cerner plus précisément ce que désire ce client, personnellement.

2. Une meilleure perception de la valeur stratégique

L'entreprise qui dispose d'une base de données clientèle fiable mémorise tous les achats en cours et calcule régulièrement statistiquement l'espérance mathématique de marge de chaque client. Mais dans la plupart des cas, seul le client peut indiquer les moments les plus propices où l'entreprise peut augmenter son chiffre d'affaires avec lui.

Une meilleure perception de la valeur stratégique d'un client (c'est-à-dire la différence entre son potentiel total et la part qu'il donne à votre entreprise), apparaît par exemple quand le client évoque en quelques mots un projet ou un achat prochain. Ou bien à partir d'un commentaire sur vos concurrents avec lesquels il traite également.
Il peut aussi s'agir de recommandations faites à d'autres personnes, lesquelles pourraient être contactées avec profit par l'entreprise.

Le plus souvent, ce type d'information ne peut s'obtenir que par un échange individualisé.
C'est pourquoi il est essentiel que l'entreprise hiérarchise ses priorités en matière de marketing et de ventes. C'est-à-dire qu'elle affecte les sommes allouées à la clientèle dans les segments où elles seront les plus rentables.

Depuis toujours, les responsables marketing savent que l'exploitation d'une base de données pour mieux connaître les clients permet de vendre plus efficacement. On a toujours considéré comme bénéfique le fait de mieux connaître ses clients. Mais que se passe-t-il si l'on descend carrément au niveau du client individuel, en communiquant directement avec lui ? Dans ce cas, on bénéficie d'un avantage qui dépasse de beaucoup l'accroissement du champ de connaissance de l'entreprise.

Dans une relation d'échange, l'entreprise doit non seulement se donner la peine d'apprendre mais le client doit aussi faire l'effort de spécifier ce qu'il veut.

Deux facteurs viennent favoriser la poursuite d'une relation d'apprentissage. Il s'agit d'une part de l'investissement en temps et en effort

consenti par le client, d'autre part de l'accroissement de la fidélité du client et de la marge qu'il génère.
Il est intéressant de mettre en parallèle la remontée d'informations nécessaire à l'entreprise 1:1 et le rôle dévolu à la relation commerciale dans une entreprise traditionnelle qui attaque un marché de masse. L'homme de marketing traditionnel délivre à ses clients un message aussi persuasif et efficace que possible. À l'inverse, l'entreprise 1:1 cherchera à obtenir de ses clients la remontée d'informations la plus utile et la plus efficace possible.

AUGMENTER LA « LARGEUR DE BANDE » DU DIALOGUE AVEC LA CLIENTÈLE

Il y a aujourd'hui un véritable foisonnement d'outils innovants et intéressants pour communiquer avec la clientèle. Ce sont tous de nouveaux médias interactifs, qui vont du téléphone numérique au World Wide Web, en passant par les bornes informatisées et les guichets automatiques. Chaque jour se créent de nouveaux médias et systèmes interactifs.

Récemment encore, un internaute qui aurait voulu procéder à une opération plus complexe qu'un simple transfert de texte aurait été incapable de le faire sans avoir recours à un (génial) expert en informatique.

Aujourd'hui, de plus en plus de personnes savent charger et désactiver des graphiques, du son et de la vidéo[1] . Cependant des signaux comme ceux de la vidéo, qui demandent une « largeur de bande » plus élevée (c'est-à-dire une capacité de transmettre un volume très élevé de bits/seconde) ne peuvent pas toujours être acheminés en temps réel.
La puce a mis 10 ans à révolutionner la puissance de calcul des machines. À nouveau, elle révolutionne la vitesse avec laquelle un grand volume d'informations se transmet le long d'un canal aussi rudimentaire et ténu qu'un fil de téléphone en cuivre. Il y a encore quelques années, il aurait été impensable d'offrir en temps réel de la vidéo de qualité à travers les lignes du téléphone. C'est aujourd'hui chose possible grâce à l'apport technologique des données compressées, et aux nouveaux logiciels. Nous augmentons sans cesse la largeur de bande de l'infrastructure de communication, non seulement en utilisant la fibre optique ou le câble coaxial, mais aussi en exploitant davantage l'intelligence supérieure de la machine. Tout en augmentant la largeur de bande électronique et en améliorant la capacité de celle qui existe, nous facilitons le développement d'outils de communication interactive.

Aujourd'hui, les difficultés que rencontrent les entreprises ne se posent pas en terme de mode de communication, mais plutôt en terme de straté-

1. Bien-entendu, nous sommes en 1997 aux États-Unis. (NDT)

gie de communication : quel contenu et quelle direction donner au message lui-même ?
Typiquement, le propriétaire d'un site Web, du moins au début du cycle de vie de ce médium, va attendre de son site la même chose que ce qu'il obtient d'un média qui n'est ni adressé, ni interactif, tel que l'écrit ou l'audiovisuel. La plupart des sites Web ne sont rien d'autres que des panneaux d'affichage électronique qui transmettent de l'information à des « visiteurs ». On voit parfois des sites très créatifs, organisés de façon sophistiquée avec de l'hyper texte et des liens pertinents les reliant les uns aux autres. Mais ils sont encore trop souvent utilisés pour communiquer dans un seul sens, du site vers le visiteur. Rares sont les propriétaires qui utilisent ce médium richement interactif pour nouer des contacts fructueux avec leurs clients.

Un analyste senior de la société de capital-risque Hambrecht & Quist, interviewé par un magazine sur le cas d'un cyber-commerçant soutenu financièrement par sa firme, estimait que les entreprises désireuses de dépasser le stade du panneau d'affichage électronique sur le Web « ne doivent plus se plonger dans un manuel sur le langage htlm[2], mais plutôt dans un livre de marketing One to One ».

Le fait de dialoguer individuellement avec un client autorise l'entreprise à pratiquer un marketing 1:1. Pour résumer les propos de cet analyste, le marketing 1:1 est très éloigné du principe qui consiste à diffuser des messages vers un ensemble de population pour ensuite tenter de décoder et analyser les résultats.

L'interactivité permet à une entreprise de créer un dialogue continu, sur des périodes longues ou brèves, avec des clients uniques et individuels. Chaque contact est différent. Chacun se déroule à sa manière, selon la volonté du client.
L'entreprise 1:1 ne doit plus simplement s'assurer de la cohérence latérale de ses messages, diffusés ou imprimés à travers différents supports comme la télévision, les journaux, la promotion des ventes et les mailings. Elle doit aussi faire en sorte que chaque client perçoive une cohérence chronologique dans les messages, durant la période au cours de laquelle le client est lié à l'entreprise.

Le dialogue qui s'instaure aujourd'hui avec un client en particulier doit pouvoir être repris aujourd'hui là où on l'avait laissé hier. De la même manière, chaque étape dans un dialogue est un tremplin sur lequel l'entreprise rebondit pour le poursuivre.

Les outils de communication interactive n'ont pas tous la même capacité à échanger des informations.

2. Langage de programmation pour créer des pages sur le Web.

La « largeur de bande » d'un canal sert simplement à mesurer la capacité à transmettre l'information entre le client et le responsable marketing. C'est ce lien qui permet à l'entreprise de cerner les attentes d'un client vis-à-vis d'un produit et d'évaluer son potentiel commercial.

Dans notre définition, la largeur de bande du dialogue correspond à l'efficacité avec laquelle ce type d'informations est transmis entre le client et l'entreprise et vice versa. Avec l'avancée des technologies de l'information, le potentiel pour augmenter cette largeur ne cesse de croître. La largeur de bande d'un message transmis par le courrier est très réduite. En effet, même si le courrier est « adressé » à des clients individuels, il reste néanmoins un média imprimé et nécessite un certain délai.

Quand l'entreprise est capable de mémoriser de gros volumes de données sur un client, il est impensable de nouer un dialogue avec ce client-là par le biais d'un mailing envoyé au tarif lent. Par contre, le mailing s'avère efficace lorsqu'il s'agit de délivrer une information détaillée sous forme de textes et de graphiques, ou d'effectuer des transactions simples et individualisées en une seule fois.

La largeur de bande d'une conversation téléphonique est déjà bien meilleure et s'améliore sensiblement lorsque l'on utilise un téléphone numérique. Le téléphone permet de relier en temps réel un client à l'ordinateur de l'entreprise d'une manière vraiment efficace et de l'endroit même où se trouve le client, sans qu'il lui soit nécessaire de se rendre dans le magasin.

De la même manière, la largeur de bande d'un fax ou d'un fax-à-la-demande (un fax qui réagit aux touches d'un clavier de téléphone) est plus élevée. Les Échanges de Données Informatiques (EDI) et le courrier électronique ont des largeurs de bandes encore plus importantes, bien qu'ils dépendent, eux aussi, des lignes du téléphone, avec toutes les contraintes que cela suppose.

On pourrait croire que la largeur de bande est à son maximum à l'occasion d'un face-à-face. Par exemple lorsque les clients du Ritz-Carlton font part de leurs préférences personnelles, ou bien encore lorsqu'un cadre répond aux questions d'un commercial des annuaires Pages Jaunes.
Pourtant l'entrevue en face-à-face n'est pas toujours le moyen le plus efficace pour dialoguer. Toute conversation de personne à personne, que ce soit *de visu* ou par téléphone, est empreinte des nuances et des réactions chargées d'émotion qu'aucun flux de données informatiques ne saura jamais reproduire. C'est la raison pour laquelle cette forme de remontée de l'information n'est pas à recommander dans toutes les circonstances.

Par rapport aux médias électroniques, le téléphone et la conversation en face-à-face ont chacun l'inconvénient de ne pas être aussi facilement mémorisables par l'entreprise. Si elle veut enrichir la relation qu'elle entretien avec un client, l'entreprise doit s'assurer que l'employé qui conduit l'entretien avec le client saisisse bien, dans la base de données, les éléments essentiels.

Avec une force de vente, les occasions de contacts avec la clientèle sont nombreuses. Mais on ne peut pas les considérer comme faisant partie de la mémoire collective de l'entreprise. Dans la plupart des cas, le commercial affecté à un client sera le garant de la relation commerciale, pour le plus grand bénéfice de l'entreprise, aussi longtemps que ce commercial restera en poste.

Il existe deux moyens pour augmenter la largeur de bande d'une communication interactive.

On peut

- soit améliorer la capacité de transmission des données sur la ligne,
- soit améliorer l'efficacité du processus de dialogue, c'est-à-dire la manière dont le client et l'entreprise vont communiquer.

Le mode de communication interactive devant un terminal point de vente par exemple, ou devant une borne interactive dans un centre commercial, a une capacité beaucoup plus rapide et plus riche à transmettre l'information que n'importe quelle conversation téléphonique entre deux personnes. En effet, la ligne de transmission et l'interface de dialogue auront toutes deux une capacité beaucoup plus élevée à traiter le flux d'informations.
La capacité de la ligne qui relie ces machines à l'entreprise est très certainement supérieure au fil du téléphone ou même à la fibre optique. Lorsque vous passez en caisse dans votre supermarché, le processus se fait au moyen d'un code barre qui est immédiatement scanné et enregistré dans l'ordinateur central du magasin.

D'un autre côté, il est nécessaire d'avoir une interface de dialogue puissante, avec une grande largeur de bande, lorsqu'il s'agit de scanner la forme des pieds d'un client pour concevoir des chaussures sur mesure. Ou bien encore lorsque que l'acheteur d'une pompe pneumatique utilise un outil de conception assistée par ordinateur pour définir un nouveau système de pompe.

Lorsque les produits conduisent à une forte différenciation parmi les clients, la bande du dialogue doit être assez large pour intégrer toute une palette de fonctions qui ont pour but de satisfaire les besoins individuels de ces clients.

ÉTABLIR L'INVENTAIRE DES OCCASIONS DE CONTACT

Entre l'entreprise et son client, les modes de communication et les raisons de communiquer sont multiples. C'est pourquoi l'entreprise 1:1 doit dans un premier temps établir un inventaire de toutes les occasions de contacts réelles et potentielles.

Pour ce faire, il convient de classer ces occasions selon deux critères : le média qui véhicule la communication et le contenu du contact lui-même.

1. Le média

Chaque contact se fait sur un média particulier ou à travers lui.
Il correspond au mode de communication, quel qu'il soit : téléphone, conversation en face-à-face ou courrier.
L'entreprise 1:1 doit apprendre à connaître tous les médias actuels et potentiels qui permettent de communiquer avec la clientèle, avec les forces et les faiblesses de chacun.
Les médias qui facilitent la communication entre le client et l'entreprise sont les suivants :

- Imprimés et courriers : documents imprimés tels que les mailings, les catalogues, les brochures, les publicités imprimées avec incitation à répondre et les coupons.
- Téléphone (voix) : appels téléphoniques en émission et réception.
- Téléphone (sans la voix) : fax et transmissions de données.
- Serveurs en ligne : sites sur le Web, Internet, CompuServe et tous les autres serveurs similaires.
- Entretiens directs, en face à face : entretiens de ventes personnalisés et réunions.
- Le lieu de vente : bornes interactives, lecteurs de cartes et terminaux points de vente en sortie de caisse.
- Sans fils : bipeurs, assistants personnels et téléphones cellulaires.

Vous remarquerez que cette liste de médias ne fait pas apparaître l'ensemble des canaux de communication dont dispose l'entreprise pour transmettre son message aux clients. L'affichage, les magazines et la télévision, par exemple, sont volontairement absents, car s'ils veulent engager un dialogue avec leurs clients, ces médias non interactifs doivent commencer par se relier à l'un des médias présents dans la liste.

2. Le contenu

En plus de son mode de communication, chaque contact délivre un contenu.

C'est-à-dire que le client et l'entreprise ont toujours une raison de communiquer ensemble. C'est par exemple le cas d'un client qui se plaint, ou d'une entreprise qui expédie sa facture. Que l'initiateur en soit le client ou l'entreprise, l'entreprise 1:1 doit comprendre l'éventail des raisons qui amènent à communiquer :

a. Communications initiées par le client

- Commandes et paiements pour des produits/services
- Caractéristiques d'un produit/service
- Demandes de renseignements
- Réclamations et conflits
- Lettres de félicitations

b. Communications initiées par l'entreprise

- Traitement de la commande et livraison des produits
- Facturation, paiement
- Vente, persuasion et promotion
- Information, éducation et bienfaisance

L'inventaire des relations-clientèle

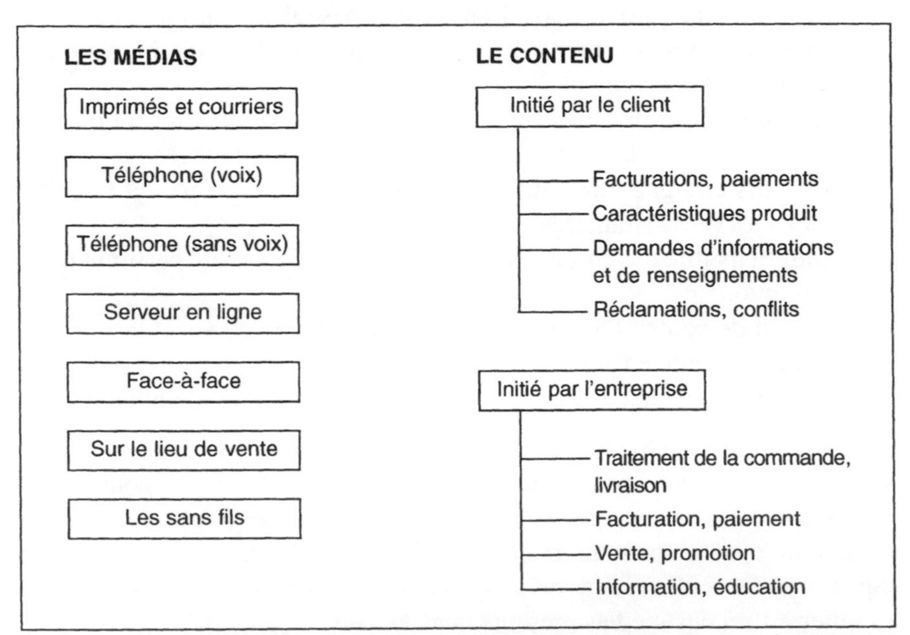

Dans la plupart des entreprises, la gestion des relations commerciales n'est pas placée sous la responsabilité des personnes qui gèrent et mettent à jour le contenu de ces relations. Elle est plus souvent confiée aux personnes responsables des outils de communication. Cela va à l'encontre de la néces-

sité pour l'entreprise 1:1 d'initier et de suivre cette relation commerciale pour ensuite diffuser l'information dans les différents services de l'entreprise.
Dans la plupart des entreprises qui disposent d'un centre d'appels, son gestionnaire sera davantage préoccupé par la rentabilité du média que par la richesse de son contenu.
Les critères retenus pour évaluer la performance du centre d'appels seront liés à des notions telles que le temps écoulé pour répondre à l'appel, le taux d'appels perdus et la durée de l'appel.
Mais le contenu réel des échanges qui ont lieu dans ce centre ne sera pas réellement pris en compte. Du moins pas directement à l'intérieur du centre, là où pourtant la gestion des contacts serait la plus efficace.

Si votre entreprise dispose d'un centre d'appels, testez-le. Laissez de côté ce livre (juste pour quelques instants !) et constatez par vous-même combien de temps il vous faut pour obtenir le taux des appels perdus de la semaine dernière. Quelqu'un dans l'entreprise a sûrement ce chiffre. Dès que vous l'obtenez, demandez si on peut vous fournir le pourcentage des réclamations résolues la semaine dernière au cours du premier appel (c'est-à-dire sans qu'il soit nécessaire de rappeler la personne).

Ces deux critères apportent un éclairage instructif et nouveau sur la manière dont l'entreprise communique avec sa clientèle.
Cependant, la plupart des entreprises ne connaissent que le premier chiffre. C'est souvent dû au fait que le mode de communication lui-même est confié aux responsables de la rentabilité du média, plutôt qu'aux responsables de l'efficacité de son contenu.
À la longue, vous allez sans doute vous apercevoir, comme nous, qu'il est moins cher de traiter un problème dès le premier appel que de laisser le client rappeler plusieurs fois. Sans compter qu'un premier appel satisfait génère des clients plus heureux, dont la valeur augmente.

Autre point faible fréquemment rencontré dans ce type d'organisation : la difficulté à coordonner et à faire jouer la complémentarité des médias.

Le plus souvent, l'entreprise confiera la création et l'administration de son site Web à quelqu'un qui a une parfaite connaissance de la programmation et des réseaux de micros.
Or le client ou le prospect qui se connecte sur le site Web peut vouloir ne pas passer trop de temps à télécharger une information qui l'intéresse moyennement. Ou peut-être se pose-t-il une question précise pour laquelle il n'y a pas de réponse prévue dans les pages prédéfinies du site.

Il y a en général peu de liens entre le site et les autres médias interactifs, car la plupart des sites sont gérés par des personnes ayant la responsabilité du média et non de son contenu. Ceci pose un problème, car le client peut vouloir utiliser l'un ou l'autre de ces médias interactifs. Il peut choisir de se connecter à votre site Web pour connaître en détail les caractéristiques de votre produit. Et il peut préférer le téléphone s'il a une plainte à formuler.

Mais même s'il communique à travers plusieurs médias, il s'agit toujours d'un seul et même client. Ce qu'il nous dit doit être traité avec cohérence par l'entreprise, de support en support.
Si, comme c'est souvent le cas, votre site Web est entre les mains de spécialistes du Web, alors votre visiteur aura sans doute beaucoup de difficultés à passer d'un média à l'autre. Encore une fois, vous pouvez en faire vous-même l'expérience : sélectionnez au hasard le site Web de n'importe quelle entreprise, peut-être la vôtre. Puis essayez de faire en sorte que quelqu'un de l'entreprise vous recontacte pour vous donner de plus amples informations. C'est incroyable mais la plupart des sites Web ne mentionnent même pas de numéro d'appel gratuit, dans le cas où l'internaute préférerait passer un coup de fil. Si l'entreprise veut réussir à développer une communication individualisée avec chaque client, elle doit maîtriser le contenu de cette communication, contact après contact, et ceci à travers toute la palette des médias.

Jusqu'à présent, rares sont celles qui y parviennent. Car même si la plupart des entreprises s'efforcent de maîtriser le coût d'une communication individualisée, toutes n'ont pas encore la compétence requise pour la mener. Généralement, lorsque l'entreprise ouvre pour la première fois un site sur le Web ou lance un forum de discussions entre ses clients, il est facile de prévoir ce qui va se passer.
Il y a tout d'abord une phase d'excitation à l'idée de devenir enfin « interactif ». Puis on réalise, avec surprise, la somme de travail que demande le suivi d'une communication à double sens avec les clients. Enfin, on assiste à une lente et continuelle érosion des moyens, due aux coûts et à l'effort nécessaire pour faire fonctionner un tel programme.

Manier l'interactivité demande assurément beaucoup de travail.
Bien sûr, une entreprise a toujours la possibilité de sous-traiter la gestion d'un média en particulier. Mais dans ce cas-là, rares sont les prestataires extérieurs capables d'harmoniser l'ensemble de la communication, à travers tous les médias, avec chaque client.

QUEL TYPE D'AGENCE DE COMMUNICATION FAUT-IL POUR LES ENTREPRISES 1:1 ?

Traditionnellement, l'entreprise qui attaque un marché de masse fera appel à une agence de publicité ou de promotion pour concevoir des messages en direction de ses clients.

Tout un jargon de termes et de critères de valeur s'est développé autour de la publicité. On trouve des termes très à la mode tels que capital-marque ou positionnement et des critères de mesure tels que score d'impact, fréquence, points d'audience et CPM[3]. Ce sont des termes inventés et popularisés, pour la plupart, par les agences de publicité.

Les agences prennent en charge tout ce que les entreprises considèrent comme hors de leur domaine de compétence : la rédaction, la direction artistique, le planning et l'achat d'espace. Une bonne agence est responsable, d'une part, de la coordination de tous les messages émis à travers tous les médias. Elle s'assure, d'autre part, que le message est aussi efficace et persuasif que possible.

Mais où trouver l'équivalent d'une agence de publicité lorsque l'on utilise des outils de dialogue et de personnalisation ?
Quelle entreprise est prête à accepter, vis-à-vis d'une entreprise 1:1, le même type de partenariat que celui d'une agence de publicité vis-à-vis d'une entreprise attaquant un marché de masse ?

Admettons qu'une entreprise fournisse désormais à chaque client des produits qui correspondent vraiment à ses attentes. Et qu'elle traite différemment ses différents clients. Vers quel type de prestataire doit-elle se tourner pour apprendre à dialoguer avec ses clients ? Qui va harmoniser le contenu des messages à travers l'ensemble des différents médias et services de l'entreprise ? Les agences de marketing direct sont parmi les mieux placées pour prendre en charge ces actions 1:1.

Sky Alland Marketing, une société située à Baltimore, est l'une de ces nouvelles et florissantes sociétés qui se tournent vers la gestion des communications, pour des entreprises qui ne se limitent plus à l'envoi de messages à leurs clients.
Une des principales activités de Sky Alland est « la détection de plaintes ». Quelques jours après l'achat d'une nouvelle voiture haut de gamme, vous recevez l'appel d'une personne qui vous demande si vous êtes satisfait de votre voiture et si le déroulement de la vente a été conforme à vos attentes.

C'est en réalité Sky Alland qui est au bout du fil. L'appel a pour objet de déceler pour le constructeur automobile, toute insatisfaction manifestée par les nouveaux propriétaires d'un modèle de la marque. Les motifs des plaintes sont transmis immédiatement au constructeur pour être réglées sur le champ.
Sky Alland réalise aussi beaucoup d'autres actions pour aider ses clients à dialoguer avec leurs clientèles. Parfois, les actions que recommande Sky

3. *CPM : Cost Per Member* (Coût d'acquisition d'un client). (NDT)

Alland ont un impact immédiat sur l'accroissement des ventes. Par exemple, un importateur de voitures a réalisé avec Sky Alland une opération qui consistait à appeler les prospects 72 heures après la visite de son show room. Le but des appels n'était pas de faire vendre directement, mais de répondre à toutes les questions laissées sans réponse.
En suscitant de nouveau l'intérêt de quelques prospects, la campagne menée par Sky Alland a permis d'augmenter le nombre des ventes de 50 % parmi les clients déjà venus visiter le *show room*.

Sky Alland et quelques entreprises similaires sont passées maîtres dans l'art d'utiliser le téléphone non pas pour vendre mais pour initier et entretenir un dialogue avec la clientèle.

Tous enregistrent des résultats encourageants qui illustrent bien le bénéfice à attendre d'une communication interactive avec la clientèle :

- Chez HMO, qui vend de l'assurance-santé par correspondance, les annulations ont baissé de 77 % depuis que les membres sont contactés par téléphone 30 jours après leur adhésion et encore une fois 60 jours avant la date du renouvellement de leur abonnement. HMO a même constaté que les nouveaux membres contactés 30 jours après leur adhésion occasionnaient moins de problèmes de paiement, moins de réclamations non fondées et plus de réactivité que les clients qui n'avaient pas été joints par téléphone.
- Lorsqu'une banque destinée aux particuliers contacte par téléphone ses clients 2 semaines après la fin de leur emprunt, elle augmente le nombre de ceux qui répondront favorablement aux prochains mailings proposant une offre de prêt. Le fait de dialoguer en permanence avec ses clients (par exemple, sous la forme « d'appels de courtoisie » en émission d'appel) a permis à la banque de détecter, sur plusieurs mois, des centaines de clients insatisfaits, prêts à la quitter. La banque a réussi à en conserver une grande majorité.
- Joindre au téléphone les nouveaux propriétaires souscripteurs d'une police d'assurance dans les 30 jours qui suivent leur adhésion permet d'augmenter de 10 % la rétention (appelée « persévérance » dans les assurances) à l'occasion du renouvellement, six mois plus tard.
- Contacter les souscripteurs de fonds communs de placement quelques semaines après leur versement initial améliore de façon spectaculaire le montant des dépôts suivants.

Chacun de ces exemples montre bien à quel point le dialogue améliore la connaissance de l'entreprise sur deux aspects radicalement différents du comportement d'un client : ses attentes face à l'entreprise et sa valeur par rapport à l'entreprise.

Lorsqu'en émission d'appel, l'entreprise identifie un client insatisfait (ou une personne qui ne s'est pas encore plainte mais qui cependant n'est pas entièrement satisfaite), cela permet à ce client de repréciser les caractéristiques qu'il attend du produit ou du service.
Il est notoirement connu au sein des services Clients que la plus importante des questions à poser à un client qui se plaint (voire la seule) est : « Que puis-je faire pour vous êtes agréable ? ».

Si le client répond à la question posée, on obtient alors une remontée d'informations du client vers l'entreprise. C'est la raison pour laquelle toute réclamation résolue agit fortement sur la satisfaction du client. Par la suite, on interroge le client sur la nature des produits ou les services complémentaires qui l'intéresseraient, ou sur les avantages supplémentaires qu'il souhaiterait obtenir. Cela donne une bonne indication de la valeur que ce client accorde à l'entreprise.

L'expérience de Sky Alland montre qu'il suffit d'interroger le client sur son degré de satisfaction pour voir le volume d'affaires qu'il fait avec vous augmenter fortement.
Une analyse faite auprès des clients d'un constructeur automobile montre que les automobilistes qui reçoivent de temps à autre un appel de courtoisie seront de 20 % plus nombreux à s'adresser pour l'après-vente au concessionnaire de la marque, plutôt qu'à un autre garagiste.
En véritable gestionnaire du dialogue, Sky Alland propose à ses clients davantage que de simples conversations à travers son centre d'appels. Ses autres domaines d'intervention sont le fax-à-la-demande, l'Échange de Données Informatiques (l'EDI) et toutes formes de transmissions de données.
Sky Alland fait partie de cette nouvelle race d'entreprises qui prennent en charge, en tant que fournisseur, non pas la gestion des circuits de communication mais le contenu de ces communications.
Il exploite toute la palette des médias interactifs parce que la valeur qu'il apporte à ses clients ne repose pas simplement sur la rentabilité des médias mais sur l'efficacité de leur contenu.

Sky Alland a lancé récemment un produit pour le Web appelé « CyberDial », un outil qui combine les différents médias pour gérer le dialogue.

Voici comment cela fonctionne : si le visiteur d'un site Web souhaite être mis en contact direct avec l'éditeur du site, il clique sur l'icône « Contactez-moi », largement mise en avant sur l'écran du site. Immédiatement, un écran clignote devant lui et lui demande de saisir son nom, son numéro de téléphone et la période à laquelle il souhaite être contacté, ainsi que l'objet de sa demande. À ce stade, le visiteur a deux

options possibles: «Contactez-moi immédiatement» (cela lui évite de composer lui-même le numéro et de devoir patienter) ou «Contactez-moi plus tard» (À 19 h chez moi, voici le numéro).
Immédiatement après que le visiteur ait entré les informations demandées et quitté le site Web, les données sont transmises à Sky Alland qui contacte la personne. Un mémo électronique résumant la conversation est alors transmis à l'entreprise propriétaire du site.

La société commercialise aussi CyberChat, une version en ligne de ce que les professionnels du marketing direct appellent «Nos conseillers sont à votre service». Cela s'apparente à du courrier électronique mais sans boîte aux lettres et sans attente.

Dès que quelque chose vous intéresse, cliquez sur l'icône CyberChat, tapez votre question ou votre demande: devant leurs écrans, des conseillers du Service Clients vous renseignent aussitôt.

CyberDial et CyberChat ne sont pas les seuls produits à offrir une interface entre Internet et le téléphone.
VoiceView TalkShop, un nouveau produit commercialisé par Radish Communications, une société implantée à Boulder dans le Colorado, permet au visiteur d'un site Web de cliquer sur une icône et de composer un numéro d'appel gratuit, tout en restant connecté au site.
Pour cela, l'internaute doit avoir installé sur son PC le logiciel VoiceView TalkShop, mais tous les PC et les portables commercialisés par Packard Bell, AST et Hewlett Packard, entre autres, le proposent maintenant en série sur leurs machines.

Désormais, chaque éditeur de service en ligne est en mesure de proposer une liaison téléphonique directe qui passe par la même ligne téléphonique que celle utilisée pour le flux des données. Cela évite à l'utilisateur de noter le numéro d'appel gratuit, de se déconnecter du site Web et d'appeler sur une autre ligne. L'utilisateur pourra directement converser par téléphone tout en conservant sur son micro la connexion au site Web.
Et au lieu de divulguer son numéro de carte de bancaire par des voies plus ou moins sécurisées, il pourra le communiquer oralement.

Favoriser le dialogue sur les sites Web

Aujourd'hui, il n'existe pratiquement aucun lien entre le site Web d'une entreprise et ses autres moyens de communication (par exemple, rares sont les sites capables d'assurer une liaison, comme celle proposée par CyberDial et VoiceView). Les différentes visites d'un internaute ne sont pas non plus mémorisées dans le temps.

Dans la plupart des cas, l'internaute qui visite un site particulier accédera toujours aux mêmes pages, avec exactement la même information, quel que soit le nombre de connections qu'il aura pu effectuer par le passé. Ce qui est dommage, c'est que la plupart des entreprises se servent de leurs sites Web comme d'un « catalogue d'articles » avec une information-produit copiée presque mot à mot à partir des documents écrits, et présentée de la même manière à tout le monde. Et ceci, bien que le Web soit par nature un média interactif où les clients sont identifiés.

Il existe cependant quelques exceptions, chaque jour plus nombreuses. Le site Web de Toyota, créé par Novo Média Group à San Francisco, attribue à chaque nouveau visiteur un numéro d'identification. À chaque fois qu'il se reconnectera, ce visiteur naviguera d'une manière différente à travers le site en fonction de son interactivité précédente sur le site.

Comme le fait remarquer Kelly Rodriques, Président de Novo Média Group, l'exploitation des nouveaux médias comme supports publicitaires sert à nouer une relation avec un client pendant une certaine période et à déterminer non pas ce qu'il est mais ce qu'il veut. Les bandeaux publicitaires tels qu'ils existent aujourd'hui ne sont qu'une extrémité de l'iceberg publicitaire interactif.

BroadVision est une nouvelle société spécialiste des logiciels et des applications pour le World Wide Web. Elle conseille des grandes firmes appartenant au Top 1000 du classement Fortune sur les stratégies à adopter face à l'interactivité. Beaucoup d'entre elles ont déjà ou prévoient une large audience pour leurs sites Web.

BroadVision commercialise plusieurs logiciels sous le nom de « BroadVision One-to-One ». Ces outils permettent à l'éditeur d'un site Web de suivre la navigation du visiteur. Mais aussi de l'exposer à différents messages et visuels en fonction de ce que l'éditeur connaît sur ce client, notamment sur la fréquence et la nature de ses précédentes visites.

BroadVision offre la possibilité aux entreprises de pratiquer du marketing 1:1 sur le World Wide Web. L'une des applications, exploitée par les éditeurs de très grands sites Web ouverts à la publicité, consiste à afficher des bandeaux publicitaires différents selon les visiteurs.

Il s'agit là de l'application la plus prisée par les opérateurs de sites, et ceci pour deux raisons principales :

- d'une part, la publicité, avec son vocabulaire très développé et toute sa palette de disciplines, est la langue commune à tous les professionnels du marketing. Chacun comprend l'intérêt de mieux cibler la publicité.

Rares sont ceux, en revanche, qui mesurent le vrai potentiel de l'interactivité sur des clients individuels et son formidable impact sur les relations commerciales.

- d'autre part, beaucoup d'opérateurs considèrent que le paiement et le commerce électronique sur le Web sont encore trop peu sécurisés. De ce fait, virtuellement, l'ouverture d'un site à la publicité est la seule alternative possible pour l'éditeur d'un site qui cherche à le rentabiliser.

C'est exactement ce qui s'est passé lorsque la télévision commerciale américaine fit ses débuts sur les ondes publiques, accessibles gratuitement à toute personne possédant un téléviseur.
Mais les aspects économiques de la télévision ont bien évolué depuis l'apparition du câble. L'exploitation du Web va à nouveau tout bouleverser.

Au moment de la publication de ce livre, le Web sera sans doute suffisamment sécurisé pour autoriser des transferts de paiements. À partir de là, on va assister à une explosion du commerce électronique.

Le logiciel BroadVision a pour principal avantage de permettre à l'éditeur d'un site Web de traiter différemment les clients différents, selon trois critères :

(a) l'information relative à ce client dont il dispose dans sa base de données,
(b) les informations comportementales fournies par le client et
(c) l'enregistrement des précédentes navigations du client à travers le site.

Le logiciel peut alors changer dynamiquement chaque page Web pour qu'elles correspondent aux goûts et aux préférences individuels du client.

Dans le dossier de presse qui met en valeur les avancées de ce logiciel, BroadVision présente le cas hypothétique d'un internaute « Paul » qui rentre sur le site d'une société fabriquant des produits électroniques. Pour le remercier de bien vouloir remplir un rapide questionnaire, il bénéficie d'une réduction de 10 % sur n'importe quel produit dans la boutique en ligne. Paul indique son nom, son adresse, quelques informations socioprofessionnelles (diplômé de l'université, deux enfants de moins de 10 ans) et quelques renseignements sur ses goûts personnels : sports et photographie. Paul choisit de ne pas indiquer son revenu et il coche l'option « vie privée » sur chacun des éléments de son profil. C'est, lui dit-on, une garantie contre toute utilisation externe de ces informations. Une fois ce portrait dressé, la façon dont Paul naviguera par la suite sur le site sera très personnalisée.

En se connectant les fois suivantes, il découvrira dans le sommaire du site une icône intitulée « Dans les coulisses du sport ». Il y trouvera l'actualité sportive de plusieurs équipes de sa région et des liens intéressants avec des sites dans le domaine de la photographie, notamment une rubrique spéciale donnant des conseils pour prendre en photo de jeunes enfants.

Imaginons que Paul clique sur l'icône «Dans les coulisses du sport» pour charger toute l'information relative à une équipe en particulier. Lors de sa prochaine connexion, il verra apparaître dans son sommaire les derniers résultats de cette équipe et un lien intéressant avec un forum ou un groupe de discussion composé de ses supporters. Des coupons et des offres pour des produits vendus sur le site Web seront inclus dans les pages que Paul téléchargera. Ces coupons seront sauvegardés dans le «portefeuille électronique» du site. Paul pourra en disposer lors de ses connexions suivantes, jusqu'à ce qu'il les utilise ou que leur date de validité expire.

Le gestionnaire du site pourra varier le montant des coupons et des réductions, en fonction de l'intérêt ou du désintérêt montré précédemment sur les produits proposés. Lors d'un achat, Paul donnera son numéro de carte bancaire. S'il le souhaite, on lui proposera de conserver cette information pour une prochaine utilisation.

Le formidable avantage du logiciel de BroadVision, c'est son interface d'utilisation. Le gestionnaire qui acquiert ce logiciel peut définir ses propres règles commerciales grâce à une fonction appelée «centre de contrôle dynamique»

Il décide du nombre de pages à personnaliser, il détermine les communications à déclencher en fonction des différentes réponses formulées par l'utilisateur. À l'intérieur même du centre de contrôle dynamique, les règles commerciales peuvent être définies et redéfinies par les responsables marketing et publicitaire. Aucune assistance n'est nécessaire, ni de la part des concepteurs du logiciel ni des experts en systèmes d'information.

LES «COOKIES» PERSONNELS

Le logiciel BroadVision One to One permet à l'éditeur d'un site Web de ne pas obliger un internaute à saisir plus d'une fois la même information lorsqu'il se connecte au site. Mais que se passe-t-il lorsque l'utilisateur navigue de site en site ?

Lorsqu'un internaute quitte un site pour rentrer dans un autre, il est fréquent que le site de départ soit doté d'un jeu de «*cookies*». C'est un bocal individuel de *cookies*, nom donné par Netscape pour décrire la donnée qui reflète les habitudes de navigation de l'internaute. On pourra ajouter un nouveau jeu de *cookies* dans le site suivant, et ainsi de suite. Mais jusqu'à présent, personne n'a vraiment su tirer parti de ce qui va sûrement constituer l'utilisation la plus avancée des *cookies* : un profil constitué à partir de données individuelles et descriptives, avec le nom et l'adresse de l'internaute, complétés de renseignements comportementaux sur ses goûts et ses préférences.

L'internaute est toujours lié à son *cookie* personnel, quel que soit le site qu'il visite. Ainsi, il ne sera pas obligé de ressaisir les données lorsqu'il entre dans un nouveau site sans lien direct avec les précédents. À condition, toutefois, que ce nouveau site reconnaisse le format et le protocole adopté par le *cookie* de l'internaute.
Pour que le format d'un *cookie* soit largement reconnu par l'ensemble des utilisateurs, il doit, bien sûr, laisser à l'internaute toute liberté en matière de contrôle. Plus l'internaute alimente son *cookie* d'informations le concernant — les numéros de ses cartes bancaires, ses centres d'intérêts, les anniversaires de ses proches, ses produits préférés, etc. — moins il devra fournir d'informations lorsqu'il visitera un nouveau site qui normalement le considère comme « étranger ».

D'un autre côté, ses droits individuels et sa vie privée sont davantage menacés, à moins qu'il ne contrôle à la fois les conditions et la période pour dévoiler les informations qu'il a données.

Les serveurs et les éditeurs de logiciels faciles à utiliser comme BroadVision savent qu'ils connaîtront un succès commercial considérable en créant le *cookie* le meilleur et le plus largement accepté. Il est certain que le *cookie* qui aura la plus large diffusion se positionnera rapidement comme un standard virtuellement universel.

Net.Radio est une autre société récente qui commercialise une application Web très intéressante. Cette société permet à l'internaute, dont le micro est équipé d'une carte son, de créer son programme radio sur mesure. Il sélectionne des morceaux musicaux par titre et par style, il détermine les plages horaires pendant lesquelles il veut recevoir les nouvelles, les informations financières, les résultats sportifs réactualisés et ainsi de suite.

Aussi longtemps que l'utilisateur reste connecté au site, Net.Radio diffusera la musique et les programmes qu'il aura lui-même spécifiés et sélectionnés tout au long de la journée, de jour comme de nuit. Pour ce service, Net.Radio pourrait faire payer un abonnement à l'utilisateur, mais en réalité ils ont une démarche commerciale beaucoup plus astucieuse.
D'une part, ils s'ouvrent à la publicité pour couvrir une partie des frais. Ils offrent aux annonceurs une audience ciblée, en fonction du programme choisi par chaque utilisateur.

Mais ce n'est pas tout. Dans la mesure où l'internaute doit rester connecté à Net.Radio toute la journée pour recevoir sa programmation « radio » personnalisée, Net.Radio est capable de mémoriser tous les autres sites visités par l'utilisateur au cours de la journée.
Net.Radio est donc à la tête d'un véhicule simple pour définir et réactualiser le profil permanent et universel des préférences et des goûts de l'internaute. Et ceci, pas seulement dans le domaine de la musique, mais dans tous les univers de consommation de cet internaute, tous les sites visités sur le Web, toutes les transactions effectuées et ainsi de suite. En retour, Net.Radio peut faire une analyse précise et exhaustive de ses clients, en fonction de la série de clics. Ceci lui permet de personnaliser les textes et les publicités pour chaque client. Par nature, le service proposé par Net.Radio est un immense *cookie*, que le client transporte de site en site, au moyen d'un signal radio personnalisé.

Imaginez combien la relation commerciale interactive serait précieuse si nous combinions le mécanisme de mémorisation de Net.Radio, avec l'évaluation des préférences, le classement d'U-Media et la capacité de BroadVision à changer de façon dynamique les pages Web à travers un grand nombre de plates-formes de données.

Une liste d'applications Web tout aussi intéressantes, ainsi que des informations remises à jour toutes les semaines sur d'autres sujets traités dans ce livre sont accessibles sur le propre site de Don Peppers et Martha Rogers, http://www.marketing1to1.com

Code de la route (de l'information)

Il y a plusieurs principes importants à appliquer lorsque l'on développe une activité commerciale centrée sur le dialogue.

Ne demandez pas tout, tout de suite

Gardez bien à l'esprit qu'un dialogue ne se limite pas à un contact unique mais qu'au contraire, il se compose d'une série d'événements, reliés dans le temps. Cela signifie qu'un dialogue qui s'arrête aujourd'hui peut reprendre demain, ou la semaine prochaine, ou au prochain trimestre. L'entreprise 1:1 doit en tirer la leçon suivante : ne pas essayer d'obtenir de chaque client toutes les informations en une seule fois, en un seul contact. Pour obtenir des clients une remontée d'information intéressante, demandez-leur petit bout par petit bout.

Pour obtenir davantage de remarques de leur part, créez de nouvelles occasions de dialogue, ne concentrez pas une très forte demande d'informations sur un petit nombre de contacts.

L'entreprise 1:1 mettra en place un système d'informations qui lui indiquera la question la plus logique à poser lorsque ce client appellera, que ce soit pour prendre rendez-vous, pour commander une pièce de rechange, pour participer à un tirage au sort ou simplement pour se plaindre.
Faites l'inventaire de toutes les relations commerciales et assurez-vous que chaque communication tire parti des précédentes, quel que soit le média ou le contenu de ces relations.

LAISSEZ LE CLIENT CHOISIR

Ne vous limitez pas non plus à un seul média interactif.
Faites en sorte que le client puisse entrer en contact avec vous à travers un grand nombre de médias. Puis harmonisez les communications qui s'établissent à travers tous ces médias.
Au lieu de simplement maîtriser le rapport coût/efficacité de votre média interactif, concentrez-vous sur l'amélioration de son efficacité en terme de contenu.

Que vous utilisiez ou non un produit comme CyberDial ou CyberChat, votre objectif doit être de proposer autant de manières différentes de communiquer que vos clients le souhaitent. Nous appelons cela le principe de l'OMP ou l'offre média préférée.

Quels sont les médias préférés de ce client-là ? En se posant la question, on va bien au-delà du choix du véhicule ou de l'outil à exploiter. Savez-vous, par exemple, si ce client-là préfère recevoir un mailing, un courrier électronique ou un appel téléphonique ? Savez-vous à quel moment de la journée il préfère être contacté?
À la maison, au bureau ou dans la voiture ? Le client doit se sentir aussi responsable que vous du dialogue. En réalité, plus il se considère comme partie prenante dans la relation, plus celle-ci sera riche et utile pour vous.
Encore une fois, le secret c'est de ne jamais poser plus d'une fois la même question. Si un client souhaite que vous l'appeliez le samedi plutôt qu'en semaine, assurez-vous de mémoriser cette information et de pouvoir la satisfaire.
L'offre média préférée (OMP) sera différente pour chaque client ; votre base de données marketing doit donc inclure pour chacun d'entre eux toute une série de médias préférés.

SIMPLIFIEZ LA VIE DE VOS CLIENTS

En matière de technologies de l'information, utilisez ce qui se fait de mieux et de plus rapide pour créer une base de données puissante, avec un accès et un mode de recherche universel.
Mais faites attention à ne pas exaspérer vos plus précieux clients par cette méthode. Les taux de réponse peuvent être acceptables, ou même bons.

Mais,
- si personne ne se préoccupe de savoir si la valeur de chaque client a augmenté, et de combien
- si personne ne sait si vous avez conservé vos clients les plus importants et si vous développez votre chiffre d'affaires avec chacun d'entre eux, alors vous ne gérez pas une entreprise 1:1.

Certes, votre objectif est de vendre, vendre, vendre. Mais à l'ère de l'interactivité, vous devez le faire en recherchant, pour chaque client, les avantages et les services qu'il appréciera vraiment.
Même si vous considérez votre base de données comme un grand réservoir de poissons, le fait d'équiper vos responsables produits et programmes avec la canne à pêche la plus sophistiquée et la plus informatisée possible ne créera pas des clients plus fidèles et de plus grande valeur pour votre entreprise.

Le marketing One-to-One ne consiste pas à repérer le type de clients qui correspond aux produits et aux services que vous avez conçus. Ça, c'est du marketing ciblé, mais pas du 1 : 1.

L'entreprise 1:1 exploite la remontée d'informations dont elle dispose sur chaque client pour créer une série de produits et de services que chaque client trouvera de plus en plus intéressant.

Ainsi, l'entreprise cimente la fidélité de ce client et augmente sa marge à moyen terme. Mais tout ceci ne fonctionne que si vous facilitez la vie de votre client, si sa qualité de vie s'améliore, et si de ce fait il considère l'entreprise avec toujours plus d'intérêt.

ÉTABLISSEZ UNE CHARTE DES DROITS INDIVIDUELS

Enfin, il est absolument impératif pour l'entreprise 1:1 de tenir compte de la question portant sur la protection des droits individuels de chaque client.

L'ère de l'interactivité pourrait facilement devenir celle de la violation des droits privés. Certaines entreprises ont déjà du mal à faire renvoyer un formulaire de garantie à leurs propres clients, qui craignent d'être envahis par toujours plus de sollicitations. Alors, comment l'entreprise 1:1 peut-elle espérer que ses clients, même parmi les meilleurs, acceptent avec plaisir de participer à une relation interactive de plus en plus intime, si elle ne peut leur garantir le respect de leurs droits individuels ?

Les clients dont l'intimité est violée, ou simplement ceux qui ont le sentiment de ne pas être maîtres des informations les concernant, acceptent difficilement d'entamer un dialogue. Si votre entreprise s'engage sur la voie de relations commerciales basées sur l'information individuelle, vous devez rapidement adopter une politique explicite vis-à-vis des droits individuels, la faire savoir et la mettre en œuvre.

La charte des droits individuels doit préciser :

- tous les avantages dont profitent les clients lorsque l'entreprise exploite des données individuelles,
- ce que l'entreprise ne fera jamais avec ces données individuelles,
- le droit pour chacun d'interdire à l'entreprise l'utilisation ou la divulgation de certaines informations,
- tous les événements que l'entreprise est tenue de communiquer au client.

En mars 1995, le Professeur Stanton Glantz de l'Université de Californie, expert des questions relatives aux effets nocifs du tabac sur la santé, fit des révélations. Une grande manufacture de tabac déclara que ces révélations ne pouvaient provenir que d'une source non autorisée.
Ne réussissant pas, de manière légale, à forcer le lobby anti-tabac à révéler ses sources, le cabinet d'avocats Brown & Williamson mandaté par le camp adverse, a obtenu sur ordre du tribunal que Federal Express fournisse une copie des plis adressés au Professeur Glantz au cours des derniers mois.
FedEx obéit à la demande de la Cour et livra les documents, mais oublia d'en avertir le Professeur Glantz. En fait, le lobby anti-tabac apprit que les enregistrements avaient été livrés à la firme de tabac parce que l'université était impliquée dans d'autres litiges avec le cabinet Brown & Williamson.

FedEx a la réputation de privilégier toujours une approche centrée sur le client, très exigeante en matière de qualité. Mais la société n'avait a priori pas de charte déontologique sur les droits individuels — ou si elle en avait une, celle-ci n'était pas appropriée. Personne ne peut soutenir que FedEx puisse ou doive refuser de livrer les données relatives à ses clients face à un jugement du tribunal.

D'un autre côté, FedEx aurait dû clairement prévenir son client, au moment même où l'ordre lui en a été donné. Dans un communiqué extrêmement peu convainquant diffusé à la suite de l'incident, le porte-parole de FedEx prononça ces mots :

> *« Nous ne prévenons pas ces personnes que leurs enregistrements ont été assignés à comparaître puisqu'ils ne peuvent rien y faire. »*

La société Tandy, au contraire, mène une politique ouverte et précise sur le respect des droits individuels.
Les magasins de la chaîne Radio Shack[4] mémorisent l'information relative à un client en saisissant son nom et les 4 derniers chiffres de son numéro de téléphone. Mais alors que se multiplient les opérations de télémarketing non désirées, Tandy s'aperçut rapidement que nombre de ses clients étaient réticents à l'idée de donner les 4 derniers chiffres de leur numéro de téléphone à l'employé du magasin qui établit la facture. Tandy fit alors placarder dans chaque magasin un message du Président Bert Roberts. L'affiche expliquait aux clients que l'information recueillie allait servir à retracer l'historique d'achat du client, faciliter les futures réparations sous garantie et faire gagner du temps aux clients réguliers lors de l'établissement des factures.

De plus, le texte de Tandy rassurait les clients sur le fait que :

1. l'information ne serait jamais utilisée à des fins de prospections téléphoniques,
2. l'utilisation de ces informations se limiterait à un strict usage interne,
3. aucune information fournie par un client ne serait divulguée à une autre entreprise ou une autre organisation.

L'affiche annonçait l'édition prochaine d'un catalogue trimestriel ; mais si le client ne souhaitait pas le recevoir, il lui suffisait de cocher une case au bas de sa facture.

Par cet avertissement, Tandy affichait en réalité, sans la nommer, sa charte des droits individuels.

Toute entreprise interactive sera, tôt ou tard, confrontée à cette question. Avant de vous trouver dans la même situation que FedEx, vous devez absolument mettre en place votre propre politique.

L'interactivité alimente l'entreprise 1:1. C'est pourquoi elle doit se débarrasser de tous les inconvénients potentiels, pour le client, que comporte cette démarche. L'entreprise dont les clients sont peu disposés à fournir cette information va rapidement se trouver obligée de l'acheter, en déployant de coûteuses promotions, simplement pour que ses clients fassent preuve de meilleure volonté pour participer. Les entreprises tournées

4. Électronique grand public. (NDT)

vers l'interactivité ont déjà résolument abordé la question du respect des droits individuels du consommateur.

Comme nous l'avons dit précédemment, BroadVision One-to-One offre à l'internaute l'option « respect de la vie privée » pour chacune des questions de son profil.
Sur un site équipé du logiciel BroadVision, un internaute peut fournir des renseignements et préciser quelles sont les données qu'il autorise le site d'accueil à conserver.
Alors que les supports interactifs se développent, nous allons sûrement voir apparaître de plus en plus de mécanismes comme celui-ci.

En ce qui concerne le média interactif lui-même, le respect de la vie privée du consommateur individuel sera déterminant. Cela facilitera l'acquisition des informations portant sur les goûts et les préférences des clients et créera une activité commerciale rentable dans le futur, comme nous allons le découvrir dans le chapitre suivant.

CHAPITRE 11

LE MÉDIA SERT DE LIEN INTERACTIF

COMMENT S'ATTACHER LE CONSOMMATEUR DANS UN ENVIRONNEMENT MÉDIATIQUE EN PERPÉTUEL MOUVEMENT ?

Jusqu'à présent, nous nous sommes concentrés sur l'influence qu'exercent l'interactivité et la personnalisation dans la nouvelle dynamique concurrentielle de l'entreprise 1:1.
Mais quelles conséquences faut-il attendre de l'ère de l'interactivité pour les groupes de communication eux-mêmes ?

Régulièrement, les experts font valoir que le groupe de communication qui émergera bientôt sera, soit celui qui détient le « canal », (ce terme désignant le fil ou le conduit qui amène le signal interactif jusque dans le foyer), soit celui qui possède le « contenu », (c'est-à-dire les programmes ou les logiciels qui circulent à travers ce canal).

En réalité, tout « groupe multimédia », de Disney à TCI en passant par Ameritech, est par définition une combinaison de « canal » et de « contenu ». Mais si, comme pour les autres entreprises, nous appliquions à ces groupes multimédia une approche basée sur la remontée d'information et l'interactivité, nous nous trouverions peut être devant un modèle économique tout à fait différent, un modèle qui serait très éloigné du schéma canal-contenu qui sert de référence aujourd'hui.
L'interactivité ne contribue-t-elle pas davantage à la tendance actuelle de prolifération et de fragmentation des médias ? N'est-elle pas une nouvelle palette de choix pour le consommateur de média ?
Ou offre-t-elle des occasions de développements nouveaux et différents à l'intérieur même du groupe de communication ?

L'entreprise multimédia interactive n'est nullement tenue de posséder le canal ou le contenu pour prospérer.

Au lieu d'être propriétaire du canal ou du contenu, l'entreprise multimédia qui détiendra les données sur les préférences personnelles des consommateurs s'assurera une belle réussite financière.

Le succès appartiendra aux groupes de communication interactive qui réussiront à instaurer des relations d'apprentissage avec chacun de leurs utilisateurs, visiteurs ou téléspectateurs[1].
Les entreprises florissantes se transformeront en entreprise 1:1. Elles verrouilleront leurs clients en mémorisant dans le temps leurs goûts et préférences individuels. Puis, elles exploiteront cette connaissance pour faciliter l'accès de chaque utilisateur au contenu qu'il ou elle souhaite particulièrement, quel que soit le canal auquel il est connecté.

S'ATTACHER LE CONSOMMATEUR

Avançons un peu dans le temps, pour nous arrêter l'année où nous utiliserons le Word Wide Web pour télécharger des vidéos et des signaux audio et non plus seulement pour afficher du texte et des images.
Faisons le pari que nous pourrons très bientôt transmettre des signaux d'une qualité VHS en temps réel à travers le Web. Et que nous pourrons aussi obtenir de la vidéo haute-définition, même si elle doit se télécharger un peu plus lentement, avec un léger différé dans le temps.

Nous pensons que cela sera rendu possible de l'une de ces trois manières :

- soit une bande plus large pour les canaux et les interrupteurs,
- soit une meilleure compression des données dans les logiciels,
- ou, plus vraisemblablement, la combinaison de ces deux cas.

Tout ceci est pour bientôt.
Et déjà aujourd'hui, on peut presque tout expérimenter.
Les câblo-opérateurs veulent proposer pour bientôt aux particuliers ce type de service à travers leurs câbles coaxiaux. Et les opérateurs de téléphonie sont pratiquement déjà en mesure d'acheminer ces signaux sur les lignes I.S.D.N[2].

Mais supposons que ces nouvelles capacités audio et vidéo amènent de plus en plus de personnes à regarder les informations télévisées ou leurs programmes habituels sur leurs micros connectés au World Wide Web.
L'ordinateur équipé d'un grand écran trône dans le salon. L'appareil peut être connecté à la télévision ou peut être séparé.

---

1. Nous utiliserons par la suite le terme « utilisateur » pour désigner le consommateur final vers lequel une entreprise multimédia diffuse de l'information ou du divertissement. Nous sommes conscients du fait que le média lui-même peut-être de la vidéo, de l'audio ou des données.
2. Le terme américain « I.S.D.N. » signifie *Integrated Service Digital Network,* une forme de ligne spéciale proposée par les compagnies de téléphone locales américaine. I.S.D.N. peut prendre différentes configurations possibles, mais il supporte des données à un débit de 128 kilobits par seconde, soit à un rythme 5 à 10 fois plus rapide que les lignes téléphoniques habituelles. (Edmund L. Andrews, *« A Steep Hurdle to Web Shortcut », New-York Times,* 25 mars, 1996).

Ces personnes choisissent de regarder la télévision de cette manière parce qu'elles peuvent voir leurs émissions favorites quand elles le souhaitent et pas uniquement lorsque ces programmes sont diffusés. Elles peuvent arrêter une émission ou faire un retour sur image si elles le souhaitent, zapper les publicités, accélérer lors de passages ennuyeux ou inintéressants, et ainsi de suite.

Cela suppose, bien entendu, que les propriétaires de ces programmes acceptent que leurs contenus soient diffusés sur le Web. Mais pourquoi le refuseraient-ils ? Pour eux, ceci représentera une source additionnelle de profit, et qui plus est, une source qui pourra être parfaitement suivie à la trace. Certes l'utilisateur d'un micro zappe plus facilement sur les publicités insérées dans les programmes. Mais au lieu de s'en offusquer, les fournisseurs de programmes seront désormais enclins à proposer à leurs annonceurs deux types de publicité : un format standard à sens unique, et un format interactif pour le Web.
Bien entendu, les professionnels du marketing cibleront les consommateurs les plus susceptibles d'être intéressés par le message, et il y a de grandes chances pour que ces utilisateurs acceptent d'y participer.

Les programmes eux-mêmes pourront être différents dans la forme et dans le fond. Un utilisateur qui souhaitera des programmes plus « décents » pourra demander à les recevoir de cette manière.
Les producteurs aseptisent déjà les films sortis en salle lorsqu'ils sont diffusés à la télévision ou dans les avions. Cela ne doit pas être sorcier de demander à un fournisseur de programmes de créer deux ou trois graduations sur une échelle de « valeurs familiales ».

En phase de développement du marché, les fournisseurs de programme appliqueront de plus en plus de variables à leurs créations : la langue parlée, la durée et peut-être même la manière dont l'histoire finit.
Tous ces critères permettent à l'utilisateur d'intervenir lui-même dans la programmation, au lieu de regarder passivement la publicité.
Maintenant, revenons quelques instants sur le système BroadVision One to One développé à l'usage des sites Web. Quelles sont les conséquences de ce procédé sur l'utilisation faite par un internaute des signaux vidéos sur le Web ? Supposons qu'un utilisateur se passionne pour le football ou pour une équipe de base-ball en particulier ou bien qu'il aime les documentaires historiques.
Le site Web auquel il va se connecter pour obtenir ses signaux vidéos, peut le fidéliser en mémorisant ses préférences et en faisant en sorte qu'il lui soit plus facile de trouver la prochaine fois exactement ce qu'il veut.

Quand le Web, ou un réseau similaire, deviendra la principale forme de transmission commerciale à travers le fil, toute personne ayant accès à un

micro va pouvoir non seulement charger ses propres signaux audio et vidéo, mais aussi « poster » des signaux audio et vidéo pour que d'autres personnes les récupèrent.
L'équipe de basket-ball du collège, dans laquelle joue votre fille, pourrait avoir un cadreur itinérant qui filmerait chaque partie et l'enverrait ensuite aux parents pour qu'ils puissent les visionner.

Est-ce que le cadreur se ferait rétribuer pour ce service ? Très certainement, si c'est un bon professionnel. Mais n'oubliez pas, la concurrence sera rude si le prix à payer ne vaut pas le service rendu.

L'ENTREPRISE MULTIMÉDIA DU FUTUR

Dans le scénario Web que nous venons d'esquisser brièvement, qui en définitive est l'entreprise multimédia ? Est-ce la personne qui détient le contenu ou bien le cadreur de l'équipe de basket-ball ? Est-ce la compagnie du téléphone, propriétaire des lignes par lesquelles transitent les signaux ? Ou bien est-ce le serveur Web auquel vous vous connectez pour obtenir votre picotin ?

Traditionnellement, les groupes de communication se sont placés sur le marché de la « diffusion d'informations à louer ». Ce sont les fournisseurs d'accès qui, dans la plupart des groupes de communication, supportent les coûts d'acheminement. Ils négocient avec l'entreprise pour diffuser des messages publicitaires au milieu des programmes d'information et de divertissement qui sont proposés aux usagers.
Cette forme de diffusion de l'information a toujours fonctionné en sens unique. Dans la plupart des cas, l'information est transmise de la même manière pour chaque usager. Nous voyons tous les mêmes annonces-presse dans tous les magazines ou quotidiens que nous lisons.

Et ceux qui parmi nous sont devant la même chaîne de télévision au même moment sont tous exposés au même écran publicitaire.
Bien sûr, une entreprise de communication non interactive n'a pas le moyen de vérifier qu'un usager en particulier a effectivement lu l'annonce ou regardé la publicité. Et dans ce contexte de fragmentation des médias, ils sont de moins en moins nombreux à le faire. À notre époque où les émissions télévisées sont aussi visibles sur le câble, de plus en plus d'entreprises média perçoivent des revenus à la fois des utilisateurs et des annonceurs.

Quelle que soit la source de financement de l'entreprise de communication, l'utilisateur ou les annonceurs voulant cibler ces utilisateurs, l'actif principal demeure l'utilisateur. À court terme, l'entreprise multimédia dépendante des annonceurs pourra attaquer le marché publicitaire pour augmenter sa part de marché.

Mais à long terme, l'enjeu de la compétition se ramène toujours aux utilisateurs. Alors que les médias deviennent progressivement plus interactifs, les groupes de communication vont de plus en plus se mettre à acheter le temps et l'attention des usagers. L'entreprise 1:1 constatera qu'il lui est plus facile de mener et de suivre un dialogue interactif que de capter et retenir l'attention d'un client individuel.

Par ailleurs, plus le client est un CPP pour l'entreprise, plus il sera difficile d'obtenir son attention.

Au bout du compte, ce n'est pas l'achat d'espace qui s'avère le plus coûteux lorsque l'on dialogue de façon interactive avec des clients individuels, mais bien les dépenses liées aux incitations. Il faut considérerer ces coûts comme un moyen pour l'entreprise 1:1 de récompenser le client qui accepte le dialogue, et qui par conséquent la fait bénéficier d'un avantage concurrentiel.
Cet avantage permettra peut-être à l'entreprise d'obtenir la fidélité du client grâce à une offre de produit ou de service sur mesure.

Il existe une grande variété de supports de communication interactifs, sous contrôle informatique, qui sont déjà exploitables ou qui vont l'être très prochainement. Il est donc logique de s'interroger sur les conséquences à attendre du vecteur commercial lui-même. Il est évident qu'un opérateur de sites Web ou de télévision interactive va pouvoir proposer aux annonceurs autre chose qu'une simple diffusion de l'information.
Au moins auprès des visiteurs qui se connectent sur son site, le serveur peut récolter des informations à leur sujet, de manière à les traiter différemment en fonction de ce qu'ils sont et de ce qu'ils disent. Mais est-ce vraiment de la « publicité » ? Et quelle leçon le cablo-opérateur ou l'éditeur de magazine d'aujourd'hui doit-il retenir de ce modèle de dialogue commercial ?

À l'ère de l'interactivité, un média a tout intérêt à se situer sur le marché comme intermédiaire plutôt que diffuseur d'informations.

Une entreprise multimédia a pour vocation de mettre en contact ses principaux clients, les annonceurs, avec leurs propres clients : les utilisateurs du média. Dans un contexte technologique qui ne fonctionne qu'à sens unique, les communications diffusées se limitent nécessairement à annoncer et à faire passer le même message à tout le monde. Tout en espérant que le destinataire du message achètera plus de produits ou du moins restera en contact avec l'émetteur du message.

Mais il est clair que l'interactivité permet d'être beaucoup plus efficace lorsqu'il s'agit de jouer les intermédiaires. On interprète facilement le rôle du média interactif comme celui d'un animateur qui est là pour faciliter un échange entre l'homme de marketing et son client. Un serveur efficace et fiable est celui qui garantit une bonne osmose entre l'homme de marketing et le client et qui s'assure que les échanges sont à la fois aisés et pertinents pour les deux parties.

Dans le scénario Web que nous venons d'esquisser brièvement, c'est le site Web qui devient la véritable entreprise multimédia. C'est lui qui se trouve dans la meilleure position pour servir de lien interactif entre chaque internaute et l'annonceur qui lui correspond.
Et si l'activité est bien structurée, l'opérateur du site s'attachera ce client. À chaque fois que vous vous connectez pour recevoir votre signal télévisé, votre « fournisseur d'accès » sur le site Web vous aide à choisir facilement ce qui vous plaît parmi une variété d'offres locales, nationales et internationales. Vous aurez alors tout intérêt à rester fidèle à ce site Web.
Vous n'aurez aucune envie de changer parce que ce serait alors trop compliqué.

Dans l'exemple que nous avons pris, l'opérateur du site Web ne possède ni les tuyaux ni le contenu. La seule chose que détient l'entreprise et qui représente un actif beaucoup plus important que le canal ou le contenu, c'est le client.
Bien qu'il faille avoir une certaine confiance en l'avenir pour imaginer un futur dans lequel des gens ordinaires appelleront leurs signaux vidéos à travers le World Wide Web, certaines firmes expérimentent d'autres technologies similaires dès aujourd'hui.

Et la force de ces technologies ne réside pas, encore une fois, dans l'équipement ou les programmes mais dans le fait que ces entreprises « d'accueil »savent mémoriser ce qui caractérise leurs clients.

La diffusion directe par satellite à Mexico

Medcom est un groupe de promotion des ventes et de diffusion média. Avant d'être diffuseur de programmes radio et télévision, la société s'est d'abord spécialisée sur le marché de la promotion des ventes, particulièrement sur le lieu de vente. Medcom est présente dans la majorité des 600 supermarchés de Mexico. Il est fréquent qu'un employé de Medcom soit sur place dans le magasin pour inciter le consommateur à goûter un nouveau produit alimentaire ou à remporter chez lui un échantillon d'un produit vendu sur place.

D'autres fois, Medcom assurera sa présence au moyen d'une PLV ou d'un display sur le lieu de vente.

Aujourd'hui, le groupe a pris pied sur le marché de la télévision directe par satellite (ou DBS: Direct-Broadcast Satellite).
La technologie DBS (utilisée par la DirectTV de Hughes ou par le SkyChannel de Murdoch) exploite un signal plus puissant que celui utilisé normalement par les liaisons satellites. Ce qui veut dire qu'une petite antenne peut facilement le capter. L'antenne de réception pour les abonnés aux services de la télévision DBS n'est pas plus grande qu'une pizza !
Et elle peut facilement se fixer sur le toit ou sur un mur à l'extérieur de la maison. Parce que la réception terrestre de DBS ne nécessite aucun équipement complexe, la firme peut se passer « d'intermédiaire » — le câblo-opérateur ou la station de diffusion locale — et peut envoyer directement son signal aux clients.

L'industrie de la télévision par câble n'est pas très développée à Mexico. Seulement 15 % des foyers mexicains peuvent avoir accès au câble. C'est pourquoi, même au prix de 800 $ ou plus pour l'antenne et le boîtier, le DBS de Medcom intéresse un nombre extrêmement élevé de prospects. Le boîtier de Medcom offre à ses utilisateurs l'avantage de pouvoir transmettre de l'information aux annonceurs qui sponsorisent individuellement le programme, et de pouvoir en recevoir de leur part.

Le boîtier de Medcom est relié à une ligne téléphonique afin que le téléspectateur puisse « dialoguer » au cours des émissions télévisées, et des publicités, en temps réel. Alors qu'il regarde une publicité, le téléspectateur pourra par exemple activer sa télécommande pour connaître l'endroit où il peut acheter ses places de concert ou pour savoir comment profiter d'une offre de carte de crédit. Le boîtier de la seconde génération aura en plus un lecteur de « carte intelligente » et un processeur.
La carte intelligente du téléspectateur sera alors remise à jour en fonction du déroulement de ses interactions. Vous désirez un coupon de réduction pour l'achat d'un paquet de céréales dont la publicité vient d'être diffusée ? Appuyez simplement sur votre télécommande et votre carte intelligente sera encodée.
Puis rendez-vous dans n'importe quel supermarché muni de votre carte intelligente. Le personnel de Medcom présent sur place la lira et vous donnera un échantillon gratuit.

Avec de telles applications, Medcom est certain de susciter l'intérêt des annonceurs pour son système. Et sa présence sur le lieu de vente lui donne un avantage unique.

En se posant comme un intermédiaire entre les annonceurs qui diffusent de la publicité sur son système et les téléspectateurs qui absorbent ses médias, Medcom offre une palette de possibilités extrêmement profitable. Non seulement en matière de publicité interactive mais aussi en matière de couponing et de remboursement.

Cependant à long terme, Medcom est conscient du fait que son capital le plus précieux reste l'utilisateur et sa fidélité envers le système.
Medcom a donc conçu son produit de telle manière qu'il verrouille le client, à la longue, en tenant plus ou moins compte de l'apparition éventuelle sur le marché d'un opérateur concurrent.

À condition que Medcom maintienne son QQJ — Qualité du produit, Qualité du service et Juste prix — tout annonceur voulant toucher ses clients devra passer directement par Medcom. Tout simplement parce que le boîtier, qui est en fait un petit ordinateur, saura dire qui tient en main la télécommande.
Le boîtier qui contrôle l'accès aux émissions mémorisera les préférences télévisuelles de chaque individu. À la longue, le système de Medcom deviendra de plus en plus intéressant pour chaque utilisateur individuel. Dès que la télévision s'allume, on demandera à l'utilisateur de saisir son code d'identification à 2 chiffres, chaque personne du foyer ayant un code différent.

Avec le temps, le boîtier va « apprendre » ce que le téléspectateur attend de son poste de télévision ; le système sélectionnera de mieux en mieux pour lui les émissions correspondantes.
Il est certain qu'avec une centaine de chaînes accessibles — à terme peut-être des milliers — il est de plus en plus compliqué de repérer le programme qui plaît à chaque téléspectateur.

Supposons que vous soyez un grand sportif, vous pourrez allumer votre téléviseur, vous identifier et voir apparaître une mosaïque d'émissions et d'informations sportives à regarder immédiatement.
Ainsi que la liste des événements sportifs qui vont avoir lieu en direct dans les deux heures qui suivent. Ou bien encore vous demandez le programme des films et vous voyez apparaître la liste des films diffusés dans l'heure qui suit. Sur cette liste les comédies et les dramatiques (vos genres préférés) sont présentées en premier tandis que les films pour enfants, les films d'amour, les films d'horreur ou de science fiction sont en bas du classement.
Tous ces choix résultant de vos préférences télévisuelles ne seront pas déduits d'un questionnaire statistique complexe que vous auriez rempli lors de votre inscription au service, mais de vos habitudes de téléspectateur au cours des jours ou des semaines passées.

Peut-être qu'un jour Medcom incorporera son propre système d'évaluation lors du processus de changement de chaînes, afin de retenir un éventail plus poussé des préférences du téléspectateur.
On imagine facilement ce qui va se passer : le téléspectateur dont les préférences de programmation seront les mieux restituées restera fidèle à Medcom car tout deviendra plus facile pour lui.

Avec des millions d'abonnés comme celui-ci, Medcom, ou tout groupe de communication qui fonctionnerait de la sorte, aura entre les mains un actif beaucoup plus précieux que les canaux ou le contenu. Medcom s'attachera le client.

L'INTERACTIVITÉ HYBRIDE

Le système DDB de Medcom n'est pas un système de vidéo à la demande *(pay per view)* mais une forme hybride de diffusion traditionnelle et de quasi-interactivité. À partir d'un boîtier, il relie le signal télévisuel à sens unique d'un téléspectateur avec les propres réponses de ce téléspectateur à travers une connexion téléphonique. Un système de carte intelligente démultiplie les possibilités de cette connexion.

D'autres médias savent aussi se transformer en intermédiaire plutôt qu'en fournisseur d'information, au moyen d'une « interactivité hybride ». Prenons l'exemple de KMPS, une station de radio locale de Seattle. Son positionnement correspond au style de la musique country et elle fidélise un grand nombre d'auditeurs qui se regroupent au sein du club des auditeurs de la station.
Les abonnés reçoivent une carte de membre qui les fait bénéficier de réductions auprès de certains partenaires de KMPS. Ils reçoivent aussi régulièrement des newsletters traitant des stars de la musique country et des prochaines sorties de disques, et donnant aussi des nouvelles des autres membres.
Un service d'écoute téléphonique offre la possibilité aux auditeurs de KMPS d'établir un classement de leurs morceaux favoris et de donner leurs avis et leurs préférences, individuellement à la station de radio.

« Jazz Phone », appartenant au groupe Tribune, est un service d'écoute musicale et de classement réservé aux auditeurs de l'une des stations de radio du groupe, WQCD à New York (appelé par ses auditeurs la fréquence « CD 101.9 »). Un fervent de jazz peut appeler un numéro gratuit et écouter les titres des différents CD de jazz passés à l'antenne (il s'agit le plus souvent d'un format de musique jeune adulte contemporain). L'auditeur peut même commander des CD pour les recevoir chez lui.

Au démarrage, ce service fut annoncé dans le magazine de la station, Cool Notes, adressé aux 250 000 plus fidèles auditeurs. Puis le Président de la station, Bob Paquette, s'est associé au magasin de disques J&R Music World à Manhattan pour promouvoir la musique jazz parmi ses auditeurs.
Le magasin a consacré aux auditeurs de CD 101.9 une section entière. Deux lignes de téléphone directement reliées à Jazz Phone sont mises à la disposition des clients pour leur permettre d'écouter des morceaux de musique. Quatre mois après le lancement de Jazz Phone, les ventes de J & R en format musical « jeune adulte contemporain » ont augmenté de 40 % !

Même l'affichage publicitaire se met à l'interactivité. Près de 20 millions d'automobilistes américains utilisent un téléphone de voiture et beaucoup d'autres disposent d'un téléphone mobile.
C'est la raison pour laquelle on constate que de plus en plus d'affiches publicitaires comportent un numéro d'appel gratuit. C'est un moyen facile et immédiat pour entrer en relation avec des annonceurs.

Une société de Chicago, Cellular Linking, propose un service qui permet à l'annonceur qui utilise de l'affichage d'indiquer un numéro d'appel cellulaire totalement gratuit pour encourager les réponses. Ce numéro prend en charge non seulement les coûts de l'appel en longue-distance mais aussi le coût de la communication locale.
Songez à tout ce qu'on peut faire pour ajouter un peu d'interactivité à un support imprimé. Un quotidien ou un magazine peut offrir une grande variété d'informations détaillées et immédiates en utilisant le fax-à-la-demande. Un magazine peut développer un sujet spécifique en donnant des informations plus précises. Il peut compléter l'information par un résumé des articles qui ont traité du même sujet par le passé. Il peut y ajouter une liste de références pour obtenir plus d'informations, ou encore la transcription écrite des délibérations gouvernementales, et ainsi de suite. Le magazine peut aussi faire en sorte que cette richesse d'informations soit disponible sur un serveur en ligne affilié à la publication.

Trop d'éditeurs estiment encore aujourd'hui qu'une présence interactive se résume à une page sur le Web ou une icône sur Prodigy ou America Online. Et qu'ainsi, ils offrent la possibilité à une personne devant son micro d'afficher quelques lignes de texte qui vont résumer le contenu du dernier numéro du magazine.
Mais rares sont les personnes prêtes à se poster devant leur micro pour lire la version abrégée d'un magazine.
Un quotidien ou un magazine qui se contente de cette forme de présence interactive tire très peu parti de la technologie. Et les utilisateurs de ce ser-

vice sont eux aussi moyennement expérimentés. Au lieu d'offrir une couverture large mais superficielle du magazine déjà publié, le serveur en ligne doit fournir un traitement approfondi des sujets, sur mesure pour chaque utilisateur.

Voici comment doit s'y prendre un éditeur de magazine :
il doit permettre à son lecteur d'aller aussi loin qu'il le souhaite dans la connaissance d'un sujet. Il doit lui proposer de consulter sur-le-champ des articles antérieurs sur le même sujet. Il doit lui présenter des graphiques plus détaillés ou lui proposer de vérifier par lui-même les termes réels du communiqué de presse d'une entreprise.
Le serveur en ligne du *Washington Post*, Digital Ink, offre exactement ce type d'interaction. Avec Digital Ink, une personne peut retrouver des articles publiés dans le quotidien il y a 9 ans. Il peut faire une recherche par titre, par mots clés ou par date de parution. Pour cibler encore plus la recherche, les lecteurs peuvent spécifier l'un de ces trois critères de recherche : national, *Washington Post* ou n'importe quel article déjà lu.

Et parce que le *Washington Post* dispose d'une formidable organisation de recueil de l'information, Digital Ink remet à jour *toutes les heures* les informations disponibles. Le lecteur est donc parfaitement tenu au courant de toute information importante traitée dans le quotidien du matin.

Lorsqu'un client de Digital Ink affiche à l'écran un article sur, disons, les lieux de vacances où la nature est particulièrement belle à l'automne, il voit apparaître des numéros d'appel gratuits pour obtenir de plus amples renseignements.
En même temps, on lui propose des liens « pertinents » vers des sites disposant d'informations complémentaires.
Il peut par exemple s'agir d'articles ayant trait au sujet. Ou d'informations sur d'autres destinations connues pour la richesse de leur végétation (avec indication des activités à faire dans ces régions) et même des rapports décrivant les différents types de feuillage, ou encore précisant les meilleures périodes d'observation !

Le quotidien *San José Mercury News* va encore un peu plus loin, puisqu'il inclut dans les articles de sa version imprimée des références et des indications spécifiques.
L'article qui traite, par exemple, d'un projet de réforme présenté par un sénateur sur les soins de santé, sera suivi d'un code à 4 chiffres. Une fois connecté au service en ligne de Mercury, le lecteur peut saisir ce numéro. Il aura accès à des informations complémentaires, peut-être la position d'autres hommes politiques sur le sujet des soins de santé. Ou le texte intégral de la déclaration du sénateur.

La plupart de ces références complémentaires sont accessibles soit par un système de fax-à-la-demande, soit en ligne.
Mercury News propose aussi un service appelé News Hound sur lequel les utilisateurs peuvent recevoir des coupures de presse électroniques en fonction de leurs centres d'intérêt personnels.
Si, par exemple, vous êtes à la recherche d'une automobile Saturn d'occasion, News Hound va aller toutes les heures rechercher tout ce qui peut s'y rapporter. Il imprimera une fois par jour les petites annonces correspondantes. Ainsi, à la fin de la journée, vous pourrez lire un article sur les succès enregistrés par Saturn en matière de service à la clientèle. Puis, vous découvrirez le message d'un propriétaire de la région, prêt à vendre le coupé dont vous avez toujours rêvé.

Aujourd'hui, la plupart de ces services média se rémunère avec un forfait fixe au mois ou à l'heure. Il est aujourd'hui encore trop complexe, sur le plan technologique, de faire payer pour un type d'information en particulier. Cela n'en constitue pas moins une voie d'avenir pour l'entreprise multimédia.

InfoMarket, une division d'IBM, développe actuellement une technologie qui pourrait vite adapter le «pay-per-view»pour l'acquisition d'information.
Le logiciel d'InfoMarket, sous le nom de code «Minerva», fut développé à l'origine par Booz Allen pour la CIA.
Il était utilisé pour tenir les différentes activités terroristes à l'œil, une fois qu'elles étaient signalées et suivies par de nombreuses bases de données internationales qui n'avaient aucun lien entre elles.
InfoMarket propose aujourd'hui d'appliquer cette technologie à la protection des droits intellectuels électroniques. Dès que vous signez avec InfoMarket, votre numéro de carte bancaire est conservé. Il sera ensuite utilisé chaque fois que vous accepterez de régler vos dépenses par carte.
Maintenant, supposons que vous vouliez obtenir le rapport spécial publié par l'institut de conjoncture Simba sur l'avenir d'un opérateur de télécommunication. Simba vend normalement ce rapport 600 $. Pour se protéger contre une éventuelle photocopie non autorisée, la politique de Simba consiste à ne pas autoriser sa consultation en ligne. Seule la version publiée est disponible. C'est là qu'intervient la technologie de InfoMarket. À la suite d'un accord avec Simba, InfoMarket peut désormais vendre le rapport en ligne. Pour obtenir ce document, vous chargez à l'écran un logiciel de cryptage de InfoMarket.
Ce logiciel ne pourra être déverrouillé et lu qu'à partir du moment où vous saisirez votre mot de passe. La somme de 600 $ sera prélevée sur votre compte de carte de crédit chez InfoMarket (de telle sorte que votre numéro

de carte de crédit ne se « balade » jamais sur l'Internet ; il reste dans l'ordinateur d'InfoMarket).

Pour se prémunir contre tout risque de photocopies non autorisées pour ce type de documents transmis électroniquement, InfoMarket marque un « filigrane » sur chacun d'entre eux. Chaque document envoyé est donc très légèrement différent, de manière à ce qu'InfoMarket puisse suivre à la trace l'acheteur d'origine.
Si par exemple vous commandez les informations *pay per view* et que vous décidiez ensuite de le diffuser à un grand nombre d'amis et de collègues, ou si vous décidiez de pirater le rapport pour le vendre vous-même, InfoMarket sera capable de remonter jusqu'à votre commande d'origine.

InfoMarket peut utiliser cette technologie non seulement pour de l'information sous forme de texte mais aussi pour des informations sur des morceaux musicaux ou de la vidéo.
Si vous deviez ne retenir qu'une seule de ces applications, pensez à ce que cela signifierait pour vous d'avoir votre propre lecteur de CD sur lequel vous pourriez « enregistrer », une machine qui serait vendue environ 500 $.
Vous pourriez commander de la musique sur Internet, régler son montant par l'intermédiaire d'InfoMarket et l'enregistrer sur CD. Si cette application n'est pas encore développée, c'est qu'à partir du moment où la musique est transmise électroniquement, les droits sur la propriété intellectuelle sont très difficiles à protéger. Mais si chaque version vendue à un consommateur était estampillée pour pouvoir être identifiée par la suite, toute opération de piratage de musique se détecterait facilement.

TROIS FORMES DE PUBLICITÉ INTERACTIVE

À quoi au juste va ressembler la « publicité » à l'ère de l'interactivité, lorsque l'on verra des boîtiers de télévision intelligente et des serveurs sur le Web qui classeront et stockeront des signaux vidéos ?

Pour commencer, il est certain que l'interactivité va mettre fin à ces odieux spots de télévision qui semblent davantage conçus pour irriter les téléspectateurs que pour leur rappeler des produits. Bon débarras !

À l'ère de l'interactivité, on va assister à l'émergence de trois formes de publicité, qui commence déjà à apparaître :

• *Publicité sur invitation*
On voit de plus en plus d'annonces-presse dans les quotidiens et les magazines et même des écrans publicitaires à la télévision sur lesquels figure

l'adresse du serveur Internet où l'on peut contacter l'annonceur. C'est une forme de publicité sur invitation.
À l'ère de l'interactivité, elle sera capitale pour un message commercial qui touche un client sans avoir eu son accord formel ou son consentement. Le « bandeau » publicitaire que croise un internaute sur un serveur Web est par nature une invitation. Cliquez dessus, et vous allez directement sur le site de l'annonceur où vous serez le bienvenu pour entamer un dialogue.

L'amorce du dialogue sera l'objectif de tout service marketing qui cherche en définitive à vendre des produits et des services.
Les annonceurs vont rapidement se rendre compte qu'il n'y a aucun avantage à irriter les consommateurs en les forçant à supporter la publicité univoque sur leurs produits.
Non seulement ce n'est pas la bonne façon d'amorcer le dialogue, mais en plus, il y a fort à parier qu'un Internaute irrité par une publicité ou une marque se débrouillera pour qu'elles n'apparaissent plus jamais sur son micro ou sur son poste de télévision. N'oubliez pas qu'à partir du moment où un internaute indique à son service en ligne, ou tout autre opérateur qui lui sert de « plate-forme » interactive, qu'il n'aime pas la publicité d'une certaine marque, il sera pratiquement impossible pour cette marque de se faire entendre à nouveau de ce consommateur.

• *Publicité sollicitée*

D'un autre côté, il va y avoir une explosion du marché de la publicité à la demande. Les consommateurs vont « prêter attention » à la publicité dès lors qu'ils voudront acheter quelque chose ou qu'ils voudront comparer les prix, les caractéristiques et les services.
Nous connaissons aujourd'hui deux types de publicité sollicitée, toutes les deux sous une forme imprimée : les petites annonces et les pages jaunes de l'annuaire, deux supports publicitaires qui enregistrent la croissance la plus forte et la plus rapide. Les versions électroniques et interactives de ces médias vont représenter une part très importante de la publicité dans le futur 1:1.

Le World Wide Web est déjà en lui-même un immense annuaire électronique de publicités sollicitées. Le Web est le meilleur exemple au monde de média établissant un lien interactif ciblé.

• *Publicité intégrée*

Tandis que les consommateurs décident de ne plus participer à la publicité (pourquoi ? mais parce qu'ils peuvent le faire !), les publicitaires vont de plus en plus souvent inclure dans les programmes de divertissement et d'information qu'ils financent des références à leurs marques.

La mise en avant plus ou moins clandestine de produits est déjà un marché florissant. On y distingue, clairement, en matière de tarification, le produit qui apparaît dans le décor et celui qui est pris en main par le héros. Alors que nous entrons dans l'ère de l'interactivité, nous voyons maintenant un mélange des genres entre la publicité, la communication et la mise en place minutieuse des produits dans pratiquement tous les circuits de vente affiliés aux médias.

Allez voir le film, puis achetez le tee-shirt chez Blockbuster, retirez votre série de petits personnages chez McDonald's et conversez avec les stars du film sur le site de Toyota (http://www.toyota.com.).

Les marketeurs des produits de grande consommation veulent que l'on parle au maximum de leurs produits. Ils vont graviter autour de l'industrie du cinéma et des événements publics qui attirent encore une audience de masse, laquelle sera de plus en plus difficile à trouver.

Est-ce que cela veut dire que c'est la fin de la publicité sur des médias de masse, non adressables, non interactifs ? Non. Les médias de masse et la publicité qui les financent nous accompagneront toujours. Mais cette forme de publicité va jouer un rôle de plus en plus faible dans les stratégies marketing des entreprises. La fragmentation des médias va continuer à altérer la diffusion de messages de masse et leur rentabilité. Ironiquement, le rôle de la publicité de masse va consister à adresser des messages à des personnes avec lesquelles il n'est pas possible de dialoguer.

Un grand nombre de produits « de marque », depuis les chaussures de sport et les bières jusqu'aux voitures et accessoires de mode, visent des personnes qui aujourd'hui ne sont pas, et ne seront jamais, consommateurs. Il n'y a aucun doute. Car après tout, pourquoi payer 200 $ pour une paire de basket ou 50 000 $ une voiture, si vos amis n'ont jamais entendu parler de la marque ?

Renforcer, aujourd'hui, chaque média grâce à l'interactivité

Les diffuseurs et les éditeurs évoluent sur le marché des intermédiaires. Pour chaque entreprise, le produit final qui a le plus de valeur n'est ni la page imprimée ni les 30 minutes de programmes enregistrés, mais le fait de pouvoir faciliter le contact entre le décideur marketing et le consommateur.

À un certain moment, presque toutes les informations et les nouvelles seront transmises aux consommateurs sous forme électronique et interactive. La baisse du coût et la puissance des technologies de l'information l'autoriseront ; pour des raisons de commodité, les clients eux-mêmes seront demandeurs.

En attendant, nous devons faire face à une demi-génération ou plus d'ajustements difficiles. Cette période sera mise à profit par les entreprises multimédia pour tenter, les uns après les autres, de faire la transition avec l'ère de l'interactivité.

Mais alors, quelle est la marche à suivre pour l'entreprise multimédia d'aujourd'hui ? Elle doit bien sûr imaginer et tester toute forme hybride d'interactivité.
Les gens ne vont pas soudain s'arrêter de lire des magazines ou des quotidiens en version imprimée. Ils ne vont pas non plus cesser d'écouter leurs stations de radios préférées pendant qu'ils conduisent vers leur lieu de travail.

Mais de plus en plus, beaucoup de consommateurs, particulièrement les cibles publicitaires les plus précieuses, seront frustrés si leurs entreprises multimédia ne leur facilitent pas plus rapidement l'accès à davantage d'informations.

Aussi, chaque groupe aujourd'hui positionné sur le marché de la communication doit chercher des manières d'ajouter à ses supports actuels tout une série de liens interactifs avec ses lecteurs, téléspectateurs et auditeurs. Fax-à-la-demande, serveurs en ligne, messagerie vocale interactive, World Wide Web, tous sont aujourd'hui des laboratoires de l'interactivité.

Mais en second lieu, et c'est très important, l'entreprise multimédia doit concevoir son propre système pour se souvenir de ses clients.
Pour réussir à long terme, l'entreprise multimédia doit se souvenir de ce que ses clients attendent d'elle. Ainsi, l'accès au système deviendra de plus en plus facile pour ces clients-là !
Si vous appartenez à un groupe de communication qui veut se lancer dans une forme hybride d'interactivité, prenez comme exemple Medcom, KMPS ou des firmes similaires.

Attribuez à vos clients un code personnel ou tout autre moyen d'identification. Vous saurez ainsi avec certitude qui demande quel type d'information et à quel moment. Assurez-vous ensuite que votre système mémorise bien la façon avec laquelle chaque consommateur y accède, quelle information est affichée à l'écran, quels articles font l'objet d'une recherche détaillée et quels annonceurs sont contactés. Faites en sorte que cela soit toujours plus simple, toujours plus facile pour chaque consommateur, individuellement.

Avec les progrès de la technologie, votre réussite dépendra de ce que vous saurez sur *chacun* de vos clients, et non de ce que vous savez globalement.

Pour réussir, cette connaissance est plus déterminante que votre canal de diffusion et, à long terme, elle sera plus importante que votre contenu. Puisqu'un certain nombre de vos concurrents peuvent fournir le canal et le contenu, votre réussite dépendra de votre capacité à utiliser la connaissance que vous avez recueillie de la part d'un client pour revendiquer cette relation privilégiée avec lui. Il est donc important de fidéliser aujourd'hui même vos clients. À mesure que vous userez d'interactivité pour connaître les goûts et les préférences de chaque individu, vous augmenterez vos marges.

UN MODÈLE 1:1 POUR UNE ENTREPRISE MULTIMÉDIA INTERACTIVE

Aujourd'hui les entreprises multimédia qui diffusent de l'information et du divertissement gagnent pratiquement toutes leur vie en vendant du volume : combien d'impressions, de contacts, de points d'audience. Celles qui aujourd'hui essayent de vendre de la publicité interactive ont conservé les mêmes règles. Elles pensent encore pouvoir compter en volume, en prenant simplement une échelle de mesure différente. Au lieu de compter le nombre d'impressions ou de points d'audience, elles comptent les « clics » ou les « visites ».

Le problème qui se pose, c'est que le volume est un élément conçu pour être appliqué dans le contexte économique d'un marché de masse. Si vous comptez en nombre d'impressions, alors chaque négociation s'évalue sur la même échelle, au même tarif. C'est par exemple 0,005 $ par clic, ou encore 1,5 % sur chaque vente réalisée en ligne.
Dans un marché de masse, la valeur est fonction du volume vendu.
Dans notre nouvel univers, le fait d'appliquer un prix à chaque type de transaction est possible, et c'est la seule manière de procéder. Mais à l'ère de l'interactivité ?

> *Pour l'entreprise 1:1, l'important n'est pas le produit, c'est le client.*

Si nous voulons construire un modèle économique 1:1 pour une entreprise multimédia interactive, nous devons tout d'abord créer des mécanismes pour affecter des valeurs sur la chaîne de la clientèle.

Voici comment faire :

• *Fixez des prix différents lorsque vous vous adressez à des clients différents.*

Si les clients sont différents, ils ont une valeur différente sur le marché. Pourquoi dans ces conditions un média qui sert d'intermédiaire ne pourrait-il pas fixer simplement un prix différent pour des clients différents ?

Cela revient à fixer des tarifs différents pour s'adresser et pour dialoguer avec des clients différents.

Il existe un moyen d'évaluer les différents membres d'une « audience » unique : il suffit de s'imaginer les files de messages publicitaires qui s'intensifient, à mesure que les publicitaires expriment leur souhait de toucher des clients individuels différents.
Souvenez-vous que l'entreprise multimédia interactive (comme c'est le cas pour le serveur en ligne qui utilise le logiciel BroadVision) sera capable d'exposer différents messages publicitaires à différents clients. Cela veut dire que chaque utilisateur d'un média aura une file de messages en ligne qui l'attendra, en fonction du nombre d'annonceurs qui auront « acheté » son contact.
L'entreprise multimédia peut fixer un prix plus élevé en fonction de la longueur de la file d'attente de messages déjà réservés pour ce client en particulier. Elle pourra aussi vendre un droit d'accès prioritaire. Dans ce cas, un annonceur paiera un surcoût pour être en première position dans la file de certains clients.
Cette stratégie d'évaluation comporte un biais favorable aux clients qui acceptent de participer au dialogue puisque ces clients, prêts à livrer plus d'information sur eux-mêmes, présentent un intérêt marketing plus élevé.

La question des droits individuels devient un véritable enjeu.
Ceux qui ne sont pas favorables à ce que le service marketing sache qu'ils ont un chat, qu'ils préfèrent le vin blanc au vin rouge ou qu'ils ont tel diplôme, vont se trouver sans « sponsor » pour naviguer sur le Web ou recevoir les programmes TV qu'ils veulent sur le câble. C'est aux clients qui acceptent de participer à ces dialogues que les professionnels du marketing pourront s'adresser le plus efficacement.
On peut même s'attendre à ce que les entreprises multimédia fassent profiter leurs clients de cet avantage économique. Avec le temps, il est probable qu'on fera payer la non-interactivité plutôt que l'interactivité.

De la même manière, on pourrait fixer un prix d'accès par client, en attribuant à chacun d'eux un score en fonction de ses précédentes interactions.
À chaque fois qu'un client cliquera sur un nouveau bandeau publicitaire, le « coût-par-clic » pour ce client-là augmentera légèrement. Lorsque le client commandera un article directement en ligne, ou qu'il apportera à l'annonceur une certaine valeur transactionnelle, le coût d'accès à ce client s'élèvera à nouveau de façon significative.
Pour l'entreprise multimédia interactive, le fait de différencier ses tarifs en fonction des différents clients touchés ne doit en aucun cas lui servir de prétexte à relâcher l'effort nécessaire pour acquérir le temps et l'attention d'un client individuel.

L'utilisateur d'un média va générer plus de revenus publicitaires si

(a) ses goûts et ses préférences connus correspondent à l'offre d'un annonceur,
(b) il réagit aux messages et commande régulièrement.

Chacun de ces deux critères dépend globalement de l'utilisateur lui-même, alors pourquoi ne pas créer un modèle économique dans lequel le revenu commercial et publicitaire est partagé avec l'usager : « Nous vous remboursons 25 % sur les commissions de vente et sur les revenus publicitaires que vous générez » :

- *Faites payer les transactions.*

Un média interactif n'est pas simplement un mécanisme pour communiquer, c'est aussi un canal de vente. Comme pour tout canal de vente, l'activité commerciale l'autorise à conserver un pourcentage des transactions.

Peu importe que l'entreprise multimédia fasse payer une commission sur les ventes ou des frais de transactions, elle doit de toute façon faire payer pour les contacts commerciaux qui surfent sur le média.

Dans la plupart des cas, le revenu potentiel qu'elle est en droit d'attendre des contacts commerciaux est tel qu'il éclipse le revenu potentiel d'un contact publicitaire.

C'est-à-dire qu'un média pourra ne faire payer qu'un centime ou deux pour adresser à un prospect un message de publicité sur invitation. Mais si le client commande un produit à 100 $ sur ce média, alors la commission sur la vente pourra facilement s'élever à 100 fois plus.
Face à ce type d'équation économique, le média interactif doit s'efforcer de faciliter les transactions pour les rendre aussi pratiques et rapides que possible.
On peut tout à fait autoriser un client à s'inscrire et à dialoguer gratuitement sur un média. Dans ce cas, vous devez recueillir à l'avance l'agrément du client sur le mécanisme de commande et de paiement. Demandez-lui à l'avance un numéro de carte bancaire ou de compte, ou toute forme de lien ayant trait à la facturation. De ce fait, il sera plus facile d'engager le client dans un système de récompense quel qu'il soit.

- *Utilisez le profil individuel du client pour l'identifier en ligne.*

Certains clients n'aiment pas donner leur numéro de carte de crédit sur Internet (certains n'aiment pas non plus le donner par téléphone). Ceux-là doivent fournir une identification (l'adresse de facturation suffit dans la majorité des cas) pour vérifier que c'est bien eux.

Les différentes formes de cyber-monnaie qui ont été proposées jusqu'à présent comportent toutes une forme d'identification cryptée. Mais chaque jour aussi nous lisons qu'un « pirate » free-lance a découvert une nouvelle technique de détournement.

La voix humaine représentera probablement la forme la plus sûre d'authentification personnelle. « Prononcez les mots "Mississippi" et "Cuyahoga" afin que nous puissions vérifier votre identité. »

En attendant que la technologie de reconnaissance vocale soit d'un rapport coût-efficacité satisfaisant pour être appliquée, électroniquement, en toute sécurité, nous pouvons nous rabattre sur l'utilisation prudente du « profil d'authentification ».
L'opérateur d'un site Web ou de toute autre plate-forme interactive doit être en mesure d'identifier plus ou moins bien un internaute en lui posant quelques questions relatives à son profil.
Nous avons tous gardé en mémoire les films de la seconde guerre mondiale dans lesquels un G.I. essaye de découvrir des espions allemands en posant la question suivante : « Qui engagea le dernier jeu pour Pittsburgh quand ils gagnèrent le championnat en 1942[3] ? »
L'opérateur du site Web doit pouvoir identifier un client en posant automatiquement quelques questions dont lui seul détient la réponse. « En vacances, préférez-vous faire du vélo ou du tennis ? »

• *Imitez les autres serveurs ou les pages d'accueil plébiscitées.*

Si vous lancez un nouveau serveur Web, par exemple, et que vous cherchiez à acquérir de nouveaux clients afin de connaître leurs préférences et de les fidéliser au site, vous devez faciliter autant que possible leur passage d'un site à l'autre.

Même si aujourd'hui la plupart des serveurs disponibles ne s'y prennent pas très bien pour s'adapter aux préférences individuelles, un internaute ne sera pas très chaud pour quitter un site qui lui a demandé un certain temps d'accoutumance. Ce n'est sûrement pas aussi difficile que de changer de traitement de texte ou de passer d'Apple à Windows, mais c'est tout de même ennuyeux.

Alors, faites simple. Demandez à chaque nouveau visiteur de vous indiquer, parmi les 50 moteurs de recherche et les pages d'accueil les plus répandues, quelles sont ceux qu'il aime et qu'il utilise le plus. Puis basculez-le sur votre propre imitation de la présentation de ce site. C'est une interface à laquelle il sera habitué. Il lui sera ainsi plus facile de quitter son ancienne adresse et de rejoindre la vôtre.

3. En fait, c'est Saint Louis qui gagna cette année-là.

Assurez-vous seulement que vous ne freinez pas l'innovation. Une des raisons pour lesquelles un client peut vouloir quitter son ancienne adresse, est justement de retrouver un meilleur environnement.

- *Recherchez de nouvelles occasions de tirer profit des goûts et préférences individuels... en les vendant à d'autres.*

Y a-t-il quelqu'un qui aimerait regarder le film comique que John Cleese[4] trouve hilarant ?
Ou qui aimerait entendre les passages de Vivaldi que Yéhudi Menuhin sélectionne particulièrement lorsqu'il écoute lui-même de la musique ?
Ou le jeu vidéo à multi-joueurs qui a la faveur de Steve Jobs ?
Pour promouvoir ces informations très personnelles que nous déduisons des préférences de nos clients, nous devons être préparés à leur reverser une partie du revenu généré par la commercialisation.

Il ne s'agit pas de payer les clients pour qu'ils participent et qu'ils dialoguent. Ce dont nous parlons ici, c'est de « créer un marché » des goûts et des préférences individuels.
Nous partons du principe que certains utilisateurs cherchent toujours à acheter le même spectacle que celui acheté par d'autres utilisateurs connus pour leur bon goût, ou célèbres pour une tout autre raison. Il est probable que votre connaissance des goûts et des préférences d'une personne sur le cinéma par exemple, puisse intéresser beaucoup d'autres personnes.
Particulièrement si ce cinéphile est quelqu'un d'unanimement reconnu pour son goût raffiné ou pour la pertinence de ses critiques cinématographiques.

L'information relative à une préférence très marquée pourra être vendue sur la base du choix d'un individu reconnu, ou sur la base de groupes de personnes, introuvables autrement.
Par exemple, au lieu de proposer les jeux vidéo préférés de Steve Jobs, vous pouvez présenter, en utilisant la technique de la connaissance tribale, le jeu vidéo le plus apprécié des publicitaires.
Il semble plus facile de commercialiser tout un ensemble de préférences lorsqu'il s'agit d'un thème comme les destinations de vacances. Même si vous avez complètement enregistré les dernières préférences de vos clients en matière de vacances, certains voyageurs de catégorie socioprofessionnelle moyenne ne vont-ils pas vouloir, de temps en temps, faire un voyage inattendu et dépenser sans compter ?
« Indiquez-moi le type de vacances que préfère la personne dont les voyages se font à plus de 90 % en première classe et qui se fait conduire par un chauffeur pour aller travailler. »

4. Acteur de cinéma qui a joué en particulier dans les *Monthy Python* et *Un poisson nommé Wanda.* (NDT)

Ou imaginez l'étudiant d'un collège qui, pour tenter de se faire admettre dans un meilleur collège, demandera à voir les nouveaux gadgets, les livres et les occupations préférées des étudiants dont la note globale dépasse 15/20.

À l'ère de l'interactivité, les goûts et les préférences individuels représentent un actif qui transcende le simple fait de vendre plus de choses à un individu. À chaque fois que les goûts identifiables d'un individu seront commercialisés, on lui demandera naturellement son accord. Il sera dédommagé sous une forme ou sous une autre.

Disposant d'une telle quantité de profils disponibles, une entreprise multimédia peut les synthétiser et proposer une nouvelle gamme d'expériences à des personnes qui veulent être quelqu'un d'autre, ne serait-ce que pour un ou deux jours.

• *N'offrez pas simplement votre produit gratuitement : récompensez ceux qui l'adoptent.*

Netscape s'est invité dans la stratosphère des groupes technologiques représentant des multimillions de dollars, en donnant gratuitement son logiciel, afin de créer une base installée et créer un flux de valeur.
Une grande partie de la réussite de cette stratégie tient au fait que la base de logiciels installée est vite devenue le standard universel.
Pour Netscape, ce fut l'occasion de commercialiser par la suite des versions réactualisées et des logiciels complémentaires.
La réussite tient aussi au fait que le produit en lui-même est de nature interactive puisqu'il reconnecte automatiquement l'internaute sur la page de sommaire de Netscape.

Alors que la concurrence s'anime autour des utilisateurs de médias interactifs, inspirez-vous des nombreuses entreprises telles qu'Empirical Média, pour savoir comment obtenir un aperçu le plus précis possible des goûts et des préférences des individus.

Souvenez-vous que dès que vous avez verrouillé un client, vos marges progressent naturellement. Alors, au lieu de vous contenter de donner gratuitement votre produit, pourquoi ne pas envisager un véritable troc, pour récompenser l'effort de vos clients les plus précieux du temps qu'ils consacrent à s'habituer à vous ?

> *« Passez en notre compagnie vos 20 premières heures de télévision interactive et nous vous offrons 20 heures de cinéma supplémentaires ».*

• *N'oubliez pas de rendre l'interactivité attrayante.*

Aux clients qui recherchent avant tout l'efficacité, vous devez permettre d'aller où ils veulent sans histoire et sans fanfare. Mais d'autres personnes cherchent au contraire à se distraire, certes pas tout le monde, mais du moins certaines d'entre elles.
Dans ce cas, traiter l'interactivité comme un jeu n'est pas une mauvaise idée. Spécialement si le jeu lui-même peut venir matérialiser la bonne affaire et récompenser les clients qui entament un dialogue.

Interactive Imagination est une société qui développe, sur le Web, des sites consacrés au divertissement. Elle a conçu « Riddle » (htpp://www.riddler.com), une série de jeux interactifs qui peuvent être appliqués à d'autres mécanismes de médias interactifs. Son concept est né de l'observation du fractionnement croissant des médias et des marchés, avec des annonceurs confrontés par conséquent à des audiences petites et de moins en moins captives.

Pour jouer à des jeux Riddler (Trivial Pursuit, mots croisés, chasse au trésor, etc.), les internautes doivent s'inscrire au préalable. Chaque joueur répond ensuite à un questionnaire portant sur sa catégorie socioprofessionnelle et reçoit 50 « Riddlets ». Ce sont des jetons virtuels qu'il peut se faire rembourser en argent comptant ou en cadeaux (le Riddlet est l'une des monnaies disponibles sur le site mais il y a aussi des jetons sponsorisés sur lesquels figure le logo d'un annonceur ou d'une marque).
Après s'être inscrit, chaque joueur reçoit une carte de membre. Cette carte est en réalité une icône sur le serveur. Le joueur clique dessus pour voir combien de Riddlets et de jetons sponsorisés il possède dans son portefeuille. Les cadeaux distribués en récompense sont déterminés par les réponses données par les joueurs.

Si deux personnes jouent au même jeu, donnent les mêmes réponses et réussissent toutes les deux un trivial ou un puzzle dans le même laps de temps, chaque gagnant va recevoir un cadeau différent — un cadeau correspondant à ses préférences.
Un passionné de vieilles voitures pourra ainsi recevoir la réplique d'une voiture ancienne à poser sur son bureau, alors qu'un fou de golf pourra recevoir un nouveau putter.

Interactive Imagination utilise Ridmark, un système de gestion de base de données qui a pour vocation d'assortir les messages des annonceurs avec les gagnants qualifiés. Les annonceurs ne payent qu'en fonction du nombre de consommateurs qu'ils touchent réellement.
En conséquence, les joueurs ont tout intérêt à indiquer leurs préférences au moment de leur inscription.

Autre avantage pour les annonceurs, Riddler incite les joueurs à revenir sur le Web, donc à être exposés à d'autres publicités.
Les joueurs se reconnectent aussi pour se faire rembourser leurs jetons Riddlets ou leurs jetons sponsorisés par les annonceurs, en argent comptant ou en cadeaux dans le « Catalogue de Marlow », du nom de la mascotte de Riddler.
En cliquant sur un jeton sponsorisé dans ce catalogue, les joueurs sont immédiatement connectés aux pages recensant les cadeaux offerts par l'annonceur. Un sommaire affiche la valeur des cadeaux et les adhérents choisissent en cliquant sur le bouton « J'achète ».
À ce stade, une page s'affiche pour que le joueur confirme son adresse. À aucun moment, jusqu'alors, l'annonceur n'a eu connaissance de l'identité du joueur.

Interactive Imagination conserve les informations sur le joueur et affiche les publicités selon les centres d'intérêt spécifiés par les adhérents lors de leur enregistrement.
Ce sont les adhérents qui choisissent de s'identifier aux annonceurs en donnant leurs coordonnées en échange de leurs cadeaux.

Les possibilités de développement sont immenses pour le programme de fidélité de Riddler. Prenons l'exemple d'un joueur qui aime la lecture ; il échangera ses points contre des livres.
Grâce à Ridmark, Interactive Imagination sait que cette personne aime la science-fiction. Dès lors, Riddler n'est plus un simple site spécialisé dans les jeux, mais devient une opportunité pour développer une affaire de sponsoring.
Pourquoi ne pas créer une version à laquelle les joueurs s'inscrivent pour recevoir du courrier électronique signé de Marlow pour des produits susceptibles de les intéresser ?

Dans notre exemple, ce membre reçoit un message de Marlow qui lui annonce le prochain livre de Michael Crichton[5] et qui l'invite à le commander. Il lui suffit d'aller dans « le catalogue de Marlow » et de remplir un bon de commande : « Vous serez alors certain d'être l'un des premiers à recevoir un exemplaire dédicacé ».

Imaginez combien il serait facile pour des annonceurs d'encourager un sentiment de communauté parmi les membres. Pourquoi ne pas identifier ceux qui choisissent toujours le même style de cadeaux. Dès qu'ils se connectent au site, on pourrait leur afficher la liste de ces cadeaux.
De cette manière, si un membre essaye de choisir le cadeau qu'il va échanger contre ses points, il peut passer examiner cette liste dans laquelle il trouvera d'autres cadeaux susceptibles aussi de l'intéresser, lui.

5. Auteur de *Jurassic Park*. (NDT)

L'entreprise multimédia à l'ère de l'interactivité aura plus de possibilités qu'avant pour faire des rapprochements et des recoupements rentables. Et ceci, quelle que soit la solution choisie : dédommager les utilisateurs du média qui dialoguent ou leur faire payer l'utilisation du média.

Désormais, les garants d'une réussite commerciale à long terme ne sont plus le « canal » ou le « contenu » mais les goûts et préférences personnels de l'utilisateur du média. C'est le grand principe.
Cherchez à comprendre le processus, personnalisez-le et diffusez-le.

Transformez-le en jeu, si nécessaire. Payez-le, si nécessaire. Mais le plus important, c'est de verrouiller le client.

Il n'est pas difficile de personnaliser votre produit selon les goûts individuels des clients si le produit que vous vendez peut être numérisé, informations ou divertissement, par exemple. Il n'est pas non plus difficile d'exploiter les ressources d'une entreprise multimédia pour distribuer votre produit à ceux qui le désirent le plus.

Mais si vous vendez un produit physique qui demande un système de distribution physique, le circuit de distribution lui-même représentera souvent le plus gros obstacle vis-à-vis de la mise en place d'une relation 1:1 avec votre client.
Traiter avec les canaux de distribution physique est le sujet de notre prochain chapitre.

CHAPITRE 12

LE VENDEUR DE CHAUSSURES PRESSÉ

COMMENT SUPPRIMER LES BARRIÈRES DE LA DISTRIBUTION ENTRE VOS CLIENTS ET VOUS

Un samedi après-midi, un conseil en management que nous connaissons bien, spécialiste de la distribution alla acheter une paire de chaussures de sport dans un magasin spécialisé très fréquenté.
Il remarqua un vendeur qui systématiquement proposait des sous-marques à ses clients — la même sous-marque à chaque fois. Par deux fois, il vit deux ventes arrachées des griffes d'une grande marque nationale très connue, et cela aiguisa beaucoup sa curiosité. Il s'approcha du vendeur pour comprendre pourquoi les clients étaient dirigés vers cette marque particulière. Est-ce que cette sous-marque proposait une stimulation particulière aux vendeurs ? Y avait-il trop de chaussures de cette sous-marque en stock ? Le vendeur expliqua que la raison était beaucoup plus simple que cela. Cette marque livrait ses chaussures avec les lacets déjà posés et ce simple fait lui faisait économiser du temps tout en évitant les difficultés pendant un samedi après-midi de grande affluence. Le vendeur n'avait pas le temps de poser les lacets sur la marque nationale !

SUPPRIMEZ LES BARRIÈRES ENTRE LE CLIENT ET VOUS

Vous avez des questions à vous poser si vous souhaitez diriger une entreprise 1:1 : « Obligez-vous vos clients à lacer leurs chaussures ? »

Placez-vous les cartes de garantie déjà renseignées du numéro de série, de manière commode à l'extérieur de l'emballage, si vous souhaitez que le maximum de clients vous la retourne ?

Remplissez-vous au préalable les formulaires de demande de prêt, pour que vos clients viennent dans votre banque pour négocier leur prêt immobilier, ou laissez-vous vos clients se débrouiller tout seuls ?
Toute une série d'obstacles existe entre une entreprise et ses clients. Chaque fois qu'un client veut acheter et reçoit une douche froide parce

qu'il ne réussit pas à avoir quelqu'un au téléphone, parce qu'on lui refuse un financement, parce qu'il ne trouve pas la bonne taille, parce que les employés sont incapables de lui faire une proposition, ou simplement parce qu'il ne trouve aucun interlocuteur à qui parler, c'est une lourde perte au niveau de la dernière ligne du compte d'exploitation.

L'entreprise 1:1 doit s'efforcer de repérer ces barrières et de les éliminer.

Dans la plupart des cas, le système de vente et de distribution constitue le principal obstacle dans l'activité d'une entreprise 1:1.
Dans ce chapitre, nous analyserons les conséquences de ces systèmes pour une entreprise qui veut passer d'une stratégie de masse à une stratégie pilotée par le client.

- Comment une entreprise doit tenir compte des obstacles posés par le système de distribution, qui sont autant d'écrans entre l'entreprise et le client final ?
- En quelles circonstances une entreprise peut-elle prendre le risque de court-circuiter ses distributeurs ?
- Quand le traitement des acteurs de la chaîne de distribution en tant que clients, a-t-il un sens ? Quels sont les avantages et inconvénients de cette stratégie ? Est-ce qu'une approche 1:1 peut aplanir les conflits qui surviennent habituellement avec la distribution ?
- Quand une entreprise est-elle impliquée dans la distribution de produits et de services ? Quelle est la meilleure stratégie à mettre en place pour faire face à ces nouvelles tendances de la technologie qui menacent de supprimer les intermédiaires ?

Quelles précautions faut-il prendre vis-à-vis du marketing de masse ?

Il subsiste depuis toujours des freins qui inhibent le comportement des clients, même quand l'entreprise est si proche de ses clients qu'on peut dire que le circuit de distribution est quasiment inexistant.
Dans votre prochaine soirée, demandez autour de vous combien de personnes font vraiment la vidange de leur voiture tous les 5 000 kilomètres comme le recommandent les constructeurs automobiles. Quelques-uns vous diront qu'ils le font mais la plupart de vos amis admettront qu'ils ne le font pas. Demandez alors autour de vous qui serait prêt à payer 100 F à quelqu'un qui prendrait en charge votre voiture dans votre garage et qui s'occuperait de tout sans effort de votre part. Il n'y aura probablement pas unanimité sur le prix à payer mais peu importe.

La vocation de l'entreprise 1:1 n'est pas de traiter tous ses clients de la même manière.

Il est certain que dans la zone de chalandise des stations-service (15 km environ), il y a de l'argent à gagner pour celles qui offriraient un tel service. En plus de l'huile de vidange, la station pourrait proposer des services supplémentaires pour chacun de ses clients, ce qui entraînerait :

- un profit supplémentaire sur chaque prestation
- la consolidation sur une longue période de la fidélité de ses clients.

La station-service qui fait la vidange des moteurs n'a pas de circuit de distribution pour atteindre ses clients. Pas de détaillant qu'il faut dorloter, pas de grossiste qui réclame à cor et à cri une ristourne supplémentaire ou une opération promotionnelle. Néanmoins, on peut considérer le service à domicile pour la vidange des voitures comme une forme d'amélioration du canal de distribution. La station-service peut considérer la prise en charge à domicile comme un nouveau canal de vente. Mais elle peut également y voir la suppression d'un frein à la vente.
Plutôt que d'intervenir sur des freins liés au comportement de chaque client, les acteurs d'un marché de masse se concentrent sur des freins de masse. Bien que cette première approche puisse être efficace dans de nombreuses circonstances, elle présente deux inconvénients importants. Elle est d'une part peu rentable et d'autre part moins efficace avec les clients qu'on aurait intérêt à garder et à développer.
La vérité est simple : toute politique qui a pour ambition de s'appliquer à l'ensemble des clients, dans le but d'augmenter à coup sûr les profits de l'entreprise, a toutes les chances de *dégrader* les relations avec *certains* clients.

Une banque du Connecticut avait sa principale agence dans une de ces villes-dortoir cossues de la banlieue de New York. Des cadres supérieurs habitent cette petite ville et le samedi, la circulation est tellement dense en centre ville qu'il est impossible de trouver une place pour se garer. Pour lever ce frein, la banque proposa à ses clients le parking gratuit pour la totalité du samedi. « Stationnez sur le parking de la banque, faites vos courses et nous validerons votre ticket de stationnement ». Bien sûr, la banque attendait des retombées de cette opération pour *tous* ses clients ; c'était une manière de lever les freins à la visite de l'agence le samedi.
Un samedi matin, un client vint se garer sur le parking de la banque et se souvint que sa femme était venue la veille faire ses opérations bancaires. Alors, il passa une heure à faire ses courses, acheta une paire de chaussures puis revint à son parking. Là, il demanda à un employé de banque de lui valider son ticket de stationnement. Celui-ci répondit qu'en vertu de la

politique maison, il devait faire obligatoirement une opération bancaire pour avoir la gratuité de son ticket. Le client précisa que c'était vraiment son intention mais que sa femme l'avait précédé la veille. De toutes façons, ils étaient de bons clients de la banque etc.
Vous pouvez déjà prévoir la suite de cette conversation. L'employé resta droit dans ses bottes ; il y avait un règlement et puis zut, c'était le même pour tous les clients !
Le client s'irrita de l'obstination de l'employé, car il n'avait pas l'habitude d'être traité comme n'importe qui. Il était président-directeur général d'une des plus grandes entreprises des États-Unis, avec son siège à New York. Finalement, il accepta néanmoins de faire une transaction : il décida sur le champ de fermer la plupart de ses comptes — 500 millions de francs répartis sur plusieurs comptes — et les transféra vers une autre banque. L'histoire ne dit pas si l'employé, à ce moment, accepta de valider le ticket.

Traiter ses clients comme n'importe qui revient à les traiter comme s'ils n'étaient personne.

Par opposition à cette démarche de marketing de masse, l'entreprise 1:1 étudie les freins vis-à-vis de ses clients, client par client.

Les freins dans le système de distribution

Le premier obstacle que rencontrent la plupart des entreprises qui essaient de mettre en place un modèle inspiré par le client, est le réseau de vente et de distribution.
Un modèle du type « fabriquer-puis-vendre » peut gagner des points dans la compétition en exploitant d'une part un système de gestion des stocks efficace et d'autre part un système de distribution à toute épreuve. Un modèle du type « fait-sur-commande » n'a pas besoin de système de gestion des stocks ; par contre, son système de livraison doit être précis et « high-tech ». Il y a bien des obstacles sur le chemin qui mène à la transformation réussie vers le 1:1 quand une entreprise n'a pas le contact direct avec ses clients finaux, mais doit passer par un grand nombre de distributeurs tels que des grossistes, des détaillants, des VARs (revendeurs à valeur ajoutée[1]) ou des entrepôts de stockage.

L'entreprise a peu de marge de manœuvre vis-à-vis de ces obstacles. Contrairement aux cas que nous avons déjà vus de la station-service ou de l'agence bancaire, le problème ne consiste pas à ajouter des services annexes au produit de base ni à savoir lesquels parmi les clients sont les plus importants.

1. Ce système des VARs existe surtout pour les produits informatiques. (NDT)

La complexité des canaux de distribution freine les efforts des entreprises qui cherchent à améliorer leurs relations avec les clients finaux. Surtout quand l'entreprise doit gérer un grand nombre de produits qui sont distribués dans des circuits séparés, et souvent concurrents.

Comme beaucoup de grandes sociétés, 3M s'efforce de présenter une façade globale à ses clients grands comptes et prend de nombreuses initiatives ayant pour but d'utiliser l'information qu'un client fournit dans une division afin de mieux le servir dans une autre division de l'entreprise. Par exemple, 3M vend à Procter & Gamble et Kimberly-Clark des bandes adhésives utilisées pour les couches bébé et connaît donc parfaitement le rythme de production de ces produits chez ses deux clients. Une autre division de 3M fabrique les rouleaux adhésifs qui servent à fermer les emballages contenant les couches ; ce dernier produit se trouve sur un marché très concurrentiel. Comme la division des bandes adhésives connaît le volume de production, elle peut utiliser cette information pour livrer des rouleaux adhésifs en temps utile et avec la quantité précise. En d'autres termes, 3M va très simplement augmenter la fidélité de ses clients en livrant la bonne quantité de rouleaux adhésifs dans le même camion que les bandes adhésives.
Malheureusement, il n'est pas toujours aussi simple de procéder de cette manière. Les rouleaux adhésifs pour cartons d'emballage, contrairement aux bandes adhésives pour couches jetables, sont destinés à une grande variété d'utilisateurs. Ces utilisateurs, parmi lesquels on trouve Procter & Gamble et Kimberly-Clark achètent habituellement leurs rouleaux adhésifs chez un distributeur de 3M en même temps que d'autres de leurs concurrents.

Si 3M avait l'intention de percer sur ce marché des rouleaux adhésifs destinés à la production des couches jetables pour ces deux clients importants, il devrait engager un bras de fer difficile avec un distributeur puissant. De plus, Procter & Gamble et Kimberly-Clark achètent leurs rouleaux adhésifs — pour les couches mais aussi pour de nombreux autres produits — chez ce distributeur et chez ses concurrents. Dans ces conditions, il est peu vraisemblable que ces deux sociétés acceptent un système de livraison particulier de la part de 3M, quels que soient les avantages et la commodité qu'un tel système pourrait représenter.

Pensons à un nouveau système de distribution

Il est souvent facile de contourner les barrières que représente un système de distribution efficace, non pas en l'améliorant mais en créant à côté un tout

nouveau système indépendant. Cela a été le cas, (et avec quel succès !), pour les trois marques automobiles Lexus, Infiniti et Saturn. À des degrés divers, ces trois marques sont appréciées pour leur fiabilité et leur service Clients. Pour chacun de ces trois cas, le constructeur a choisi de créer un nouveau réseau de distribution plutôt que d'utiliser les réseaux existants, chers et très développés. De nouveaux concessionnaires avec un nouveau système de fonctionnement, furent choisis pour assurer le succès de l'opération.
Les concessionnaires Lexus par exemple, signèrent des contrats qui donnaient au constructeur un plus grand contrôle sur le service client et sur les méthodes de ventes que le réseau déjà en place (Toyota).
Ces trois compagnies ont fait un gros effort sur le plan de la relation des clients avec les concessionnaires.

Cet effort s'est particulièrement porté sur la coordination exigée entre le concessionnaire et le service à la clientèle. Il s'est aussi porté sur la disparition de la pratique du marchandage sur les prix entre le client et son vendeur. Cette politique du prix imposé a eu un succès mitigé, mais l'intention était claire : en éliminant le côté loterie lors de l'achat d'une voiture, les constructeurs espèrent améliorer en profondeur les relations des concessionnaires avec leurs clients.
L'idée des constructeurs est simple ; il s'agit de lever tous les freins qui empêchent les clients de traiter avec eux. Certes, les constructeurs maîtrisent certains freins, comme la qualité globale de la voiture et la fixation du prix en fonction de sa valeur mais la plupart des réticences proviennent du réseau de distribution. C'est la raison pour laquelle les trois marques citées plus haut ont préféré lancer un réseau tout neuf plutôt que de faire du neuf avec du vieux en imposant de nouvelles règles de fonctionnement à un réseau existant.

Dans le secteur des voitures d'occasion, un nouvel acteur est, lui aussi, en train de réinventer un nouveau système de distribution. Carmax, filiale de Circuit City, un supermarché de produits électroniques, ne possédait pas de réseau de distribution dans le secteur automobile et a pu ainsi démarrer de zéro, sans prendre de risques avec un réseau existant.
Quand vous entrez dans un parking Carmax, vous êtes d'emblée frappés par une énorme surface sur laquelle s'alignent des rangées interminables de voitures dernier modèle en excellent état. Pour être acceptée dans un parking Carmax, une voiture doit remplir un certain nombre de conditions obligatoires. 110 points de la voiture sont vérifiés. 95 % des voitures qui passent l'inspection ont moins de trois ans et ont moins de 50 000 kilomètres au compteur. Une fois la voiture acceptée à l'inspection, le personnel de Carmax passe en moyenne huit heures à la vérifier, la nettoyer, et la préparer pour la vente. Ainsi, un obstacle majeur à la vente est immédia-

tement levé : toutes les voitures mises en ventes sont propres et fiables. Un autre obstacle est également levé : chez Carmax, les prix sont fixes et non négociables ; le marchandage n'existe pas.
Le nombre de voitures en stock chez Carmax est si grand qu'un client a toutes chances de trouver la voiture d'occasion qui lui convient. Cependant, ce choix immense peut être un obstacle et pour le surmonter, Carmax a mis au point un programme d'assistance et de sélection très sophistiqué. L'acheteur potentiel demande à un ordinateur selon un programme très convivial de lui trouver, par exemple, toutes les voitures 4 places, décapotables et de fabrication américaine. Quelques instants plus tard, il reçoit une liste lui indiquant tous les emplacements du parking où se trouvent les voitures qu'il recherche ainsi qu'un plan. L'acheteur n'a plus qu'a se rendre aux emplacements indiqués pour jeter un coup d'œil aux voitures qui l'intéressent. Pour faire un essai ou demander des renseignements complémentaires, il suffit d'appeler un vendeur à partir d'une borne qui se trouve à proximité et le vendeur se rend immédiatement à l'endroit où se trouve le client. Ce sera le premier contact humain avec un vendeur depuis l'arrivée au parking.
Pour faire un essai de conduite, le vendeur donne les clés de la voiture au client et l'accompagne. À la sortie du parking, le gardien enregistre les codes barre de l'identité du vendeur et de la voiture (sur le pare-brise). Ainsi, l'ordinateur sait, jusqu'à son retour, que la voiture est sortie pour un essai et d'autres acheteurs intéressés par cette voiture ne perdront pas de temps à la chercher dans le parking.
Tous les emplacements du parking sont munis d'un code barre et tous les matins, avant l'ouverture, un employé scanne l'ensemble des emplacements et des voitures afin que le stock physique en ordinateur soit correct. Carmax a éliminé, les uns après les autres, tous les obstacles qui s'opposent à la vente d'un véhicule d'occasion. De plus, Carmax a mis en place une organisation très efficace et très rentable. La prochaine étape de leur développement sera d'enregistrer les demandes particulières des acheteurs, d'une fois sur l'autre, afin de pouvoir avertir un visiteur que le modèle qu'il désire vient d'arriver.

UN PARCOURS D'OBSTACLES : ACHETER UNE CARTE DE VŒUX

Passons maintenant à un domaine très différent et examinons le cas des obstacles qui se dressent devant quelqu'un qui veut acheter une simple carte de vœux. Nous allons analyser ces obstacles depuis la naissance du désir et allons voir que la plupart d'entre eux prennent naissance dans le circuit de distribution.

Pour acheter une carte, le client doit :

- s'habiller
- prendre sa voiture
- aller à un endroit où l'on trouve des cartes
- se garer
- sortir de sa voiture et aller dans le magasin, quel que soit le temps qu'il fait
- trouver le rayon des cartes dans le magasin
- choisir parmi des dizaines, voire des centaines de cartes qui ne l'intéressent pas, celle qui lui plaît
- faire la queue
- payer
- ressortir du magasin pour aller à la voiture
- retourner chez lui.

N'est-ce pas beaucoup de difficultés pour un produit sur lequel l'éditeur ne gagne que quelques francs ?
Comme la plupart des entreprises, les éditeurs de cartes de vœux ont traditionnellement considéré que les détaillants étaient leurs clients. Ce n'est que très récemment qu'elles ont commencé à explorer le territoire qui pourrait exister au cas où elles créeraient des relations 1:1 avec les utilisateurs finaux. La préoccupation principale d'un éditeur de cartes de vœux est la longueur du rayon dans le magasin, laquelle conditionne son volume de ventes. La longueur des rayons de ses concurrents est aussi un paramètre à surveiller. En réalité, le principal concurrent de ces éditeurs dans notre monde informatisé qui court après le temps est l'ordinateur personnel, équipé d'un modem et d'une imprimante couleur.

Le réseau de distribution est, dans ce cas, plus un obstacle qu'une force. Au fur et à mesure que les ordinateurs sont devenus puissants, les éditeurs ont essayé, sans grande conviction, d'avoir des relations plus « technologiques » avec les clients finaux. Ils ont essayé de mettre en place dans des magasins, des kiosques de fabrication de cartes à la demande. Mais il faut le plus souvent passer beaucoup trop de temps pour utiliser ces kiosques, qui au demeurant ne sont pas très pratiques. Très souvent, le kiosque perd la mémoire au moment précis où il allait imprimer votre carte et il faut tout recommencer à zéro. Vous ne pouvez pas refaire la même carte que celle que vous venez de créer, ou que vous avez créée le mois dernier. Vous pouvez, en outre, très bien aller au kiosque du concurrent puisque ces machines ne savent rien de vous. Enfin, pour utiliser ces kiosques, vous devez prendre votre voiture et vous rendre au magasin.

Que se passerait-il si le client pouvait créer sa carte chez lui, en quelques instants, avec son ordinateur personnel qui se souviendra bien sûr de toutes ses cartes précédentes et pourra même les imprimer et les envoyer par la poste ? Pour l'éditeur traditionnel de cartes de vœux, l'idée paraît séduisante mais pose un sérieux dilemme. En effet, les directeurs de l'entreprise de cartes savent pertinemment que c'est le meilleur moyen d'offrir aux clients plus de commodité et d'augmenter leur fidélité mais ils savent aussi que c'est le plus sûr moyen de se mettre à dos le réseau de distribution. Celui-ci fera appel probablement à tous les artifices juridiques pour détruire cette concurrence qui les court-circuite.

American Greetings et Hallmark ont fait tout les deux les premiers pas vers un achat électronique et vers la personnalisation.

Une troisième compagnie vient d'entrer récemment sur ce marché de l'édition électronique : Greet Street (htp://www.greast.com). Greet Street est une société qui vend des cartes de vœux mais ce n'est pas son activité principale. Tony Levitan, le créateur de Greet Street croit que les cartes de vœux ne sont pas un produit mais un outil de communication. En tirant parti du fait que les clients veulent surtout quelque chose de commode, Greet Street propose d'envoyer, en tarif en nombre, ou en tarif UPS (trois jours d'expédition) ou le jour suivant avant trois heures de l'après-midi, n'importe quelle carte choisie par le client. Le client peut aussi se programmer des messages « pense-bête » par e-mail qui lui éviteront dorénavant d'oublier un anniversaire ou une commémoration.

Greet Street gère plus de 20 000 modèles de cartes dont il a négocié les droits exclusifs auprès des éditeurs. 8 000 d'entre elles sont disponibles sur le réseau Internet, classées selon diverses catégories. Y a-t-il une carte qui vous ferait envie ? Mettez-la dans votre sac de commande provisoire et vous déciderez plus tard de confirmer ou non votre achat. Dès que vous avez décidé d'acheter réellement une carte, écrivez votre message avec la typographie que vous aimez. Les cartes de Greet Street ressemblent à toutes les cartes que vous pourriez acheter chez votre détaillant habituel. La différence, c'est que Greet Street se *souvient* de vous et de tout ce que vous avez fait sur son site Web. Dans votre zone personnelle, vous pouvez regarder toutes les cartes que vous avez déjà envoyées (quoi, à qui et quand) ainsi que toutes les autres informations telles que le nom (et le degré de parenté avec vous), l'adresse, la date anniversaire, etc.

L'analyse des ventes que réalise Greet Street permet d'améliorer le marketing des éditeurs. Par exemple, un éditeur de cartes gay s'est rendu

compte que ses cartes fonctionnaient aussi bien chez les hétéros. *Last but not least*, Greet Street a demandé à ses clients de lui envoyer leurs propres créations afin de les inclure dans la liste des cartes en stock !
Bien sûr, tout cela est assez facile pour Greet Street qui n'a pas à supporter les frais d'un réseau de vente. Personne ne retirera du rayon les cartes Greet Street sous prétexte qu'on ne les voit pas ailleurs.

Saturn, Infiniti et Lexus ont, eux aussi, lancé leur propre réseau de concessionnaires. Carmax applique les règles des supermarchés à un système de distribution complètement démodé. Greet Street peut se permettre de proposer des cartes personnalisées, car il ne supporte aucun frais de distribution. Streamline, le service de livraison des courses à domicile, s'est rendu compte qu'il était plus facile d'acheter ses produits directement chez les grossistes quand les détaillants refusaient de le livrer. 3M n'a pas été capable de monter une relation interactive avec ses deux principaux clients en raison des conflits en chaîne que cela aurait entraîné avec ses distributeurs. French Rags a été entraîné vers la vente personnalisée « clandestine » pour échapper aux rapports difficiles et même traumatisants avec les acheteurs des grands magasins ; ceux-ci n'avaient pas perçu toutes les finesses de ses produits et ne voulaient rien faire de plus que de les mettre en rayon.

Un thème se dégage de toutes ces expériences : quelle que soit votre activité, analysez bien votre système de distribution avant de penser au 1:1 car les choses seront moins simples que vous pouvez le penser. La plupart du temps, ce ne sont pas les distributeurs eux-mêmes qui vous bloqueront. Mais ce sera le système dont tous les mécanismes ont été conçus dans une optique de « fabriquer-puis-vendre ». Dans l'optique « fait-sur-commande », pilotée par le client et non plus par le produit, un tel système de distribution n'est pas utile. C'est même plus souvent un frein qu'un avantage. Il est plus que vraisemblable que les changements les plus extraordinaires viendront si vous créez un autre système.

Si vous ne pouvez pas les vaincre, faites-en vos alliés

Quand on ne peut pas contourner un système de vente et de distribution bien établi sans faire prendre de gros risques à son activité, la meilleure méthode consiste à faire participer le réseau à son aventure. Cela revient, en quelque sorte, à traiter les membres du réseau comme des clients à part entière.

Bien entendu, de nombreuses entreprises ont toujours fonctionné comme cela. Beaucoup d'entreprises qui vendent des produits manufacturés considèrent les détaillants qui présentent leurs produits sur leurs rayons, et aussi les grossistes qui livrent leurs produits aux détaillants, comme leurs véritables clients, à la place des acheteurs finaux. Les constructeurs automobiles pensent que leurs véritables clients sont les concessionnaires qui réceptionnent leurs voitures (et les achètent) après les chaînes d'assemblage.
Quand une entreprise 1:1 traite ses distributeurs comme de véritables clients, elle augmente à la fois leur fidélité et ses marges. Il subsiste néanmoins des différences importantes entre un client-utilisateur final et un client distributeur. Par exemple, contrairement aux utilisateurs finaux, un distributeur considère les autres distributeurs comme ses concurrents. En conséquence, l'entreprise devra montrer beaucoup de prudence quand elle souhaitera traiter différemment des distributeurs différents, afin que ceux-ci ne perçoivent pas ces différences de traitement comme une concurrence déloyale. Il est commercialement important de ne pas diffuser à d'autres distributeurs les informations recueillies sur la manière dont un distributeur aime être traité.
N'oubliez pas en outre, que selon toute probabilité, votre distributeur travaille non seulement avec votre entreprise mais aussi avec vos concurrents. Pour être attractif vis-à-vis de ses clients, le distributeur *doit* offrir un grand choix de produits. Présenter les produits d'une seule entreprise revient à être une simple extension de cette entreprise. En conséquence, une entreprise pourra convaincre un distributeur d'augmenter la part de ses produits dans son assortiment mais elle ne pourra jamais le convertir totalement. Aller dans ce sens reviendrait à saper le fonds de commerce du distributeur.

Il faut savoir que tout ce que vous enseignerez à vos distributeurs — transfert de technologie, expertise, etc.— profitera à vos concurrents.

Quand il diffuse auprès de ses concessionnaires de meilleures techniques de services à la clientèle, Toyota doit savoir que ses concessionnaires sont aussi en relation avec Isuzu ou Chevrolet et qu'ils utiliseront peut-être ces nouvelles armes au profit des autres marques.

Une autre conséquence du traitement des distributeurs comme des clients se lit sur la matrice de différenciation des clients. Les différences de valeur et de besoin des distributeurs de l'entreprise ne sont pas de même nature que celles relatives aux clients finaux. Au chapitre 3, nous avons montré comment la base de données des clients individuels d'une librairie diffère de celle de l'éditeur. Si l'on porte les clients d'un éditeur de cartes postales sur le graphique de la matrice de différenciation des clients, on a :

L'éditeur de cartes de vœux
Matrice de différenciation de la clientèle

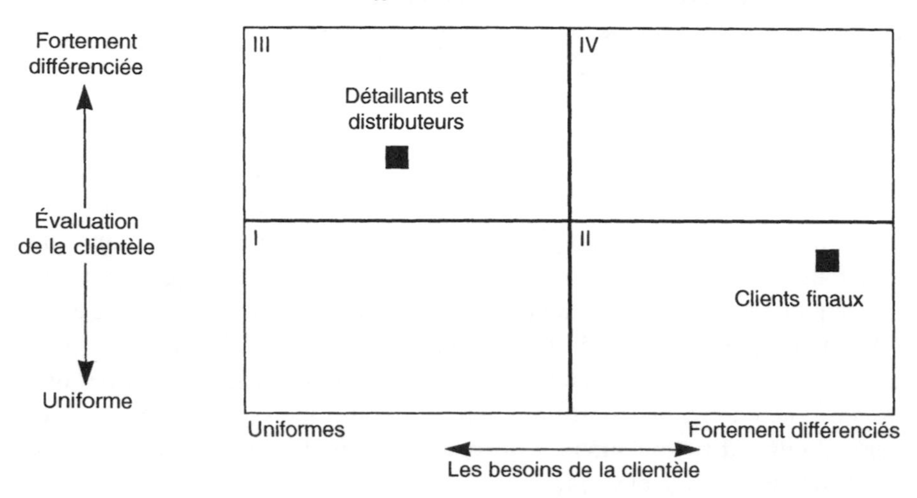

L'éditeur de cartes qui vend directement au client final doit pouvoir satisfaire une grande variété de besoins. S'il considère ses distributeurs comme des clients, sa base de données sera beaucoup moins différenciée en termes de besoins. Comme un libraire, le magasin qui vend des cartes de vœux souhaitera offrir à ses clients la palette de modèles la plus large possible afin de satisfaire ses clients à lui, c'est-à-dire les consommateurs. Les distributeurs seront différenciés par la valeur qu'ils représentent à l'inverse des consommateurs. On trouvera quelques grandes chaînes et des distributeurs traitant de gros volumes, à côté de petits revendeurs indépendants. Face à une telle base de données, la stratégie naturelle de l'éditeur sera différente selon qu'il s'agit des grands comptes ou de très grands comptes au niveau national comme Wal-Mart. Pour les premiers, l'éditeur mettra sur pied une force de vente au service de ses distributeurs et pour les seconds, il y aura quelques représentants aux petits soins des comptes nationaux.

Cette stratégie naturelle ne pourra pas rester immuable. En effet, quand la base client d'une entreprise est dans le côté gauche de la matrice de différenciation des clients, la tendance est d'augmenter la palette des besoins du client et d'amener ainsi progressivement l'entreprise vers le côté droit de la matrice. Dans cet esprit, l'entreprise cherchera, en amont du produit, à personnaliser le conditionnement, la promotion, la facturation, l'emballage, la livraison, etc. D'une manière générale, ces services additionnels viseront à rendre le distributeur ou le détaillant plus efficace, plus rentable, plus souple et plus désirable face à ses propres clients.

En traitant avec ses distributeurs, le fabricant aura tout intérêt à proposer une personnalisation, comme de conditionner les cassettes vidéos sous film rétractable dans les quantités souhaitées, ou d'imprimer un catalogue au nom du distributeur.

Mais, considérer ses distributeurs comme des clients conduit parfois à proposer des services trop coûteux pour les petits clients.

Avec ce type de base de clientèle, il est rentable de fonctionner à flux tendu pour le réapprovisionnement, avec un EDI (système de gestion avec zéro papier) ou d'autres outils interactifs qui favorisent la proximité entre le client et l'entreprise.
Quoi qu'il en soit, une entreprise qui traite avec ses distributeurs doit adopter une attitude marketing *business to business*. Les clients professionnels sont simplement plus gros que les autres et il sera *toujours* rentable, malgré leur taille, d'investir pour eux dans des stratégies pilotées par le client telles que la personnalisation et l'interactivité.

LES CHAÎNES DE LA DEMANDE ET LA CASCADE DE LA DISTRIBUTION

Il est couramment admis dans une économie qui fonctionne selon le modèle « fabriquer-puis-vendre », que le succès réside dans la gestion et le contrôle de la chaîne d'approvisionnement des produits de base nécessaires à la fabrication du produit final. On trouve à l'origine de cette chaîne d'approvisionnement les matières premières qui interviennent dans la fabrication. Sans matières premières, aucune production n'est possible. Il y a de nombreuses façons de gérer cette chaîne des approvisionnements. Dans la première moitié de notre siècle, Henry Ford achetait des plantations d'hévéas en Extrême-Orient afin de se garantir un prix très bas pour les pneumatiques qui équipaient ses voitures.

Dans la deuxième moitié de ce siècle, Wal-Mart demande à ses fournisseurs d'installer un système de gestion des stocks très sophistiqué de telle manière qu'ils puissent réapprovisionner la chaîne de ses supermarchés vite et bien.
À l'inverse, dans une économie qui fonctionne selon le modèle « fait-sur-commande », il est probablement plus important de gérer ou de contrôler la « chaîne de la demande » que la chaîne des approvisionnements. Cette chaîne de la demande représente la chaîne des transactions et des relations qui conduisent jusqu'au client final en passant par les différents canaux de distribution et les services de conception et fabrication du produit. Le

fabricant n'est finalement qu'un maillon de cette chaîne de la demande. En fait, cette chaîne est analogue à la chaîne d'approvisionnement évoquée dans le modèle précédent, mais on l'analyse à contre-courant.
On trouve le client final à l'origine de la chaîne de la demande. Pas de vente ou de transaction le long de cette chaîne sans client final. Cela signifie que le levier le plus puissant et le plus important, pour n'importe quel type d'entreprise, réside dans la bonne gestion de ses relations avec le client final, c'est-à-dire dans l'occupation du terrain d'élection du marketing 1:1.
Il n'en reste pas moins qu'il est pratiquement impossible de maîtriser chaque élément de la chaîne de la demande. C'est la raison pour laquelle la création de relations 1:1 avec les acteurs du réseau de vente reste la meilleure manière d'opérer.

Un réseau de distribution peut être constitué d'un seul intermédiaire — le concessionnaire automobile par exemple — ou de deux ou plusieurs intermédiaires dans une structure pyramidale. Un grand fabricant de micro-ordinateurs vend ses produits en masse à des grossistes dans le monde entier, lesquels les revendent en quantités plus petites à des VARs (détaillants à valeur ajoutée) et à des détaillants qui à leur tour les vendent à l'unité à des utilisateurs finals ou en petites quantités à des entreprises.

La concurrence pour obtenir des clients existe à tous les stades de cette chaîne de la demande. Non seulement le constructeur informatique est en compétition avec d'autres constructeurs, mais le grossiste se bat contre d'autres grossistes et le revendeur contre d'autres revendeurs. Dans certains pays, les grossistes peuvent même être en concurrence avec les grands clients de leurs revendeurs. Chaque entreprise a sa propre base de données clients et prospects, son terrain de concurrence et ses stratégies.
Le fabricant qui a l'intention de créer des relations 1:1 avec des entreprises clientes (ce qui correspond à une demande permanente de tous les maillons de la chaîne de la demande) doit étudier toutes les manières de les rendre plus rentables et plus prospères. Toute entreprise du circuit de distribution a pour objectif de créer plus de fidélité et de protéger ses marges à l'intérieur de sa base clients. Il ne faut pas oublier qu'elle fait aussi partie de la base clients de son fournisseur. Cela veut dire que le fabricant doit considérer ses relations interactives selon deux points de vue : celui de ses relations avec les membres de la chaîne de distribution et celui de ses relations avec ses propres clients.
Une des stratégies que peut utiliser une entreprise repose sur la mécanique de la matrice de différenciation des clients et en particulier sur le tableau aux quatre quadrants que nous avons abordé au chapitre 3. Ce tableau montre comment l'entreprise peut classer ses clients en plusieurs catégo-

ries suivant leurs besoins et leur valeur. En faisant l'analyse de la chaîne de la demande, l'entreprise doit d'abord déterminer à quel quadrant appartient chaque maillon de la chaîne. Pour simplifier, nous allons appeler Q1, Q2, Q3 et Q4 les clients qui sont dans les quatre quadrants de la matrice.

Analysons l'ensemble de la chaîne de la demande quand un client individuel achète un ordinateur chez un détaillant. Ce détaillant a acheté le PC chez un grossiste qui l'a acheté lui-même chez le fabricant.
Nous avons affaire à un système de distribution à deux niveaux, chaque niveau concernant un type particulier de base clients pour l'entreprise qui vend. Représentons sur un graphique la chaîne de la demande et affectons un quadrant à chaque type de client sur la matrice de différenciation. On obtient :

La chaîne de la demande pour un ordinateur PC

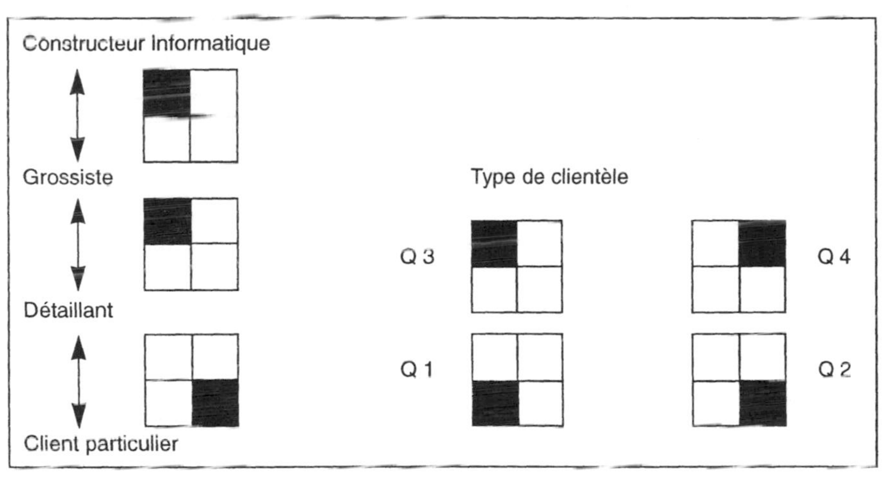

Quand le fabricant vend au grossiste, il s'adresse à un Q3. Ce quadrant correspond à des clients qui ont une valeur très variée mais qui ont des attentes homogènes par rapport au fabricant : avoir accès à l'ensemble de la gamme des produits et bénéficier d'une livraison ponctuelle et efficace. La stratégie naturelle du fabricant face à ses grossistes distributeurs est une stratégie de grands comptes : être attentif et investir du temps sur les gros distributeurs qui font le gros des ventes. La stratégie de migration du distributeur consiste quant à elle à agrandir la palette des besoins de ses clients et à augmenter la souplesse de ses systèmes de production et logistique afin de pouvoir traiter différemment des grossistes différents. Une palettisation personnalisée, une liaison administrative zéro papier, un réapprovisionnement automatique des stocks sont autant de services qui peuvent contribuer à consolider la fidélité des grossistes.

En-dessous du niveau fabricant-grossiste, tout se complique. Du point de vue du grossiste, la stratégie du fabricant peut s'appliquer pour manager les relations entre le grossiste et ses détaillants dans la mesure où les détaillants sont aussi des Q3. Mais il y a une différence importante : la marque du fabricant est présente sur les produits. Bien que le grossiste puisse vendre à ses détaillants sans la participation du fabricant, ce dernier a le pouvoir de créer une relation directe qui va lui profiter et engendrer de la fidélité à son enseigne. Si le fabricant n'a pas l'intention de couper à longue échéance la liaison avec le grossiste, il devra appliquer une stratégie qui développe un certain type de relations avec les détaillants tout en ménageant les intérêts du grossiste vis-à-vis du détaillant considéré comme un client. Des analyses analogues s'appliquent quand le fabricant souhaite établir des relations directes avec le client final. Le fabricant a absolument besoin de consolider la fidélité de son client final mais il doit en même temps respecter les intérêts des détaillants.

Une bonne représentation de ces intérêts enchevêtrés est de penser à une « distribution en cascade » avec différents types de relations se chevauchant à chaque étape de la chaîne de la demande. Sous chaque distributeur, on doit, en fait, considérer deux directions :

La distribution en cascade

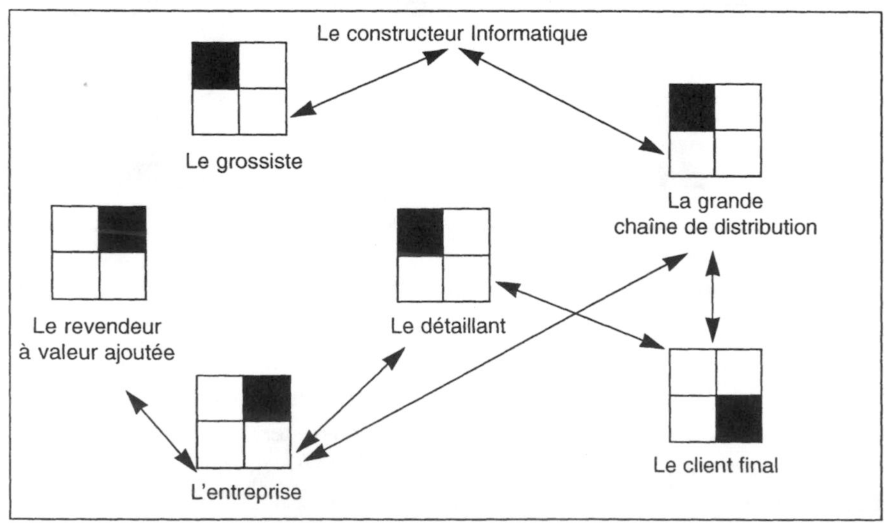

Au niveau du détaillant, le fabricant doit faire face aux mêmes problèmes de différenciation de ses clients que le grossiste mais comme la marque du fabricant est inscrite sur les produits, cela lui donne un peu plus d'influence vis-à-vis de la stratégie propre du distributeur. La majorité des détaillants ne sont pas vraiment intéressés à développer des relations suivies avec leurs propres clients individuels. La plupart du temps, les chaînes sont obnubilées par le combat commercial au jour le jour et les managers n'ont pas le temps de s'occuper d'autre chose que la rotation des produits, le merchandising et la gestion des stocks. Dans ce type d'activité, c'est la gestion optimale des rayons qui a le plus d'effet sur l'accroissement de la rentabilité.

Qu'un fabricant soit en relation avec une grande chaîne de vente au détail ou qu'il soit en relation avec un réseau de grossistes, le détaillant reste probablement un Q3 avec les mêmes besoins de base que les autres détaillants vis-à-vis des autres fabricants. Même si les détaillants désirent tous la même chose, il doit être possible de satisfaire ces besoins de manière personnalisée, c'est-à-dire traiter des besoins uniformes de manière différente pour chaque détaillant.

Maxell Corporation of America, filiale de la firme japonaise Hitachi-Maxell livre un combat féroce sur le marché de masse des bandes magnétiques audio et vidéo. Ce qu'on recherche dans ce type de produit banal, c'est la commodité et l'utilisateur final s'intéresse plus à la standardisation qu'à la personnalisation. Le client veut tout simplement être sûr que la bande magnétique qu'il achète sera bien lue par son magnétophone ou son magnétoscope.

De nombreux détaillants qui vendent les produits Maxell font de la publicité sur le thème de « Vous ne trouverez pas moins cher ». En conséquence, Maxell a mis au point un emballage personnalisé qui aide ses détaillants face à la concurrence. Les représentants de Maxell travaillent avec les acheteurs des rayons cassettes audio et vidéo afin de concevoir des packages exclusifs pour *chaque* détaillant.
Sam Goody par exemple mettra en vente des paquets de douze cassettes vidéo Maxell Gold de quatre vingt dix minutes tandis que son concurrent Coconuts vendra des paquets de neuf cassettes de soixante minutes. Pendant ce temps, le discounter du coin de la rue proposera les cassettes les moins chères... par paquet de six, chacune faisant cent vingt minutes.
Maxell fait de la personnalisation de masse en jouant sur une seule des étapes de la fabrication et emballage de ses cassettes : le format et la taille du film rétractable qui sert de suremballage à ses paquets.

La conséquence de cette stratégie est intéressante : Maxell possède une bonne part du marché dans un environnement concurrentiel pourtant très difficile. Il a réussi à agrandir la palette des besoins de chacun de ses clients détaillants et à personnaliser ses services face aux différents besoins qu'on lui exprimait.
Dans un système de distribution à deux niveaux, un fabricant d'ordinateurs voulant mettre en place des relations 1:1 avec les détaillants de son

réseau de distribution, pourrait créer des démonstrations spécifiques de ses machines ou proposer des séances de formation supplémentaires destinées au personnel de vente de ses détaillants.
Une stratégie encore plus ambitieuse pourrait consister à proposer aux détaillants un système de stock géré par le vendeur (SSV), sous le contrôle du grossiste. Si le fabricant s'occupe déjà du système de réapprovisionnement automatique du grossiste, il pourra lui donner la possibilité d'installer un système analogue chez le détaillant, en se greffant sur le système du fabricant. Ces stratégies, conçues pour créer de bonnes relations entre le fabricant et la chaîne de détaillants, s'appliquent quand le stock du détaillant provient de celui du grossiste. Il arrive aussi que, pour de grandes chaînes de distribution au détail, le fabricant livre lui-même son produit dans les entrepôts des détaillants ; dans ce cas, les stratégies peuvent changer.
Quelques fois, le membre du réseau fait parti d'un quadrant qui présente des besoins très différenciés. Dans presque toutes les industries, un réseau de revendeurs est beaucoup moins homogène dans son approche des affaires qu'un réseau appartenant par exemple à une grande chaîne de distribution au détail.

Case Corporation est un fabricant basé dans le Wisconsin, qui vend par réseau des biens d'équipement pour l'agriculture et les travaux publics. Après avoir constaté que ses catalogues de pièces détachées n'attiraient plus de clients chez les revendeurs au détail, les directeurs marketing de Case cherchèrent à mettre au point une campagne qui aide leurs revendeurs à identifier les besoins de leurs clients.

Case a conçu un catalogue de pièces détachées multipersonnalisées, au nom de chacun des 1 400 concessionnaires nord-américains. Ce catalogue présente non seulement les logo, nom, adresse, numéro de téléphone et heures d'ouverture mais aussi les articles que le concessionnaire veut mettre en avant. Les concessionnaires peuvent aussi fixer les prix de certains articles en faxant directement leurs demandes chez Case ; sans souhait particulier, c'est le prix « par défaut » qui est imprimé. Progressivement, Case commença à personnaliser des annonces afin que les concessionnaires puissent faire la promotion de certains rayons à l'aide de conceptions modulaires facilement insérées dans le catalogue. Les concessionnaires peuvent aussi écrire des messages personnels à leurs clients. Enfin, les noms des clients sont imprimés sur les coupons, sur les cartes d'appréciation et sur diverses autres promotions.
Ce programme de personnalisation fut lancé à un moment où les ventes de pièces détachées étaient déprimées et où la concurrence était féroce. Il rencontra un énorme succès au niveau des ventes et les profits de Case aug-

mentèrent de plus de 50 %. Presque tous les clients qui se rendaient chez les concessionnaires demandaient des articles qui avaient été promus dans le catalogue et d'ailleurs, plus de la moitié des clients avaient le catalogue sous le bras. Les ventes de pièces détachées à forte marge et celles mises en avant dans le catalogue, augmentèrent très sensiblement.

Quand on analyse le client-utilisateur final, on s'aperçoit que le fabricant et le détaillant le considèrent comme un Q2.
Les particuliers se répartissent de manière relativement uniforme sur l'échelle des valeurs mais ils ont tendance à vouloir des ordinateurs personnels pour satisfaire un plus large spectre de besoins individuels.
Un particulier voudra acheter un PC pour son bureau, pour chez lui ou pour son travail à domicile.

L'ordinateur pourra servir à gérer les comptes de la maison ou servira d'outil pédagogique et de récréation pour les enfants, mais il pourra aussi être le gestionnaire d'une activité à domicile.
Face à une telle base clients, la stratégie naturelle du détaillant sera une stratégie de niche.
Par exemple, le détaillant pourra proposer différents programmes à ses différents types de clients, comme un club pour les enfants des possesseurs de PC ou des séminaires de formation pour les travailleurs à domicile. La stratégie de migration du détaillant aura deux conséquences : l'augmentation des coûts de relation avec les clients et en parallèle un meilleur contact au cours du temps à travers diverses actions commerciales. Bien sûr, chaque client n'achètera chez son détaillant qu'un ordinateur — deux à la rigueur — mais en revanche il achètera toute une série de produits additionnels. Le détaillant aura par conséquent intérêt à s'occuper de ses meilleurs clients et à garder une trace de leurs achats, visite après visite. En même temps, le détaillant capable d'augmenter l'interactivité avec ses clients, tout en réduisant le coût correspondant, pourra augmenter sa capacité à traiter différemment des clients différents.
Cependant, la mise en place d'une telle stratégie n'est presque jamais d'actualité pour le détaillant qui n'a pas le temps. Le fabricant pourra défendre les intérêts de son détaillant en créant et en gérant ses propres relations avec l'utilisateur final à partir de programmes spécifiques. Par exemple, le fabricant pourrait proposer à ses acheteurs d'ordinateur un mot de passe secret leur permettant d'accéder à un site sur le Web. Sur ce site, les clients auraient accès à un meilleur service et à une aide plus précise. Une partie du site pourrait même être consacrée au détaillant qui a vendu la machine ; sur cette partie, le détaillant proposerait quelques avantages réservés à ses niches de clients.

En proposant un système d'enregistrement électronique, le fabricant facilite le contact avec l'utilisateur final tout en le reliant à son détaillant. Ces stratégies peuvent sembler complexes à mettre en œuvre, mais le fabricant n'a pas l'embarras du choix. La demande permanente du détaillant vis-à-vis du fabricant est d'avoir les prix les plus bas possibles pour attaquer le marché de masse dans les meilleures conditions. Pour capter également une plus grande part des achats en provenance de tous les utilisateurs finaux anonymes qui n'ont pas de relations suivies avec le détaillant, et aucune raison particulière de prendre contact avec le fabricant. À long terme, la seule alternative pour entrer dans le jeu des détaillants dont la stratégie de baisse forcenée des prix et d'érosion des marges conduit à une impasse, est de mettre en place des relations durables avec le client qui est à l'origine de la chaîne de la demande, c'est-à-dire l'utilisateur final.
Bien sûr, dans le cas précédent, nous avons analysé un seul type de chaîne de la demande et un seul aspect du système de distribution du constructeur informatique. En réalité, cette chaîne de la distribution est constituée d'un grand nombre de chaînes particulières. Le constructeur peut par exemple vendre directement à une grande chaîne de détaillants plutôt que de passer par des grossistes. Les grossistes peuvent à leur tour passer par des VARs (revendeurs à valeur ajoutée) plutôt que par des détaillants. Enfin, les VARs ou les détaillants peuvent ne vendre qu'aux entreprises et non à des utilisateurs finaux.
Chaque étage du système de distribution possède son propre système de différenciation des clients et il faudrait analyser toutes les chaînes de distribution avant de conseiller une stratégie 1:1 au constructeur informatique. Le système de distribution dans son ensemble pourrait se présenter comme cela :

La cascade de la distribution

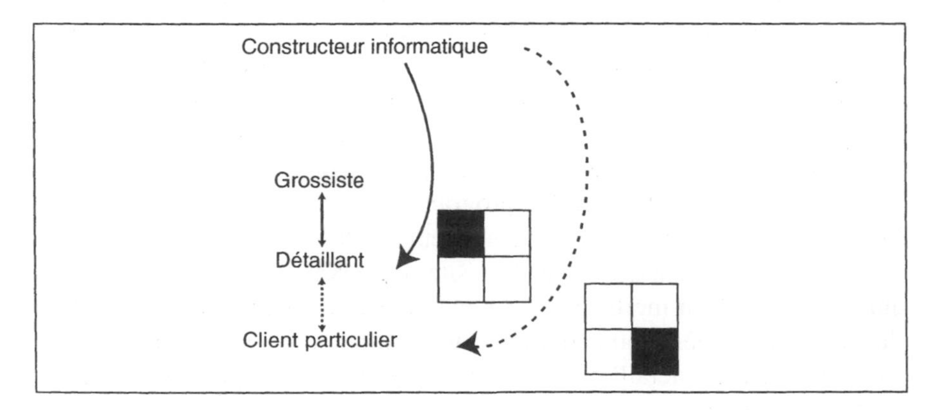

On dénombre cinq chaînes de la demande différentes dans ce système de distribution d'ordinateurs. L'entreprise qui souhaite considérer les membres de son réseau de distribution comme de véritables clients dans le but de créer un tissu relationnel individuel plus interactif, doit d'abord identifier chaque chaîne de la demande. Ensuite, elle déterminera les stratégies de migration adéquates pour chaque type de client présent à chaque niveau de la chaîne.

LE RÔLE DU DISTRIBUTEUR

L'endroit où se passe le contact avec le client influencera sensiblement sa fidélité. Il est vraisemblable que l'influence de la marque sera inexistante si le contact interactif se passe chez le distributeur ou dans le magasin du détaillant. En effet, la caisse enregistreuse peut imprimer un coupon de réduction sur du Coca Cola sans sucre pour un acheteur de produits Weight Watchers, mais il importe peu pour le patron du magasin que le coupon donne une réduction sur Coca Cola ou sur Pepsi : la seule chose qu'il souhaite est que cet acheteur revienne dans son magasin pour profiter du coupon. Le mois suivant, le patron du magasin pourra très bien proposer des coupons de réduction sur du Pepsi sans sucre pour un minimum d'achat de 200 $. L'objectif du magasin est en finale de vendre un accès à des possibilités de promotions dans son magasin de la même manière qu'il vend aujourd'hui des têtes de gondole.

À l'inverse, l'interactivité qui s'exerce dans le foyer (ou celle initiée directement par le fabricant) est par définition indépendante de la distribution. Quand vous commandez vos courses de la semaine en modifiant en ligne la liste des courses de la semaine précédente, peu vous importe le nom du magasin d'où proviennent les produits qui vont vous être livrés. Pour des produits digitalisés ou des produits dans le domaine de l'information, tels que la musique, la vidéo, les cartes de vœux et d'une manière générale les objets imprimés (comme ce livre que vous êtes en train de lire !), l'interactivité va pratiquement déconnecter le magasin et le distributeur. Bien sûr, ce manque de connexion qui dépend du type de produit vendu, menace non seulement le détaillant et le grossiste mais aussi le fabricant. Par exemple, Amazon.com est aujourd'hui une menace surtout pour les librairies. En traitant directement avec des auteurs, la société pourrait facilement publier électroniquement ses propres livres, en court-circuitant les libraires *et* les éditeurs. Greet Street pourrait faire la même chose pour les cartes de vœux, et aussi Agents, Inc. pour la musique et la vidéo.

Il n'en reste pas moins que la fabrication de la plupart des produits, même ceux complètement personnalisés selon les besoins des clients indi-

viduels, requiert encore un magasin ou un distributeur pour rendre quelques services. Dans le cas d'un produit personnalisé, le magasin joue vraisemblablement un rôle important dans l'interface de contact. Custom Foot dépend de la prise des mensurations par le scanner. Ces machines donnent une importance incontournable au magasin, même si le stock est absent des rayons et si les chaussures, une fois fabriquées, peuvent être expédiées directement chez le client (ou livrées au magasin où le client ira les chercher si c'est son souhait).
Il s'écoulera beaucoup d'eau sous les ponts avant que les scanners soient disponibles chez les clients.
Un autre rôle des magasins consiste à être un centre de démonstration. Commander un nouveau caméscope en appelant un numéro vert pour bénéficier du meilleur prix sur le marché est une bonne idée si le client ne veut pas voir le produit à l'avance, le toucher, l'essayer.
Sinon, le client doit forcément se rendre dans un magasin d'appareils électroniques. Bien entendu, la prolifération des offres en direct et l'extrême réduction des coûts risque de poser un problème. En effet, un client pourra aller dans un magasin, demander une démonstration de quelques minutes du dernier modèle de caméscope Sony, puis rentrer chez lui et appeler, avec un numéro vert, une société spécialisée pour commander le produit à un prix largement inférieur à celui pratiqué par le magasin. Dans la mesure où les achats en ligne et les télé-achats commencent à proliférer, l'encouragement de telles pratiques de guerre des prix va poser des problèmes importants aux commerces de détail et à la distribution dans de nombreux secteurs d'activité. Pour lutter contre ce fléau, certains magasins pourront, à l'ère de l'interactivité, facturer un prix d'entrée :

> *« Venez voir un vendeur en chair et en os qui vous fera une démonstration et vous aidera à choisir parmi tous les articles en magasin ; vos 10 $ de droit d'entrée vous seront remboursés en cas d'achat. »*

En définitive, le réel avantage du distributeur est qu'il a (ou devrait avoir) la maîtrise de la relation en face à face avec l'utilisateur.
L'utilisateur est vraiment au sommet de la pyramide de la chaîne de la distribution. Qu'il soit un particulier entrant dans un magasin ou un professionnel achetant chez un grossiste, c'est lui qui en définitive paiera la facture. N'importe quel distributeur qui veut maîtriser la chaîne de la distribution, même à l'ère de l'interactivité, devra réfléchir à la manière de mettre en place des relations interactives avec ces clients. Cela ne consistera pas à *ajouter* des services supplémentaires dans cette relation mais à *accaparer* certaines fonctions que ces clients exécutaient jusque-là.

Le rôle traditionnel du grossiste dans la chaîne de distribution est de simplifier les choses pour le client. Utiliser le grossiste comme un point de stockage et un fournisseur d'informations est insuffisant; le client pourrait en réalité obtenir une grande variété de produits en une seule fois et à partir d'un même endroit. Mais la plupart des grossistes se sont attachés à ciseler des systèmes de distribution personnalisés très optimisés, et se sont peu préoccupés de mettre en place des échanges d'information directs entre le constructeur et le client final.
La technologie de l'information rend aujourd'hui de plus en plus facile, pour un client, le court-circuit des intermédiaires.
Pendant ce temps, les distributeurs qui regardent vers l'avenir se rendent compte que les tâches dévolues à la distribution physique deviennent relativement limitées tandis que, simultanément, leur rôle traditionnel — simplifier la vie du client — est de plus en plus attendu. Leur rôle ne consiste pas à seulement livrer à partir d'un entrepôt ; il doit impliquer tous les acteurs intervenant dans son périmètre d'activité.

Le personnel de vente du grossiste doit savoir que la stratégie de ses principaux clients détaillants ainsi que les objectifs majeurs de l'entreprise, sont tous focalisés sur la recherche et l'accroissement de la part de client chez l'utilisateur final.

C'est la raison d'être du programme de « gestion des stocks pour le fournisseur » (GSF). Un distributeur connaîtra sûrement l'identité de ses clients et dans le domaine du *B to B*, il est probable qu'il est déjà en relation avec la plupart d'entre eux. Le système GSF permet au distributeur de suivre les stocks du client, particulièrement s'ils dépendent d'un grossiste. L'utilisation de l'ordinateur permettra une gestion des stocks en flux tendu en livrant le bon produit au bon moment. Selon Thomas Kozak, chef des produits Pan-Link chez Panduit (une société vendant des logiciels de gestion des stocks) : « l'EDI permet d'automatiser le travail, et le GSF permet de l'éliminer ».
Le système GSF fonctionne, non parce qu'il rend un service supplémentaire mais parce qu'il remplace un travail.
Finalement, l'objectif principal du distributeur rejoint celui du fabricant : mettre en place une relation d'apprentissage avec les clients qui soit personnelle, interactive et qui comprenne de plus en plus profondément leurs besoins. Cette relation doit se rendre petit à petit indispensable et précieuse. Vous avez bien compris qu'il était difficile de résoudre le problème du circuit de distribution, quelle que soit la force de vos convictions pour nouer des relations d'apprentissage avec les clients du bout de la chaîne. C'est la raison pour laquelle il est important de bien comprendre toutes les données du problème avant de choisir la meilleure option stratégique.

Au chapitre 1, nous avons décrit les cinq fonctions de l'entreprise qui sont impliquées dans le passage de l'entreprise vers le 1:1. Nous en avons étudié quatre jusqu'à présent, la base de données interactive, la production et la logistique, la communication destinée aux clients et l'organisation du système de distribution. La dernière fonction concerne la stratégie de direction et d'organisation. L'entreprise 1:1 doit en effet s'organiser de telle manière que les directeurs concernés soient responsables de leurs décisions. Leurs responsabilités ont besoin d'être soigneusement définies, et mesurables. De plus, l'entreprise doit mettre au point une stratégie de transition qui la mène vers l'état 1:1 sans perturbation grave de son activité.

C'est ce que nous allons examiner dans le prochain chapitre.

CHAPITRE 13

LA MISE EN PLACE

COMMENT FAIRE LE PAS

L'entreprise 1:1 crée des liens rentables et durables qui peuvent se maintenir au-delà même des produits et des services que l'entreprise a toujours considérés comme sa raison d'être.

En se rendant de plus en plus indispensable auprès de chaque client, l'entreprise arrive à augmenter ses marges unitaires. Et ceci, malgré la tendance actuelle de l'industrie à commercialiser des produits analogues.
Mais notre stratégie 1:1 ne vient pas compléter la liste des outils de management. Ce n'est pas une technique de plus pour améliorer la qualité, réduire les coûts et augmenter la productivité.
Il s'agit plutôt d'un changement fondamental de philosophie et de stratégie, qui apporte une dimension nouvelle aux règles de la concurrence. Une vraie philosophie de marketing 1:1 ne se met en place que si elle est comprise par tous à l'intérieur de l'organisation.
La firme doit procéder à des changements considérables qui affectent pratiquement chaque service, chaque division, chaque responsable et chaque employé, chaque produit et chaque fonction.

Qui plus est, l'entreprise qui exploite aujourd'hui le modèle traditionnel d'un marketing de masse sera plus réticente à compromettre son modèle traditionnel en s'attaquant à quelque chose de si radicalement différent qu'une stratégie 1:1.

Quoi qu'il en soit, quatre étapes simples et claires sont nécessaires pour effectuer cette transition.
Nous allons dans ce chapitre les traiter l'une après l'autre.

1. Imaginer

Les dirigeants de l'entreprise doivent tout d'abord partager une vision claire du fonctionnement de l'entreprise une fois franchie cette étape.

2. Organiser

La création de relations individuelles avec chaque client ne peut se faire sans une certaine réorganisation.

Cette étape représente la suite logique pour bâtir l'organisation qui exécutera cette vision.

3. Mesurer

La plupart des entreprises mesurent la réussite de leurs opérations par des critères, comme les objectifs mensuels de vente. Ceux-ci ne sont plus adaptés à l'entreprise 1:1.
Ceci va sans doute obliger à mieux exploiter les technologies de l'information à l'intérieur même de l'entreprise, afin de définir les bons critères d'évaluation.

4. Assurer la transition

L'entreprise doit tout d'abord savoir où elle veut aller et comment y arriver. Une fois que l'organisation se met en place et que les critères d'évaluation sont définis, elle doit assurer une transition constante et sans à-coup qui fasse prendre le minimum de risque aux opérations en cours.

1. Imaginer

La manière la plus simple et la rapide d'imaginer le monde des affaires sous l'angle d'une entreprise 1:1, est de réfléchir non pas aux stratégies mais aux tactiques 1:1.
Nous vous proposons de commencer par une sorte de séance de « remue-méninges » au raz des pâquerettes sur les applications 1:1.
Une fois qu'un certain nombre de vos dirigeants se seront familiarisés avec les concepts de marketing interactif dans une entreprise 1:1, réunissez-les pour une journée de « découverte des affaires ».

Demandez-leur de faire comme s'ils avaient à leur disposition tous les types d'information qu'ils puissent souhaiter connaître sur les clients, et aussi tous les renseignements fournis par les clients eux-mêmes. Faites comme s'il n'y avait aucun problème pour accéder immédiatement à cette information précieuse et détaillée.

Posez à vos cadres une seule question : « Si nous possédions toute l'information voulue sur notre clientèle, quelle serait l'incidence sur notre manière de traiter nos clients ? »
Demandez à vos cadres d'énumérer toutes les applications de marketing 1:1 sur un tableau.
Harley-Davidson, par exemple, peut vouloir connaître la moto dont rêve chacun de ses clients motards. La firme pourra alors proposer un véhicule

qui sera personnalisé à l'avance selon les préférences individuelles de la personne.
Newsweek peut vouloir connaître les sujets qui intéressent le plus chacun de ses lecteurs. Il pourra alors concevoir son magazine selon les attentes de ce client.
United Airlines peut vouloir connaître à l'avance la boisson favorite de chaque passager et son genre de films préféré. La compagnie pourra alors lui proposer en vol précisément ces boissons et une sélection parmi ses films préférés.
Nike peut vouloir savoir qui parmi ses clients sont des leaders d'opinion.

Cet exercice doit se faire sans aucun préjugé.
Il est important de s'y attaquer avec le concours dans la salle d'au moins deux ou trois cadres qui se sont familiarisés avec les principes du marketing 1:1 et à toutes les formes interactives de relations et de collaboration avec la clientèle que nous venons d'examiner dans ce livre.

Au démarrage, toutes les idées sont les bienvenues. Ne rejetez aucune idée sous prétexte que l'information clientèle nécessaire à sa mise en place n'est pas disponible. Ou parce qu'il semble totalement inconcevable de changer l'attitude de l'entreprise.

Une fois listée une douzaine d'applications de marketing 1:1, vous allez les reprendre les unes après les autres. Sur le recto d'une feuille de papier, pas plus, voici ce que vous allez faire :

1. Décrivez brièvement l'application. Donnez-lui rapidement un nom mais ne passez pas trop de temps dessus.
2. Estimez grossièrement l'avantage chiffré que cette mesure procurerait à l'entreprise, en terme de fidélité accrue de la clientèle et d'augmentation de marge.
   C'est un calcul à faire « à la va-vite ». Le fait que l'information ne soit pas disponible ne doit pas nous empêcher de faire une estimation réaliste.
3. Recensez l'information nécessaire pour mettre en application cette mesure.
4. Essayez de savoir où se trouve aujourd'hui l'information à l'intérieur de l'entreprise, si toutefois elle existe. Vous est-elle donnée par les résultats d'une enquête ? Est-elle enregistrée dans votre base de données de facturation ?
5. Si l'entreprise n'a pas cette information, comment faire pour l'obtenir ? Cette information est-elle disponible chez un intermédiaire extérieur ?

Savez-vous suivre, jour par jour, semaine après semaine, les transactions individuelles de vos clients ? Quelle forme d'échanges devez-vous créer avec votre client et de quelle manière ?

6. Évaluez l'investissement global à la fois en terme de temps et de coût nécessaire pour obtenir l'information.
Encore une fois, un calcul rapide sera d'une précision suffisante.

Il est important que cet exercice se fasse d'une manière simple et basique. Il est évident que vous ne disposez pas de toute l'information nécessaire pour répondre à la plupart des questions que pose chaque application. Mais réfléchissez-y, faites des hypothèses. Lorsque vous sentez que vous ne maîtrisez pas suffisamment le sujet, notez-le. Puis, revenez-y plus tard pour définir le type de recherche ou d'analyse nécessaire pour combler cette lacune.

Pour que cela soit plus facile, nous vous suggérons de numéroter les applications pour simplifier.

Une fois ce travail fait pour chaque application, vous pourrez comparer vos estimations grossières en terme de coûts, d'avantages et de temps nécessaires pour chacune des applications marketing.

Puis, classez-les, feuille après feuille, en commençant par celle qui s'avère la plus rapide à mettre en œuvre et qui dégagerait le meilleur retour sur investissement.

L'ensemble de ces applications forme une pile qui représente la « vision tactique » de votre entreprise en tant qu'entreprise 1:1.
Les premières applications tactiques avec le degré d'urgence le plus élevé, vont mettre en lumière ce que vous devez faire dès à présent pour démarrer le voyage vers le 1:1. Vos lacunes dans certains domaines indiqueront les points nécessitant davantage d'analyse et de compréhension.
À ce stade, la rédaction d'un document plus stratégique et compréhensible sur la vision de l'entreprise se trouvera facilitée.
Car, quelle que soit la personne à laquelle est confiée la rédaction de ce rapport, elle aura déjà plongé dans toutes sortes d'approches tactiques.

Finalement, tout employé qui est en rapport avec la clientèle doit bien mesurer combien l'approche 1:1 est vitale pour le développement de l'entreprise. Après une session éducative ou plusieurs sessions sur les stratégies et les tactiques 1:1, vous pourrez sélectionner un petit noyau de cadres pour entamer une série de sessions beaucoup plus intenses et rigoureuses. Donnez-leur pour mission de se conduire comme les éminences grises du marketing 1:1 dans l'entreprise. Leur rôle, en fin de compte, sera de faire un travail de missionnaire à l'intérieur de l'entreprise. Une fois qu'ils auront compris le pouvoir réel de ce modèle d'approche du marché, ils prêcheront la bonne parole sans même qu'on leur demande.

2. Organiser

Dans la majorité des entreprises, les dirigeants ont des objectifs réels à court terme, pas à long terme. Augmenter le chiffre d'affaires dans le trimestre, ou dans l'année, est un objectif à court terme. Par contre prolonger la durée de vie des clients est un objectif à long terme.
En terme d'organisation, lorsque l'entreprise se concentre sur des objectifs à court terme, cela l'oblige à s'enfermer dans une structure organisée autour de groupes d'activités connus pour produire à court terme les résultats les meilleurs et les plus facilement mesurables.

Pensez à la manière dont est organisée une entreprise avec de nombreuses divisions. Elle se scinde elle-même en unités opérationnelles stratégiques qui toutes, presque sans exception, sont articulées autour de produits ou de zones géographiques, rarement autour des clients.
Un client qui achète 3 produits différents dans une même société est servi comme s'il s'agissait de trois clients distincts.
C'est ce qui se passe lorsque chaque produit est vendu par une division différente à l'intérieur de l'entreprise et que chacune est responsable de son chiffre d'affaires et de ses pertes et profits.

L'homme de marketing traditionnel peut facilement identifier la personne responsable d'un produit spécifique ou d'un support de communication spécifique. Quelquefois, il existe un « responsable de segment » dont la fonction consiste à créer des produits ou des services pour un type de clients particulier — les jeunes mariés, par exemple, ou les personnes à faible budget.

L'entreprise qui dispose d'une force de vente a souvent quelques commerciaux particuliers qui sont responsables de comptes clients particuliers.

Mais dans la plupart des cas, ces cadres sont rémunérés à la vente et ils ne sont guère encouragés ni même autorisés à vendre à « leurs clients » des produits appartenant à d'autres divisions. Or dans une entreprise 1:1, il est nécessaire qu'une personne soit tenue responsable des relations entre chaque client individuel et l'entreprise tout entière, en réalisant un suivi de ce client dans le temps. L'entreprise 1:1 doit être capable de gérer le dialogue et les échanges de chaque client avec l'entreprise entière, à mesure que ceux-ci se développent.

Cela demande une structure permettant la gestion du capital-client. Dans l'entreprise 1:1, quelqu'un doit assumer la responsabilité de la gestion individuelle des clients.

Après avoir distingué vos clients selon leur valeur, groupez-les à l'intérieur de portefeuilles, en fonction de besoins analogues.
Puis désignez pour chaque portefeuille un directeur de clientèle.
Récompensez chaque directeur de clientèle dès lors que la valeur des clients de son portefeuille augmente.
Donnez aux directeurs de clientèle l'entière responsabilité de toutes les communications et de tous les dialogues interactifs menés auprès de ses clients.
La responsabilité du directeur de clientèle est de gérer chaque relation avec le client et de superviser le dialogue qu'entretient la firme avec chacun. C'est aussi de rechercher pour chaque client des produits et des services et de trouver la meilleure façon de les personnaliser pour correspondre aux spécifications du client.

Pour résumer, la fonction du directeur de clientèle consiste à comprendre intimement les besoins individuels de chaque client, afin de le verrouiller. Petit à petit l'entreprise devient plus précieuse pour le client et elle accroît sa marge avec chacun.

Le directeur de clientèle est la personne sur laquelle on doit pouvoir compter pour accroître l'éventail des besoins du client en créant des occasions de collaboration.
La transformation d'une stratégie en « prêt-à-commander », conduit l'entreprise à ajuster son comportement actuel face aux besoins exprimés par ses clients individuels.

Les responsabilités opérationnelles représentent une évolution naturelle de la fonction de chef de produit. Ceux-ci ont pour mission de décider comment personnaliser la production de l'entreprise, sa logistique et ses modes de livraison, pour la faire coïncider avec les besoins des clients individuels de l'entreprise. Ces besoins sont eux-mêmes identifiés et orchestrés par les directeurs de clientèle.

Le directeur de clientèle fait ce constat : « Beaucoup de mes clients veulent que le produit soit livré de cette manière ». Le responsable opérationnel décide alors si cela est possible et comment. Pouvons-nous fabriquer ce produit ? Si nous ne pouvons pas le faire, pouvons-nous l'acheter ou l'acquérir sous licence ? Quelle alliance stratégique pouvons-nous bâtir pour proposer cet éventail de services ? Peut-on personnaliser notre mode de facturation de cette manière ? Peut-on créer cette nouvelle forme de packaging ? Comment ?

Pour comprendre le principe de gestion du capital-client, il peut être intéressant de comparer la signification des mots « portefeuille » et « segment ». Chacun des deux décrit une manière de grouper des clients, mais les deux concepts sont en fait très différents.

La segmentation du marché tente d'améliorer et d'affiner le plan d'attaque d'un marché traditionnel de masse. Pour l'homme de marketing traditionnel, la segmentation a pour véritable objet d'obtenir une image de plus en plus précise du client « moyen » sur un marché donné.
Il s'agit essentiellement de réduire la taille du marché en question.
Une fois qu'elle a déterminé ce qui convient le mieux au client moyen (en réalité une personne ou une entreprise qui n'existe pas), l'entreprise livre alors un produit moyen, de la même manière à chaque client de ce segment. Mais l'entreprise n'est nullement engagée dans une relation individuelle avec ses clients. Elle ne tient pas compte non plus de la remontée d'information venant d'un client individuel, qui pourrait modifier son attitude vis-à-vis de ce client.

De cette manière les segments, aussi petits et précis soient-ils, se comportent toujours comme des cibles passives pour les actions marketing. Les actions elles-mêmes émanent de plusieurs chefs de produits et de plusieurs programmes de l'entreprise, chacun d'entre eux cherchant à obtenir la plus grosse part du gâteau commercial.
De plus, dans une entreprise s'attaquant à un marché de masse, personne n'est responsable de suivre dans le temps ni d'influencer la relation privilégiée qu'entretient l'entreprise avec un client particulier. De ce fait, il est fort probable qu'un client se trouve dans deux segments à la fois, si ce n'est plus. Chaque segment constitue une cible potentielle pour un produit ou un programme distinct.

L'homme de marketing traditionnel utilise des médias non interactifs pour diffuser son message vers un marché de masse.
Or ces médias ne lui permettent pas de dire avec précision qui parmi ses clients a bien reçu le message et de quel message il s'agissait.

En conséquence, les « cibles » sont en fait assez difficiles à contenter et il y a un risque de chevauchement.
Si vous êtes vous-mêmes client d'une entreprise qui segmente selon la méthode traditionnelle, la communication et les offres que vous recevez reflètent la multiplicité des personnes avec lesquelles on vous a assimilé. Le résultat, c'est que l'on vous propose une « nouvelle » carte de crédit alors que vous possédez la même dans votre portefeuille. Ou alors on vous offre la chance de « redécouvrir » un produit alors qu'en réalité vous êtes déjà passé à la qualité supérieure.

Les portefeuilles, par contre, sont des groupes de clients aux besoins similaires, reliés individuellement et d'une manière interactive à l'entreprise 1:1. Chaque relation privilégiée avec un client est suivie et influencée de façon active par l'entreprise.

L'entreprise 1:1 exploite les réactions qui découlent de sa relation privilégiée avec un client pour ensuite adapter dans le temps son comportement envers lui. Gérer le lien privilégié qui existe avec le client individuel est un processus longitudinal.

Chaque interaction nouvelle doit être le fruit de toutes les interactions précédentes. Il serait néfaste pour l'ensemble du processus de placer un même client dans plusieurs portefeuilles à la fois. C'est pourquoi le client d'une entreprise 1:1 n'appartient qu'à un seul et unique portefeuille. Le but de l'entreprise 1:1 est de se servir de ce qu'elle connaît sur tous ses clients comme un tremplin pour satisfaire les besoins de chacun d'eux.

Le responsable d'un portefeuille ne passe pas au crible la base clientèle à la recherche de nouvelles cibles pour un produit ou un service spécifique. À l'inverse, la fonction du directeur de clientèle consiste à garder le plus longtemps possible le client et à augmenter sa valeur. Il s'agit de communiquer individuellement avec le client. Puis de trouver activement des produits et des services qui lui seront utiles, sur la base de cet échange et parmi tout le potentiel disponible dans l'entreprise.

Chez KeyCorp, l'équipe commerciale d'une agence est spécialisée non pas par produits mais par types de clientèles. Avec plus de mille agences dans 14 états du nord des États-Unis, les trois millions trois cent mille clients particuliers de KeyCorp sont divisés en groupes et en sous-groupes. Ainsi certains commerciaux d'agences seront chargés des seniors, d'autres s'occuperont des créateurs de PME, d'autres encore traiteront avec les personnes potentiellement riches.

Bell Horizon, une firme issue de la fin du monopole chez Bell Canada, s'est réorganisée en une structure à « visage humain ».
À l'intérieur, des structures opérationnelles (et pas seulement des équipes de commerciaux) sont affectées à des groupes de clients, sur la base, le plus souvent, des spécificités d'une industrie.
Selon les termes du journal interne dans lequel la réorganisation était expliquée, l'équipe au service du client doit être vue comme le lien unique qui relie nos clients à Bell, quels que soient leurs besoins : des communications locales, longue-distance, professionnelles ou la prise en charge du système d'informations...

Dans la nouvelle structure, une seule unité opérationnelle se concentrera sur le client au lieu que celui-ci fasse l'objet de nombreuses interfaces.

Le but n'est pas simplement de collecter des informations sur les clients, c'est aussi d'intégrer ces données, au niveau de chaque client, à travers toutes les fonctions et les lignes de produits de l'entreprise, afin d'obtenir une image complète des besoins et de la valeur de chaque client. En fin de compte, vous voulez que chaque client soit vu comme un client unique. Et vous voulez que chaque client vous perçoive comme une seule entreprise, quelle que soit la division ou le groupe de produits avec lequel il traite. Vous voulez retenir chaque détail de la relation privilégiée que vous entretenez avec un client en particulier, de la même manière que ce client s'est toujours souvenu de la relation privilégiée qu'il a avec vous. De cette manière, vous transformez les « données », afin de pratiquer un marketing basé sur la connaissance.

Comme les actions d'un portefeuille d'investissement, les relations instaurées avec les clients de l'entreprise doivent être traitées individuellement si vous formulez le souhait de transformer votre firme en une entreprise 1:1. La gestion du capital-client permettra à votre entreprise de surmonter les obstacles d'organisation qui autrement pourraient bloquer la phase de transition. Elle créera aussi une demande interne pour cette forme d'informations sur les clients, nécessaire pour communiquer avec chaque client d'une manière cohérente et rationnelle.

3. *Mesurer*

Quels sont les critères d'évaluation nécessaires pour gérer une entreprise 1:1 ?
Il n'est manifestement pas suffisant de comptabiliser ce qui rentre dans le tiroir caisse ni de mesurer la superficie du rayon dans un magasin de détail. Alors, comment l'entreprise 1:1 fait-elle pour évaluer sa réussite ?
Toute entreprise qui s'engage dans le 1:1 devra développer de nouvelles façons de mesurer le succès et de récompenser les performances. La plupart des entreprises atteignent déjà un niveau d'exactitude élevé quant au calcul de rentabilité de leurs produits.

Mais les meilleurs critères sont ceux qui tiennent compte du client, avec des valeurs telles que l'espérance mathématique de marge et la valeur stratégique du client.

Le véritable retour sur investissement pour l'entreprise 1:1 proviendra d'une valeur accrue de sa base de clientèle.

Mais on peut aussi utiliser toutes sortes de mesures intermédiaires pour les motifs suivants :

(1) pour rendre disponible l'information précise sur la clientèle

(2) pour évaluer les avancées de stratégies ou d'activités 1:1 particulières, dont vous pressentez qu'elles puissent avoir des conséquences plus tard sur la valeur du client.

La plupart des entreprises ne souffrent pas vraiment d'un manque d'information. Mais, en raison d'une organisation hiérarchique par fonction et par division, les données sont rarement intégrées au niveau de chaque client. À la place, elles forment des silos à l'intérieur du groupe. Dans une entreprise particulièrement performante, les bases de données fonctionnelles seront reliées aux transactions commerciales individuelles. Ceci permet à l'entreprise de prendre en charge l'ensemble de la commande jusqu'à la livraison, les services et la facturation, par exemple.
Mais rares sont les entreprises aujourd'hui qui peuvent réellement enregistrer et conserver toutes les transactions commerciales, de chaque client distinct. Au contraire, l'information relative à un client donné est presque toujours disséminée dans des endroits différents qui n'ont aucun rapport entre eux, à l'intérieur de plusieurs bases de données fonctionnelles.
Parfois, le client sera compté deux fois ; il ressortira comme s'il s'agissait de « deux » clients parce qu'il aura effectué deux transactions sans liens entre elles à l'intérieur de l'entreprise. C'est le cas d'un client longue distance qui résilie son abonnement dans une ville, puis déménage et reprend un nouvel abonnement dans une autre ville.
Dans d'autres cas, l'information clientèle pourra être totalement absente, comme dans la plupart des entreprises qui vendent par l'intermédiaire de revendeurs, alors que nous savons que seulement 15 % des clients finaux renvoient leurs bons de garantie.

Les différentes divisions d'une entreprise sont toutes évaluées en fonction des Pertes et Profits sur les produits qu'elles vendent. Aussi dans la plupart des cas, il est préférable de lier les données de façon fonctionnelle, depuis le chargement jusqu'à la facturation par exemple. Par contre, il s'avère peu rentable de relier les données au niveau de chaque client.
Une structure traditionnelle est organisée pour gérer les produits, les marques, les divisions, les départements et les fonctions. Il est peu fréquent qu'elle soit préparée à gérer des clients... et elle est rarement incitée à le faire.

La réalité, c'est que les données sur la clientèle existent bien à l'intérieur de l'entreprise. Mais un même client pourra être enregistré dans plusieurs systèmes fonctionnels différents et aussi dans plusieurs divisions différentes.

Les données clients dans la majorité des entreprises

Le client « A » est enregistré dans plusieurs bases de données fonctionnelles
et dans plusieurs divisions différentes :

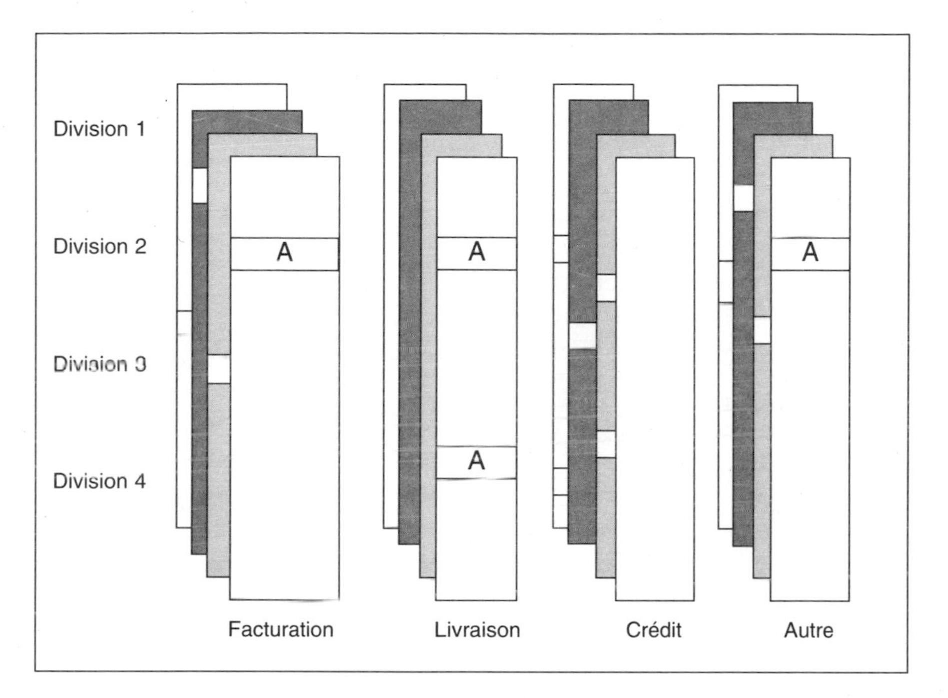

Pour devenir une entreprise 1:1, vous devrez combiner les données sur vos clients en ne tenant pas compte des frontières fonctionnelles et opérationnelles de votre entreprise.
Si vous utilisez plusieurs bases de données, vous devrez sans doute vous interroger sur l'opportunité d'installer un entrepôt de données (ou data warehouse) qui produira très certainement bien d'autres avantages que le simple fait de relier les données sur vos clients.

En commençant par organiser votre entreprise de manière à gérer efficacement les relations privilégiées avec vos clients, vous allez créer une demande interne pour des données consolidées sur vos clients.
Pour faire proprement leur travail, les directeurs de clientèles vont exiger d'avoir des données relatives aux clients de plus en plus pertinentes. Cette demande qui émanera de l'interne, va permettre au processus de se développer d'une manière beaucoup plus rapide et plus efficace que si elle avait été imposée par le sommet.

La plupart des entreprises qui mettent en place ces critères d'évaluation nécessaires à la gestion d'une entreprise 1:1 se trouvent confrontées à une difficulté : c'est leur système, vieux de plusieurs décennies, de commission sur ventes, de quota, de prime et autres rapports de synthèse qui sont tous axés exclusivement sur les produits et les services, et non sur les clients.

Concevoir de nouveaux critères d'évaluation implique la création d'une base de connaissance de la clientèle.
Mais avant de créer cette base, c'est à un tout autre mode de réflexion que l'on doit se référer lorsqu'il s'agit de mesurer la rentabilité de la clientèle. Il ne faut plus se cantonner à la rentabilité des produits.
Par exemple, il peut être intéressant de se demander si on accepte qu'un produit soit non rentable à partir du moment où chacun de ses clients est rentable. Sur un marché traditionnel de masse, la question ne se pose pas puisque la rentabilité de chaque client individuel n'est pas connue.
Mais pour l'entreprise 1:1, la réponse est clairement « oui » parce que la rentabilité des clients s'aligne sur le profit financier à long terme de l'entreprise.

En plus de la mesure et du suivi de la valeur du client, sous la forme d'un modèle d'estimation de la marge, l'entreprise 1:1 mesurera toute une série de paramètres intermédiaires qui reflètent la réussite des relations commerciales. Voici certaines choses qu'il est important de connaître :

- Quelle est la proportion de clients finaux dont l'entreprise connaît le nom et l'adresse ?
- Quelle est la proportion de bons de garantie et de formulaires d'inscription enregistrés ?
- Quelle est la proportion des transactions commerciales enregistrées dans la base de connaissance de la clientèle. Quel est le coût de cette saisie ?
- Quelle est la part des réclamations résolues lors du premier appel dans le centre d'appels de l'entreprise ?
- Quel est le degré moyen de satisfaction clientèle, comparé à celui des concurrents ?
- Quel est le nombre de clients qui achètent plusieurs produits ou services à l'entreprise ? Pour chaque client, quel est le nombre moyen de produits achetés ?
- Quel est le taux de rétention pour les groupes de clients, classés selon leurs besoins ?

Chacune de ces questions, et beaucoup d'autres, doivent être posées afin de fournir un « rapport de progrès » prêt à l'emploi pour l'entreprise 1:1. L'ultime critère d'évaluation sera la valeur de la clientèle de l'entreprise. Mais si vous voulez mesurer progressivement vos progrès lors de votre transformation en entreprise 1:1, il est logique de mettre en place un système de mesure qui enregistre les étapes intermédiaires.

Mesurer la rétention de la clientèle, ou même se mettre d'accord sur sa définition est souvent une tâche difficile en elle-même.
La base clientèle est faite d'une large variété de clients accumulés par l'entreprise depuis un certain temps. Une façon de distinguer les clients serait de les classer par année d'entrée ou « millésime ». Tous les nouveaux clients acquis sur une année donnée, ou lors d'une campagne de recrutement spécifique, peuvent être regroupés dans un même millésime. La proportion de clients d'un millésime donné qui restent acquis une certaine année, représente le taux de rétention de ce millésime.

Ne faites pas l'erreur de regarder simplement les défections de la clientèle en général pour évaluer votre réussite. Dans la plupart des entreprises qui ont des clients aux achats répétés, le nombre de clients d'un millésime qui quittent l'entreprise décline à mesure que le millésime vieillit.
Plus longtemps un client est resté fidèle, plus il y a de chances pour qu'il le demeure.
C'est exactement ce que nous avons supposé lorsque nous avons étudié au chapitre 2 une activité d'abonnements de presse. La première année, les abonnés renouvelaient à 65 % leur abonnement alors qu'ils étaient 70 % à se réabonner à l'issue de la 2e année, et ainsi de suite.

Cependant les conséquences sont complexes dès lors que l'on met en place un système qui évalue les effets des différents programmes de rétention de clientèle.
Entre autres choses, cela veut dire qu'un changement dans le taux global d'attrition de la clientèle, qu'il soit rassurant ou alarmiste, peut tout simplement provenir d'un changement dans le mix des millésimes de la base de clientèle. Si, par exemple, l'entreprise n'acquiert pas de nouveau client pendant une année, on peut s'attendre à ce que la rétention moyenne augmente, parce qu'à la fin de cette année-là tous les millésimes ont un an de plus et sont donc un petit peu plus fidèle.
A contrario, si une entreprise réussit à acquérir beaucoup de nouveaux clients, on peut s'attendre à ce que le taux de rétention « moyen » de la base de clientèle de cette entreprise chute.

L'important, c'est de ne jamais se fixer sur un seul chiffre de rétention quelle que soit la base de clientèle.
Il y a autant de valeur de rétention qu'il y a de millésimes. Et pratiquement chaque type de clients a un taux de rétention distinct, selon la manière de les regrouper, par espérance mathématique de marge, par besoins, par source d'acquisition ou par historique de commande.

MCI a constaté que les clients qui appellent pour une demande de renseignement ont une probabilité plus élevée à partir. Les propriétaires de BMW et de Jaguar passent plus rapidement à la concurrence que les propriétaires de Cadillac ou de Mercedes.

Même si l'on utilise les bons critères d'évaluation pour mesurer les bénéfices d'un client en matière de fidélité et de profit à long terme, l'utilisation de ces critères peut être tenue en échec si par ailleurs les mécanismes de motivation dans l'entreprise se fondent encore sur des critères à court terme.
Les commissions liées au chiffre d'affaires ne sont sûrement pas néfastes en elles-mêmes. Mais les systèmes de motivation de certaines entreprises, construits il y a des décennies autour de commissions et de primes sur objectifs mensuels de vente, peuvent s'avérer être un frein au changement.

C'est ce que constata MCI. En récompensant leurs dirigeants marketing lorsque le taux d'acquisition des clients augmentait, ils ont purement et simplement coupé court à toute action de rétention de clientèle visant à mieux sélectionner les nouveaux clients.
Bien qu'il fût clairement démontré que MCI avait tout intérêt à acquérir moins de clients mais de meilleure qualité, le système de motivation ne tenait pas compte de la qualité des clients recrutés, mais seulement de leur nombre. Ce principe oppose les intérêts personnels de toute l'équipe marketing et ceux de l'entreprise.

Le monde des affaires est truffé d'exemples comme celui-ci. Une de nos amies a ainsi répondu à une annonce pour une chaîne de télévision par satellite. Elle n'a pas pu s'abonner parce que la chaîne refusait de lui vendre le service sans qu'elle prenne le temps de s'asseoir et d'écouter un argumentaire de vente. Tout ceci afin que le commercial de la chaîne puisse toucher une commission sur la vente. Elle expliqua qu'elle était prête à souscrire un abonnement sans avoir à écouter cet argumentaire. Or l'entreprise était incapable d'enregistrer son abonnement sans passer par la procédure d'une entrevue en face-à-face avec un commercial.
Comme elle n'avait ni le temps pour une telle présentation ni l'envie de batailler, elle décida de se passer pendant encore quelque temps de la télévision par satellite !

Les systèmes de commission peuvent aussi représenter des freins lorsqu'ils opposent deux commerciaux entre eux ou deux divisions.
Ils peuvent rapidement faire oublier aux commerciaux que c'est à l'extérieur de l'entreprise que se joue la compétition.
Vous devez vous efforcer de résoudre ces conflits si votre but est d'augmenter progressivement la valeur de vos clients. De tels conflits apparais-

sent souvent, non pas parce que l'entreprise mesure de mauvais paramètres, mais parce qu'elle n'applique pas correctement les critères d'évaluation déjà en sa possession.

Bien souvent, il est possible de corriger de telles difficultés en apportant un ou deux changements de bon sens au système de motivation en place. Shearson (l'ancien Shearson-Lehman Brothers Inc.) constata que ses clients étaient davantage fidèles au courtier qu'à la société de bourse elle-même. Alors, il modifia légèrement son système de commissionnement. Dans une société de bourse, les clients les plus fidèles sont ceux qui traitent avec des courtiers sur le point de partir à la retraite. Ce sont des clients qui ont construit progressivement leur fortune au fil des ans. Ils se sont enrichis petit à petit et ont davantage de liquidités à mesure qu'ils se rapprochent eux-aussi de la retraite.

Mais lorsque le courtier prend lui-même sa retraite, il est fréquent que ces clients quittent la société de bourse, et partent à la recherche d'un nouveau courtier.
Aussi Shearson a commencé à proposer des commissions partielles à ses courtiers — après leur retraite — pour suivre leurs anciens clients pendant une période pouvant durer 5 ans.
Tout à coup, la dynamique a changé : les courtiers à la retraite ont maintenant tout intérêt à introduire leurs clients auprès d'un courtier de Shearson, compétent et plus jeune.
Ils prennent du temps pour aider le jeune courtier à comprendre les us et coutumes de leurs clients. Ils contrôlent aussi de temps en temps les clients eux-mêmes, bien qu'à la retraite.

Parfois, il est nécessaire de prendre des mesures plus innovantes pour modifier plus radicalement le système de motivation de l'entreprise.

3M propose à ses clients plus de 60 000 produits à travers ses 57 divisions. Jusqu'à maintenant, chaque division s'adressait à un client de façon indépendante. Le critère d'évaluation de l'entreprise encourageait les ventes par divisions et les commissions par produit. Chaque division avait son propre programme parfaitement rationnel pour coordonner ses ventes et atteindre son objectif. Mais les clients de l'entreprise étaient soumis à plusieurs programmes distincts venant de divisions différentes. Le résultat, c'est que tout ceci avait, pour le client, une allure désordonnée, avec des opérations commerciales sans aucune coordination entre elles.
Il y a une histoire drôle qui circule chez 3M : la scène se passe dans la salle d'attente d'un acheteur, envahie de commerciaux. L'acheteur entre et demande « C'est au tour du représentant commercial de 3M, s'il vous plaît » ; alors tous les commerciaux se lèvent simultanément.

Il y a quelques années, 3M lança une opération appelée marketing centré sur le client (MCC) avec un objectif simple : encourager la vente croisée entre les divisions et réduire le cas échéant le nombre de contacts nécessaires entre un client et 3M.
Avec ce programme MCC, si vous êtes commercial dans l'une des six divisions des marchés industriels, vous toucherez une commission même si quelqu'un d'autre vend des produits de votre division à votre client. De la même manière, vous êtes encouragés à vendre à votre client des produits appartenant à d'autres divisions.

Le programme MCC encourage activement à formaliser des accords entre et à l'intérieur des divisions de 3M. Il est ainsi possible de proposer à un client au cours d'une négociation de vente des produits appartenant à plusieurs divisions différentes.

Les premiers résultats de cette opération sont spectaculaires. Les profits des divisions appliquant le programme MCC ont doublé. Les commerciaux sont deux fois plus productifs que ceux des divisions centrées sur les produits.
Depuis l'introduction du programme, les divisions appliquant le programme MCC se sont développées à un rythme trois fois plus élevé que la moyenne des autres divisions. Et les entreprises clientes de divisions appliquant le programme MCC considèrent 3M comme une entreprise plus proche, avec laquelle il est plus simple de traiter.

Un autre indicateur pour l'entreprise 1:1 est la part de client. Quel que soit le client, il s'agit du moyen le plus efficace pour déterminer les efforts à fournir pour augmenter la force et la valeur de ce client.

Quand l'entreprise fonctionne sur un système de commissionnement par produit plutôt que par client, elle passe complètement à côté d'une évaluation de la part de client.

Nous avons récemment eu une discussion avec un brillant commercial dans l'informatique. Il avait atteint son objectif annuel dès le mois d'août et pour le remercier de ses brillants résultats, on lui avait donné la responsabilité de certains grands comptes.
Il était naturellement fier de traiter maintenant avec des clients qui appartiennent au Top 500 de *Fortune* des plus importantes sociétés aux USA. Et il était aussi satisfait du volume de ventes qu'il avait initié dans certaines de ces grandes entreprises.
Il était habitué à raisonner en terme « d'objectifs de commissions » et de « volume ». Dans l'une de ces entreprises, par exemple, il avait vendu des ordinateurs pour un montant de 100 000 $ l'année précédente.

Si votre entreprise dispose d'une force de vente, vous connaissez sûrement ce phénomène de vendeurs-stars.
Mais une star dont le succès repose seulement sur les volumes de transactions commerciales ne sera pas forcément aussi bon lorsqu'il s'agira d'accroître la valeur individuelle de ses clients. Dans ce cas précis, nous avons eu la chance de pouvoir demander à ce commercial qu'elle était sa part-de-client dans l'entreprise où il avait obtenu de telles ventes.

Il sembla perplexe, mais nous avons estimé que son client avait en réalité acheté dans l'année pour 1 million de dollars chez plusieurs fournisseurs.
Alors, même si les ventes de ce vendeur étaient impressionnantes, il n'avait pris que 10 % de la part-de-client.
Voici les questions que nous lui avons posées, pour l'aider à envisager une approche plus rentable et plus concurrentielle :

- Pourquoi votre part-de-client est-elle si faible ? Touchez-vous le bon décisionnaire ?
  Est-ce parce que votre entreprise ne fabrique pas les produits dont ils ont besoin ?
  Ont-ils des besoins que vous pourriez plus facilement satisfaire avec un produit moins standardisé ?
- Quels sont vos points forts ? Pourquoi achètent-ils auprès de vous? Quels sont leurs besoins que vous satisfaisez et que vous êtes aujourd'hui le seul à satisfaire?
- Parmi vos concurrents, lequel remporte la plus grande part de l'activité de ce client ? Que fait-il que vous ne faites pas ?
- Combien de temps faut-il prévoir avant qu'un de vos concurrents instaure une Relation d'Apprentissage avec ce client et devienne son seul fournisseur ?

En d'autres termes, que faites-vous lorsque quelqu'un d'autre gagne 100 % de part de clientèle ?

L'objectif de ces questions est clair. Les questions elles-mêmes sont évidentes. Si vous n'avez pas de système pour mesurer et récompenser les bonnes réponses, ces questions ne se poseront jamais dans votre entreprise.

Une fois que vous aurez mis le système en place, des programmes de motivation tout à fait inconnus mais encore plus logiques vont vous apparaître.
Si vous gériez une firme automobile et pouviez suivre tous vos échanges avec chaque propriétaire de voiture, laisseriez-vous le concessionnaire toucher une prime uniquement au moment de la vente de la voiture ?

Peut-être qu'à la place, lorsque le concessionnaire vendrait pour la première fois une voiture de votre marque à un automobiliste, le concessionnaire devrait recevoir 25 cents chaque fois que ce client dépenserait 100 $ de votre marque quelle qu'en soit la raison — autre voiture, prêt automobile ou vidange — pendant toute la durée de vie de ce client.

Il faut mettre en place un système d'information et d'évaluation pour mesurer ce qui compte vraiment : la rentabilité du client.

4. Assurer la transition

Les entreprises voulant se transformer en entreprise 1:1 font souvent deux erreurs :

(1) elles sous-estiment à quel point le changement affectera chaque facette de l'entreprise

(2) elles surestiment la difficulté à assurer une transition régulière et homogène.

Il y a quelque chose d'ironique dans l'idée que, même si l'ensemble du processus entraîne un immense changement avec des conséquences sur pratiquement toutes les fonctions de l'entreprise, les avantages réels d'un marketing 1:1 peuvent se vérifier et se démontrer concrètement avant même d'entreprendre le gros du programme.

Cependant, soucieuses d'achever rapidement la transformation, certaines entreprises n'attendent pas les phases d'évaluation et de validation. À la place, elles foncent, en tentant de précipiter le mouvement pour l'organisation, le système de distribution et la culture d'entreprise. Alors, dès que le programme s'avère plus perturbateur que prévu, il perd tout soutien de la part des salariés, avant même d'avoir pu porter ses fruits.

La meilleure manière d'assurer cette transition est de s'y prendre non pas produit après produit ou division après division, mais client après client. Commencez avec un petit nombre de clients. Et choisissez d'abord les clients les plus précieux (CPP) qui méritent largement qu'on leur accorde un peu plus d'attention et qu'on se donne un peu plus de mal pour eux.
Une fois ces clients repérés, choisissez une ou plusieurs personnes de votre entreprise parmi les plus brillantes, les plus visionnaires et au plus fort potentiel (qu'ils soient d'astucieux spécialistes de l'information serait un plus).

Nommez-les directeurs de clientèle. Ils peuvent venir aussi bien du service Marketing, des Ventes ou du service Clients.

Votre objectif est de constituer un laboratoire des pratiques 1:1, avec un groupe de clients de grande valeur et des directeurs de clientèle pointus. Le but est à la fois de prouver les avantages liés à l'idée globale du 1:1 et de verrouiller, en priorité, la fidélité de vos clients les plus importants.

Vous vous souvenez sûrement des évidences que les responsables de la rétention chez MCI avaient émises pour leur entreprise (cf. page 67). Vous pouvez imaginer vos clients répartis selon un spectre de valeurs, allant de la plus faible à la plus forte. Bien sûr, comme dans beaucoup d'autres entreprises, vous devez avoir beaucoup de clients qui ne valent pas grand chose, et seulement un petit nombre qui ont une grande valeur. Plus vous vous élevez dans l'échelle de valeur de vos clients, moins ils sont nombreux.

Pour visualiser le programme de transition qui amène à se transformer en entreprise 1:1, imaginez que vous éleviez une clôture autour de ces clients de très grande valeur, à l'extrémité du spectre de valeurs de vos clients.

Le spectre de valeurs des clients et la clôture

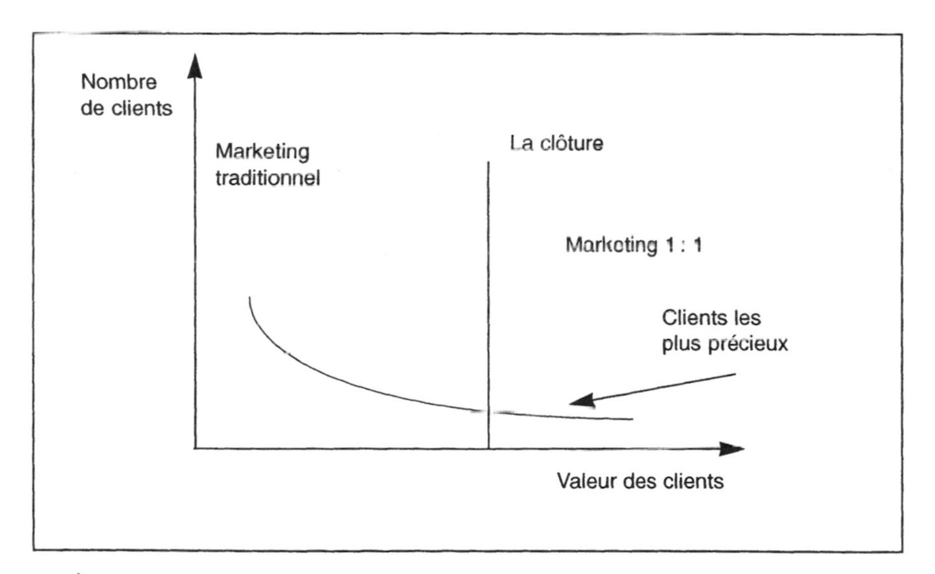

À gauche de la clôture, vous pratiquez un marketing très classique, et cela viendra bouleverser la vie d'aussi peu de personnes que possible. Ces clients (sur le côté gauche) ne dépendent pas d'un directeur de clientèle, ils ne sont pas classés par portefeuille selon leurs besoins, ils ne font pas partie du programme 1:1, du moins pas encore.

À droite de la clôture, où l'on retrouve vos clients les plus précieux, vous pouvez commencer à pratiquer un marketing 1:1. Établissez le dialogue avec ces clients, communiquez avec eux le plus souvent possible. Souvenez-vous de tout ce qu'ils vous disent et faites tout votre possible pour modifier le comportement de l'entreprise afin qu'elle agisse en fonction de ce que vous avez appris de chacun d'entre eux.

À droite de la clôture, chaque client est sous la responsabilité d'un directeur de clientèle. La responsabilité que vous allez donner à votre directeur clientèle, l'intégralité d'un portefeuille de clients ou seulement d'un ou deux clients, est fonction de la nature de votre base clientèle.
Sur le marché des entreprises, il n'y aurait rien d'étonnant à assigner à chaque client important son propre directeur de clientèle.
C'est en gros ce qu'a fait Hewlett Packard avec son programme de gestion globale des comptes. Sur le marché des particuliers, vous pouvez tailler dans les 5 % des meilleurs clients, comme l'a fait MCI, et avoir encore une centaine de milliers, si ce n'est plus, de clients sous la responsabilité d'un seul directeur de clientèle.

Pour les clients qui se trouvent à droite de la clôture, vous allez pratiquer un marketing 1:1, même si vous devez fabriquer des prototypes de produits personnalisés en masse ou suivre à la main l'évolution de vos progrès.
Pour que cela fonctionne, les clients qui se trouvent à droite de la clôture doivent être placés dans une structure de capital-clients et les critères d'évaluation doivent être définis pour mesurer le succès de ce côté-ci de la clôture.
Les directeurs de clientèle eux-mêmes devront se battre pour donner à cette organisation une impulsion, vers une meilleure intégration des données spécifiques sur les clients et une meilleure coordination entre les différentes divisions. À droite de la clôture l'entreprise doit :

- *Relier dans le temps toute l'information connue sur un client.*

  Identifier chaque client et établir un lien entre toutes les communications et les données transactionnelles de ce client.
  Ainsi, nous pouvons dire, par exemple, si le client qui fait telle remarque est celui qui a demandé tel renseignement il y a un mois.

- *Calculer les paramètres appropriés par client pour évaluer le succès de votre projet.*

  Créer un modèle d'espérance mathématique de marge ainsi qu'une évaluation de la valeur stratégique par client. Calculer la part de client sur une base individuelle, client après client.
  Rechercher de nouveaux critères d'évaluation du succès, ainsi que des critères temporaires, comme l'achat dans plusieurs lignes de

produits, la volonté de coopérer, le volume par client et la satisfaction du client.
Mesurer ou estimer ces variables, régulièrement pour chaque client.

- *Créer et entretenir le dialogue.*

  Déterminer pour chaque client son offre média préférée et communiquer avec lui en choisissant les médias avec lesquels il se sent le plus à l'aise.
  Contrôler leur efficacité et non pas seulement le rapport coût-efficacité des communications.

- *Personnaliser en masse pour satisfaire les besoins exprimés individuellement.*

  Créer une relation d'apprentissage avec chaque client en communiquant dans la durée et continuer à accroître le niveau de commodité pour chaque client.

- *Étendre l'éventail des besoins du client.*

Souvenez-vous de ce que chaque client désire. Trouvez des manières de rendre l'effort de collaboration utile pour le client, en personnalisant en masse le produit de base ou le bouquet de services associés et en élargis sant l'éventail des besoins du client.

Faites des ventes croisées, créez des alliances stratégiques, et restez en alerte sur tous les services additionnels que le client souhaiterait obtenir.

Il s'agit là d'une première incursion vers des offres 1:1 opportunes et de valeur, réalisée en identifiant, en conservant et en développant les clients les plus précieux de l'entreprise. En outre, cela constitue une manière intéressante d'apprendre. Pendant que vous créez des Relations d'Apprentissage, réfléchissez à la manière de mesurer la réussite.

Ce qui est peut-être encore plus important, c'est que cette transition réalisée sur les CPP donne une recette pour réussir, qui va servir de démonstration puissante sur les capacités spectaculaires des stratégies 1:1.

Il y a moins de risque que cette transition soit sabotée dans la mesure où elle va causer le minimum de perturbation.

Et notre expérience nous a montré qu'assez vite, d'autres divisions dans l'organisation voudront y participer.

Avec le temps, il suffit de déplacer petit à petit la clôture vers la gauche pour se transformer en entreprise 1:1. Ainsi on crée des relations privilégiées, individualisées, avec un nombre croissant de clients.

L'intérêt de cette stratégie réside dans le fait qu'elle arrive au moment où l'on constate une baisse du coût de la technologie de l'information. Car après tout, les systèmes de support informatique risquent d'être l'élément le plus coûteux, quel que soit le programme que vous mettez en place. Si la loi de Moore se vérifie toujours et si les coûts des traitements informatiques continuent de baisser de 50 % tous les 18 mois, il est facile d'en déduire que ces programmes et ces pratiques qui sont aujourd'hui valables pour les CPP le seront aussi pour des clients qui en vaudront la moitié, dans 18 mois.

Dans tous les cas, votre laboratoire est fin prêt pour obtenir une fidélité et une valeur de plus en plus élevée de la part des clients les plus précieux de l'entreprise.

En plus, vous bénéficiez de l'appui de certains de vos meilleurs éléments pour diriger les expérimentations de votre « laboratoire ». Lorsque vous généraliserez sur un nombre plus important de clients, vos directeurs de clientèle actuels seront aptes à former leurs collègues et feront en même temps un travail de sensibilisation.

Assurer cette transition client après client et démarrer avec la partie haute de votre clientèle est virtuellement la seule stratégie de transition que nous estimons économiquement viable. Notamment si l'on tient compte du changement majeur nécessaire pour s'ajuster à cette nouvelle forme de compétition.

La difficulté et le coût inhérents à ce type de transition sont plus faibles pour l'entreprise si une large part du revenu et du profit provient d'un petit nombre de clients.

Une transition prenant la forme d'une clôture qui encercle les meilleurs clients constitue la tactique la plus logique pour la majorité des entreprises. Mais la transition aura plus de poids si une large part de la valeur de l'entreprise est assurée par un petit nombre de clients seulement.

Il sera plus facile de réaliser cette transition si 60 % de votre chiffre est réalisé par 3 % de vos clients, plutôt que par 30 % d'entre eux.

En d'autres termes, plus la courbe de répartition de vos clients est pentue, plus il sera rentable d'entamer le processus pour transformer votre organisation en une entreprise 1:1.

Plus une clientèle se différencie en fonction de valeurs distinctes — c'est-à-dire plus la pente de la courbe est forte — plus l'entreprise 1:1 sera rentable :

Matrice de la clientèle

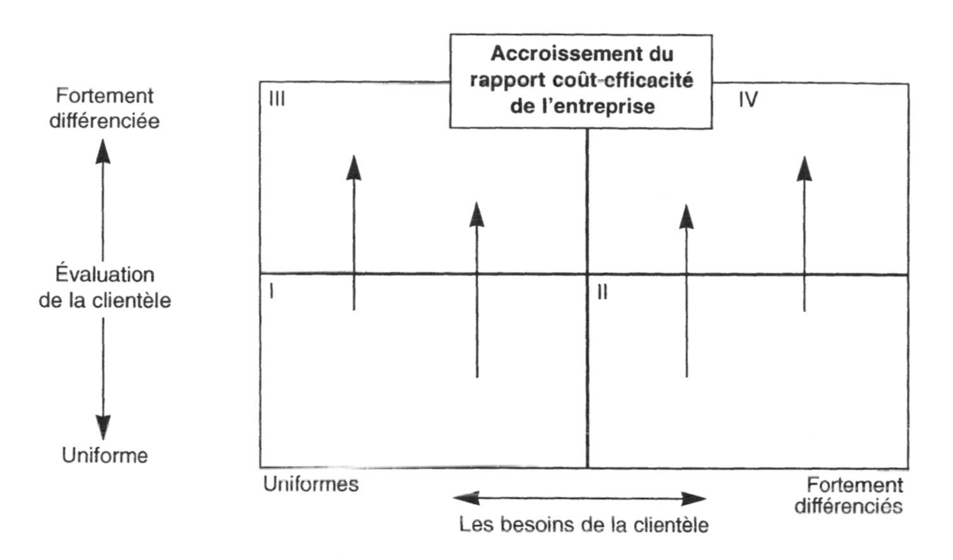

Vous entretenez sûrement déjà avec vos clients une certaine forme de relation privilégiée 1:1, si vous avez peu de clients très précieux. C'est pourquoi le fait de traiter ses distributeurs comme des clients peut souvent aboutir à une sorte de marketing 1:1 plus rentable, du moins à court terme. Car, dans la plupart des domaines d'activités, les distributeurs, par nature, se distinguent en fonction de leur valeur, davantage que les utilisateurs finaux.

Si, d'un autre côté, vos clients ont des valeurs plus uniformes, alors deux stratégies s'offrent à vous.
La première consiste simplement à intégrer et consolider toutes les occasions de contacts avec chaque client, à travers l'ensemble de votre entreprise. Une intégration par client est, bien sûr, une des premières conditions pour devenir une entreprise 1:1. Nous en avons parlé au début de ce livre. L'intégration aura souvent pour conséquence d'accroître automatiquement la valeur de votre entreprise.
Si vous avez un certain nombre de divisions différentes, et si les clientèles de ces divisions ont tendance à se chevaucher, alors la pente de la courbe de valeur va très certainement s'accentuer.

Prenons l'exemple d'une compagnie d'assurance aux particuliers possédant de nombreuses divisions. Supposons qu'elle ait une division multirisques et accidents, une division assurance vie, et une division santé et invalidité. Supposons que ses clients se retrouvent partiellement dans toutes ces divisions. On pourrait croire que chaque division a une clientèle

avec une courbe de valeur plate. Parce qu'aucun client n'aura besoin que d'une seule assurance multirisques ou d'une seule assurance santé.
Mais vue sous l'angle de l'entreprise, la répartition de la base clientèle est relativement déséquilibrée, parce que certains clients traiteront avec trois divisions à la fois alors que d'autres traiteront avec seulement une ou deux divisions.

En comptabilisant toutes les transactions enregistrées pour chaque client, quelle que soit la division géographique ou fonctionnelle à l'origine de cette transaction, vous allez très certainement augmenter la courbe de valeur de votre clientèle. Vous rentabiliserez encore davantage votre propre passage vers une conduite des affaires 1:1.

La seconde stratégie consiste à améliorer les capacités de votre entreprise à utiliser, selon le meilleur rapport coût-efficacité, les différences de valeur qui existent déjà. En rationalisant le processus de communication avec la clientèle, comme nous l'avons suggéré au chapitre 3, vous pouvez identifier de façon plus économique vos plus précieux clients, même avec une clientèle moins différenciée en terme de valeur.
Une véritable interactivité vous permet de relier les transactions et les communications des clients. Elle vous permet aussi d'identifier plus facilement à la fois les clients qui renouvellent leurs achats et les clients qui sont multi-acheteurs dans plusieurs lignes de produits.

Amazon.com et Greet Street ont créé des relations interactives très efficaces avec leurs clients ; ainsi, ils peuvent rapidement et précisément les différencier par valeur, bien que la répartition des valeurs soit très déséquilibrée, tant chez le libraire que dans l'activité des cartes de vœux.

Il n'est pas nécessaire que vous ayez un site Web pour mieux différencier vos clients.
Il vous suffit juste de faire preuve d'un peu d'imagination pour visualiser la manière dont les relations personnelles entre votre entreprise et vos clients peuvent s'améliorer grâce à l'électronique.

Le Casino Sands d'Atlantic City, dans le New Jersey, qui appartient à Hollywood Casino Corporation, est un as de la différenciation des clients dans le domaine des services.
La plupart des casinos, et Sands ne déroge pas à la règle, ont longtemps fait profiter leurs « gros parieurs » d'une grande variété d'avantages tels que le transport gratuit vers le casino, des repas gratuits, des facilités d'hébergement et de divertissement.
En se fondant sur un mélange innovant d'attentions personnelles et d'outils électroniques, le Sands a trouvé comment repérer même le plus petit des « petits parieurs » qui franchit son seuil et comment personnaliser le service offert à chacun.

Entrez pour la première fois au Casino Sands et commencez à insérer vos pièces à l'intérieur de la machine à sous. Cette machine va immédiatement avertir l'ordinateur central qu'un joueur inconnu est assis devant la machine numéro 306.
Un répartiteur, qui contrôle le signal, le renvoie vers un bipeur à large écran accroché à la taille d'un employé du casino.
Cette personne vient vous accueillir auprès de la machine et vous propose de réaliser une véritable affaire : « Donnez-nous votre nom, votre adresse et votre numéro de téléphone afin que nous puissions vous inclure dans notre club. Vous serez ainsi récompensé par des points en fonctions de vos jeux que vous convertirez en repas et boissons gratuites, et aussi en « argent cash émis par le casino ». Vous bénéficierez aussi d'un traitement VIP ». Dès que l'information est enregistrée, un client n'est plus jamais un étranger pour le Sands. Les membres montrent leur carte de « VIP Sands » à chaque table de jeux et l'insèrent dans chaque machine. Cette fois-ci, le bipeur de l'hôtesse en dit plus long :
« John Smith de Stamford, Connecticut, à la machine 306. Dernière visite : six semaines. A dîné au restaurant italien. Parieur moyen ».

À partir de ce moment-là, le visiteur bénéficie d'un accueil individuel : « Monsieur Smith, bienvenue pour votre retour chez nous. Vous nous avez manqué pendant ces six dernières semaines. Quelles sont les nouvelles de Stamford? Peut-on vous proposer de nous occuper de votre parking... peut-être une chambre d'hôtel pendant votre séjour ? ». Voulez-vous être à nouveau notre hôte à la « Casa Maria » ou voulez-vous essayer notre nouveau restaurant chinois ? »
Cette transaction électronique ne coûte virtuellement rien.
Les hôtesses doivent de toute façon battre le pavé. Mais maintenant elles peuvent accueillir individuellement chaque personne.
Vous pouvez vérifiez dans la presse spécialisée dédiée aux casinos à quel point le Sands enregistre de bons résultats en terme de ventes brutes, de rentabilité par m² et tout autre critère objectif d'évaluation pour mesurer la réussite du casino.

Ce qui est important ici, c'est de voir que le rapport coût-efficacité pour fonctionner en 1:1 peut s'améliorer par une différenciation plus forte des clients. Dans votre propre domaine, vous avez probablement déjà distingué les « gros calibres » à qui vous offrirez un traitement spécial. Il y a des chances pour que cela demande un travail intensif. Mais cela se justifie par le fait que ces clients extrêmement bons méritent qu'on soit aux petits soins pour eux. Cependant en utilisant une variété d'outils interactifs, du site Web à la carte de membre que l'on insère, en passant par l'équipe de commerciaux équipée de bipeurs, vous pouvez différencier vos clients encore plus efficacement, en réservant un traitement privilégié à des clients individuels rentables, même si la base de la clientèle ne comporte aucun gros calibre.

Le mot de la fin sur l'objectif ultime

Dans cette phase de transition, quelle que soit la somme de travail, et la manière dont vous le faites, il y aura toujours plus à faire, plus loin où aller.
Le lecteur qui nous a suivi jusqu'ici et qui pense encore que ce que nous préconisons est une procédure aussi simple que 1 + 2 = 3 pour aller « d'ici » à « là-bas » n'a pas été suffisamment attentif.
Mais ce n'est pas parce qu'il y aura toujours plus à faire qu'il n'est pas utile de commencer dès maintenant dans la bonne direction.
Ce dont nous sommes assurés, c'est qu'il existe des stratégies compréhensibles, pratiques et rentables pour faire prendre à votre entreprise la direction 1:1. Savoir qui sont vos clients et se souvenir de ce qu'ils vous disent. Essayer d'influer sur le comportement de l'entreprise de façon à traiter différemment les clients différents. Délivrer ce que chaque client demande et créer de nouvelles sources pour recueillir les réactions des clients, sous la forme la plus rentable possible.

Mettez en application toutes ces stratégies et vous constaterez rapidement une modification réelle et profonde de la force de votre plan d'attaque concurrentielle.
Vous jouerez avec de nouvelles règles, vous serez en concurrence à une autre échelle.
Soyez la première entreprise 1:1 dans votre domaine et prenez le contrôle de votre industrie, en commençant par ses clients les plus importants et les plus précieux.
Puis gardez-les. Pour toujours.

Allez-y : appliquez quelques unes de ces stratégies et voyez ce qui se passe.

CHAPITRE 14

LETTRE OUVERTE AU P-DG DE L'ENTREPRISE

« On ne découvre pas de nouveaux pays sans accepter de perdre de vue le rivage pendant très longtemps. »

André Gide

Cher Président,

Nous vous sommes reconnaissants du temps et de l'attention que vous avez portés à la lecture de ce livre et nous espérons qu'il vous sera utile dans la conduite de vos affaires.
Arrivé à ce stade, vous apprécierez, nous semble-t-il, ces quelques mots en toute franchise.

Chaque chose en son temps : votre entreprise ne réussira à se transformer en entreprise 1:1 que si elle reçoit un soutien personnel et inconditionnel de votre part.
Au cours des années où nous avons travaillé comme consultant dans ce domaine, nous avons assisté à plusieurs échecs. Presque tous sont à mettre sur le compte d'une absence de vision ou d'un manque de volonté, au sommet de l'entreprise.
Dans le bureau du Président.
Il y a eu un certain nombre de réussites aussi, mais aucune, à notre connaissance, n'a vu le jour sans l'implication personnelle du Président.

Il y a une raison toute simple à cela.
Une entreprise 1:1 ne peut fonctionner que si elle intègre l'ensemble des données relatives à un client, à l'intérieur de tous les départements de l'entreprise : du service client à la production, en passant par la logistique et le réseau de communications.
Pour beaucoup d'entreprises, cela implique une refonte complète de toute l'organisation.

Et encore, c'est sans mentionner la nécessaire intégration des données à travers les différentes divisions et unités opérationnelles. L'entreprise doit être perçue par chaque client comme une seule entité homogène.
Or vous seul avez l'autorité suffisante pour franchir tous ces nombreux barrages inhérents à la structure.

Dès l'instant où vous acceptez de vous engager, vous devez vous pencher sur ces deux priorités :

- *obtenir l'aval de vos actionnaires, pour investir dans les technologies de l'information pour un montant qui risque d'être lourd et à renouveler régulièrement.*
- *faire face à la résistance culturelle, presque psychologique, que l'on rencontre fréquemment dans une structure qui se trouve confrontée à un changement aussi radical.*

Nous aborderons successivement ces deux points.

JUSTIFIER LE COÛT TECHNOLOGIQUE

Vous le savez, il est souvent difficile de justifier les investissements en technologie de l'information. La plus grosse difficulté ne réside pas dans le coût en lui-même mais dans l'absence de critère valide pour évaluer le Retour sur Investissement.
Jusqu'à présent, vous avez peut-être justifié la plupart de vos investissements informatiques en invoquant les réductions de coût à prévoir. Les stratégies que nous suggérons ici produisent des avantages essentiellement en terme de revenu. C'est ce qui rend plus difficile toute estimation. D'autant plus que ces stratégies sont suffisamment nouvelles et novatrices pour que les personnes que vous avez nommées responsables de leur exécution aient vraisemblablement peu d'expérience en la matière.

Vous pourriez aussi vouloir prendre un peu d'avance sur la Loi de Moore. Car il n'est jamais facile d'acheter quelque chose en sachant que son prix aura diminué de moitié dans 18 mois.
Pour y remédier, vous pouvez lier l'investissement en technologies de l'information à un objectif de Retour sur Investissement plus élevé que celui que vous fixeriez pour du matériel de production ou d'équipement.
Nous vous suggérons trois autres approches, pour vous aider à faire le tour de la question.

1. *À long terme, la personnalisation de votre activité selon les demandes de chaque client réduira vos coûts d'exploitation.*

Une production faite-à-la-demande ne fait supporter aucun risque à votre stock. De plus elle génère des économies supplémentaires le long de la chaîne de demande.
Un guichet automatique de banque qui mémorise les demandes des clients « réguliers » traitera plus d'opérations au quotidien que celui qui déroule tout le menu d'options pour chaque client.

Pour réduire au plus vite vos coûts, fixez-vous comme objectif celui d'améliorer votre efficacité à créer des produits et des services appropriés qui plaisent à vos clients.

2. *Évaluez votre investissement en fonction de l'avantage stratégique que vous pouvez gagner sur vos concurrents, actuels et futurs.*

C'est très clair. À mesure que vous investirez dans des domaines tels que les entrepôts de données (data warehouse), les bornes multimédia sur le lieu de vente, les bases de connaissance marketing et les systèmes d'aide à la décision, vous serez davantage réactif et flexible pour gérer votre activité.

Mais il y a plus important encore : en faisant rapidement cet investissement, vous pourrez identifier plus vite vos clients les plus précieux. Vous les isolerez du troupeau et vous construirez avec eux une relation durable. Il est important pour vous de le faire avant vos concurrents parce que l'avantage que vous aurez ainsi acquis peut s'avérer irréversible.

Si vous investissez au moins autant, si ce n'est plus, que vos concurrents (en prenant l'hypothèse que vous investissez judicieusement) alors il est fort probable que votre retour sur investissement dépassera les 50 % en l'espace de 18 mois.
Si vous investissez beaucoup moins que vos concurrents, alors nous vous suggérons de réduire encore plus ce montant, parce qu'il dégagera un rendement plus élevé durant les quelques années où vous resterez en retrait.

3. *En calculant votre Retour sur Investissement, ne vous limitez pas aux ventes du trimestre prochain. Ni même à celles de l'année prochaine. Au contraire, prenez en compte la valeur globale, à long terme de votre clientèle.*

Si, par exemple, vous avez un bénéfice annuel de 100 millions de dollars et un taux de renouvellement d'achats satisfaisant, alors la valeur réelle de votre clientèle, (c'est-à-dire la somme de toutes les espérances mathématiques de gain de vos clients) pourra dépasser plusieurs fois ce chiffre.

Peut-être se situera-t-elle entre 200 millions et 1 milliard de dollars. Même en l'absence d'une base de données, il est facile de calculer la valeur globale de votre clientèle en vous aidant d'un modèle d'analyse et de prévision.

Faisons ensemble l'hypothèse que la valeur globale de votre base de clientèle s'élève à, disons, 400 millions de dollars.
Vous voudrez alors que vos actionnaires décident si la somme investie dans les technologies de l'information peut générer une augmentation de

5 % de la valeur de la base, qui atteindrait alors 420 millions de dollars. Assurément, une augmentation de 20 millions de dollars de la valeur de votre clientèle financerait beaucoup de puces électroniques !

Si vous croyez aux marchés stables, la valeur de votre clientèle, moins la valeur actuelle de vos dettes à long et court terme, doit légitimement correspondre à la capitalisation de votre marché.
Bien sûr, pour être stables, encore faut-il que les marchés soient bien informés. Aussi pour vous assurer que l'ensemble du capital et des actions reflète bien tout le potentiel de votre entreprise, vous devrez publier à l'attention de vos actionnaires des rapports financiers d'audit portant sur la valeur réelle de votre clientèle.
Vous aurez les données en votre possession. Par la même occasion vous rassurerez vos actionnaires. Vous leur montrerez que la politique financière de l'entreprise prend bien en compte les facteurs-clé d'une rentabilité à long terme.

Voici une autre suggestion qui tire parti de la Loi de Moore.
Vous aurez presque toujours intérêt à conserver le maximum d'informations possible sur vos clients. Le Marketing et les Ventes perçoivent souvent mal la nécessité de garder l'historique des données.
Mais lorsque vous transformez votre entreprise en une entreprise 1:1, il est important de savoir comment évoluent dans le temps toutes les attentes et les besoins de chaque client. La relation engagée avec un client est faite d'une succession d'échanges commerciaux au fil du temps.

Finalement, avec la Loi de Moore, ces milliers d'octets de données qui paraissent aujourd'hui très encombrants se révèleront très payants.
Ne jetez pas par la fenêtre le seul actif qui vous soit absolument irremplaçable : l'information individuelle sur chaque client.

LES FREINS ORGANISATIONNELS ET CULTURELS

Le frein majeur avancé par les responsables qui veulent initier des stratégies 1:1 est lié à la mentalité de l'équipe dirigeante. Pensez-vous avoir des points communs avec de tels dirigeants ?

« Le Président se trouve à quelques années de la retraite. Son bonus est indexé sur la hausse trimestrielle des gains et il n'est absolument pas prêt à changer quoi que ce soit. »

« Parce qu'il voulait étoffer son marketing, notre président a engagé un nouveau directeur du Marketing ayant fait ses armes chez un géant des produits de grande consommation. Il a une excellente expérience dans la gestion des marques ».

« Nous sommes une excellente entreprise (complétez par : industrielle, orientée sur la vente, de sous-traitance, de distribution...) et notre Président fait tout pour ne pas dévier de cette route. »

« Une culture d'entreprise se forge d'en haut. »
Dans votre entreprise, la culture maison va invoquer tout un tas de raisons pour faire barrage. Et il y a une seule personne qui pourrait l'en dissuader : vous-même.

En votre qualité de Président, le message que vous adressez à la structure doit traduire votre volonté de rechercher de nouvelles approches, de récompenser l'innovation et la créativité.
Si votre entreprise est très axée sur les chiffres, si elle a les yeux rivés sur la dernière ligne du compte d'exploitation, si elle se focalise sur les ventes du trimestre et l'augmentation annuelle de part de marché, alors vous risquez d'avoir des difficultés pour faire abandonner les systèmes d'évaluation et de bonus qui ont si bien réussi à l'entreprise jusqu'à présent.
Si vous avez une entreprise en pleine expansion avec des produits innovants, vous aurez initié une culture qui ne voudra pas faire prendre de risque à l'activité actuelle.

En réalité, plus votre entreprise aura été performante par le passé, plus sa culture d'entreprise sera hostile à toute forme d'innovation, tout spécialement lorsqu'il s'agit d'un changement aussi radical que celui que vous suggérez.

Dans certaines entreprises, la culture maison est par principe hostile à toute idée selon laquelle les clients sont différents individuellement, avec des valeurs et des besoins distincts.
Dans ce type d'entreprise, vous trouverez des cadres qui vous diront : « Tous nos clients sont égaux. Aucun de nos clients n'est traité comme s'il s'agissait d'un individu de deuxième zone ».

On retrouve souvent ce type de culture dans les entreprises qui jouissent d'un monopole, d'un semi-monopole ou qui sont elles-mêmes issues d'un monopole : les entreprises de télécommunication, les services publics, les câblo-opérateurs, la presse régionale et dans certains pays, les banques, les compagnies aériennes et les entreprises publiques.
Cet élan démocratique est certes séduisant et fraternel, mais il n'est pas réaliste. Et dans chacune de ces entreprises, il est facile de démontrer le contraire.
Un client qui oublie de payer sa facture reçoit un rappel de relance.
Mais aucun rappel n'est envoyé aux clients qui ne sont jamais en retard. Sur le marché des entreprises, un client qui réalise 50 000 $ de chiffre d'affaires par mois se verra attribuer un commercial attitré, voire plusieurs.

Sûrement pas le client qui dépense 200 $ par mois.

Quoi qu'il en soit, pour certaine entreprise, l'idée que les clients puissent être traités individuellement n'est pas seulement étrangère, elle est aussi calomnieuse.

Il n'y a pas de solution miracle pour faire disparaître ce frein culturel et psychologique. Il n'existe pas de manuel sur l'art de gérer le changement. Mais si vous ressentez le besoin d'avoir quelques éclairages sur la question, le moment est venu.

Nous vous suggérons de créer un noyau de cadres « missionnaires » qui interviennent dans votre structure comme de véritables promoteurs du changement.
Commencez avec un petit groupe de cadres brillants et à fort potentiel. Inculquez-leur les stratégies 1:1 de l'interactivité, de la personnalisation, des relations d'apprentissage et du marketing de collaboration. Plus ils connaîtront le sujet, plus ils seront convaincus (et sauront convaincre).

Pour qu'il puisse réussir, ce travail de missionnaire repose sur quelques facteurs essentiels.
Si vous voulez que vos propres missionnaires servent d'éléments-moteurs dans la refonte de l'organisation, vous aurez intérêt à suivre quatre principes :

1. *Les missionnaires sont bien entraînés.*

Assurez-vous que vos acteurs du changement ont une solide détermination sur les principes, les mécanismes, les freins et les avantages du marketing 1:1. Assurez-vous qu'ils reçoivent une bonne formation. Envoyez-les faire du benchmarking dans d'autres entreprises.
Demandez-leur de rédiger des mémos à ce sujet.

2. *Les missionnaires comptent sur la « bible ».*

Vous croyez en des principes de base et vous souhaitez que vos missionnaires les inculquent à toute l'organisation.
Or ces principes doivent être formalisés sous une forme succincte mais limpide.

Ils doivent être suffisamment généraux pour permettre aux missionnaires de les adapter à un contexte changeant et à la souplesse des dynamiques de votre industrie.
Cette « bible » servira de document attestant de la vision de votre entreprise 1:1.

Elle s'appliquera à un grand nombre de divisions et de fonctions dans toute l'entreprise.

3. Les missionnaires reçoivent l'appui de l'« évêque »

Vos acteurs du changement ne vont pas disposer d'un centre de profit qui leur donne une base d'appui.
Si vous ne pouvez pas les financer, dans le cas où les bénéfices de l'entreprise sont en baisse, alors ne les envoyez pas au casse-pipe.
Rencontrez-les régulièrement, pas seulement pour recueillir leurs impressions mais aussi pour bien montrer aux autres personnes de l'entreprise l'importance du projet.

4. Les missionnaires doivent avoir recours à la crainte de Dieu.

Parfois la logique et la persuasion ne suffisent pas à convertir les païens.
De temps en temps, vos missionnaires devront inspirer crainte et inquiétude parmi les troupes. Assurez-vous que leurs programmes aient du mordant.

Face à l'ampleur même de ce changement, un grand nombre de vos cadres vont peut-être s'interroger sur l'utilité de cette transformation.
Mais vous réalisez sans doute mieux que quiconque à quel point il ne s'agit pas de savoir si ce changement va arriver. La seule question, c'est de savoir quand ce changement va dominer votre industrie et qui saura en tirer parti.

Ce type de changement n'est pas en option.
Il est rendu incontournable par les avancées en matière de communications interactives et de technologie de l'information.
Si la poussière s'installe, il y a des chances pour que le gagnant, ce ne soit pas vous mais une entreprise totalement nouvelle — une entreprise n'ayant rien à voir avec le système actuel.

Si vous voulez atteindre votre objectif, si vous voulez que votre entreprise prospère à l'ère de l'interactivité, alors transformez-vous en entreprise 1:1. Exploitez toutes les capacités offertes aujourd'hui par la technologie. Allez aussi loin que vos clients vous l'autorisent.
Restructurez votre clientèle et anticipez les attentes de vos clients.

C'est un processus lent et difficile, une grande aventure qui vous emmène au large.

Mais après tout, c'est vous qui êtes le Président.

Provoquez ce changement, n'attendez pas qu'il vous dépasse.

Bon voyage et bon vent.

GLOSSAIRE ET PRINCIPES

Adressable

Les clients que l'on peut joindre de manière individuelle, reçoivent des messages différenciés, le plus souvent à travers des médias 1:1.
Les médias de masse sont par définition non « adressables » puisqu'ils diffusent, en même temps, le même message à chacun : le lien avec un client particulier est impossible.

Alliance stratégique

Partenariat avec une autre entreprise ou avec une autre division de l'entreprise, qui a pour but de proposer au client des produits et des services qui sortent du domaine de compétence de l'unité concernée.
Bien que la majorité des alliances se forment entre sociétés non concurrentes, il peut s'avérer nécessaire de fonder une alliance avec un concurrent pour préserver la relation privilégiée entretenue avec la clientèle.

Attaque d'un marché de masse (Stratégie concurrentielle traditionnelle)

L'entreprise définit un groupe de clients qu'elle appelle « marché » et fait pression sur ce marché pour lui vendre des produits et des services dont les avantages et les caractéristiques puissent satisfaire le mieux possible le client « moyen ».
Se base essentiellement sur un échantillonnage statistique pour comprendre au mieux le client moyen d'un marché donné.
Cette stratégie regroupe le marketing de masse, le marketing de niches et de segmentation ainsi que de nombreuses formes de marketing ciblé.
Elle comprend aussi le marketing de base de données lorsque, au lieu d'entretenir une relation privilégiée avec le consommateur individuel, il exploite des offres de produits ou de programmes, campagne après campagne.

Attaque d'un marché pilotée par la clientèle

Stratégie qui, en se nourrissant d'un dialogue et d'une remontée d'informations initiés avec le client, crée des produits et des services sur mesure, de manière individuelle, et les propose à chaque client — que le client soit un particulier ou une entreprise.
C'est le contraire de l'attaque d'un marché de masse.

Attrition

La perte de clients. C'est le contraire de la « rétention ».

Barrière à la sortie

Représente l'effort qu'a consenti un client pour nouer une Relation d'Apprentissage avec une entreprise. Cet effort fidélise le client car il lui serait trop fastidieux de créer de nouveau une relation privilégiée avec un concurrent.

Bouquet de services entourant le produit

Tous les services et les caractéristiques qui entourent le produit de base, tels que la facturation, la livraison, le financement, le packaging et la palettisation, la promotion, et ainsi de suite...
Voir *Produit de base, Extension des besoins.*

Cascade de la distribution

Une cascade des différents types de relations à l'intérieur du canal de distribution. Ces relations commencent avec le produit d'origine ou le fournisseur de service, puis partent en cascade à travers le distributeur, le détaillant ou le concessionnaire, jusqu'au client final.
Chaque « niveau » de la cascade peut être considéré comme une base de clientèle caractérisée par son propre éventail unique de besoins et son système de différenciation des valeurs.

Chaîne de la demande

La chaîne de transactions qui remonte du client final vers le fabricant d'origine ou le fournisseur de service, à travers le canal de distribution.
La chaîne de la demande est analogue à la chaîne d'approvisionnement mais en sens inverse.

Clients les Plus Précieux (CPP)

Les clients qui ont la valeur actualisée la plus élevée pour l'entreprise.
Ce sont les clients qui ont le plus fort chiffre d'affaires, qui dégagent les marges les plus élevées, qui collaborent le plus volontiers et qui sont les plus fidèles.
L'entreprise détient pour chacun de ces clients la part de client la plus importante.
Voir les *Clients du Deuxième Rang* (CDR) et les *Clients Non Rentables* (CNR).

Clients du Deuxième Rang (CDR)

Des clients qui aujourd'hui ne sont pas aussi profitables que les CPP, mais qui dans bien des cas pourraient le devenir si l'entreprise était en mesure d'accroître avec chacun d'entre eux sa part de client.

Clients Non Rentables (CNR)

Les clients CNR sont au niveau le plus bas dans la hiérarchie de la clientèle : ils coûtent plus cher à servir qu'ils ne rapporteront jamais.
Ce groupe illustre à l'envers le Principe de Pareto : 20 % des clients appartenant à la tranche inférieure représente 80 % des pertes, des ennuis, des appels de recouvrement, etc.

Clôture

Une manière de décrire le traitement privilégié accordé par l'entreprise aux Clients les Plus Précieux pour lesquels l'entreprise pratique un marketing 1:1.
Une clôture hermétique entoure ces clients et les protège contre les programmes marketing centrés sur les produits et tous les programmes caractéristiques de l'attaque d'un marché de masse.

Collaboration

La démarche que fait le client qui s'investit dans une relation privilégiée avec le service marketing.
L'effort requis pour stipuler la taille, la couleur, le style préféré, le minimum d'ingénierie, etc. Temps, énergie et effort dépensés par le client pour aider l'entreprise à créer le produit ou le service qui corresponde à ses besoins personnels. C'est le contraire d'une démarche visant à l'amélioration générale d'un produit pour le bénéfice d'un marché.
Voir *Relation d'apprentissage.*

Connaissance tribale

Accumulation d'informations sur les goûts et les préférences d'un groupe de clients. L'entreprise utilise ce socle de connaissances pour faire des recommandations à un client en particulier, en se fondant sur ce que choisiraient d'autres clients aux préférences analogues.

Courbe de valeur

Le niveau de différenciation d'une clientèle par valeur.
Une courbe très pentue révèle une clientèle qui se caractérise par un faible nombre de clients dégageant une grande part du profit de l'entreprise. Une courbe plate indique une clientèle dont les clients sont relativement uniformes en terme de valeur.

Dialogue

Communication interactive entre l'entreprise et son client. Dans une entreprise 1:1, chaque contact avec un client est aussi l'occasion de collecter des données.

Différenciation par les besoins

Une manière de différencier les clients, en fonction de leurs besoins vis-à-vis de l'entreprise.
Deux clients peuvent acheter exactement le même produit ou le même service pour deux raisons très différentes.

Les besoins du client renvoient aux raisons qui poussent un client à acheter, et non pas à ce qu'il a acheté. Les clients d'une librairie se caractérisent par des besoins différents car chaque personne qui entre dans une librairie désire un livre différent.
Les clients des stations-service ont une diversité limitée de leurs besoins.
Voir *Différenciation des clients*, *Valeur stratégique*, *Valeur actualisée.*

Différenciation des clients

La manière de distinguer les clients entre eux, selon deux critères essentiels :
les clients ont des besoins différents vis-à-vis de l'entreprise et ils représentent des valeurs différentes pour l'entreprise.
Voir *Différenciation par les besoins*, *Évaluation de la clientèle*, *Courbe de valeur.*

EDI — Echange de données informatiques

Échange électronique d'informations entre le client et le vendeur. Sont souvent incluses des informations concernant la prise de commande et son exécution, les comptes ouverts, ainsi que des spécifications relatives au produit ou au service.

Entreprise 1:1

Toute entreprise qui utilise le marketing 1:1 pour:
(1) suivre ses clients individuellement
(2) dialoguer avec eux
(3) exploiter la remontée d'information de chaque client pour ajuster son comportement envers ce client.

Espérance mathématique de marge

C'est la valeur actuelle, estimée du client, fondée sur la somme des profits nets attendus, comme par exemple des versements mensuels. C'est la somme des profits nets attendus au cours de la durée de vie d'un client, actualisée selon un taux d'intérêt approprié.
On parle aussi de *Valeur actualisée.*

Évaluation de la clientèle

La valeur du client pour l'entreprise se compose de deux éléments. La valeur actualisée est l'Espérance mathématique de marge ou la Life Time Value du client.
La valeur stratégique est la valeur potentielle du client, s'il devenait plus important, jusqu'à atteindre son potentiel maximal.
Voir *Valeur actualisée, Valeur stratégique, Part de client.*

Extension des besoins

L'extension des besoins de n'importe quel client individuel, depuis le produit de base jusqu'au package produit-service.
Pour accroître l'éventail des besoins du client, une entreprise sera souvent amenée à élargir son offre ou à conclure une alliance stratégique avec une autre entreprise qui réponde à ces besoins.
Voir *Produit de base, Bouquet de services lié au produit, Alliance stratégique.*

Flux de valeur ajoutée

Il s'agit d'apporter de la valeur ajoutée à la relation privilégiée entretenue avec un client en recherchant des opportunités après la vente effective du produit. Par exemple, un négociant en tapis peut accroître ses revenus et entretenir une relation privilégiée en proposant au client de nettoyer son tapis à intervalles réguliers.

Freins

Barrages qui empêchent le développement d'échanges commerciaux entre l'entreprise et son client.
Certains sont des freins naturels, comme le manque de temps ou l'inertie. D'autres sont le fait de l'entreprise elle-même, comme la limitation des horaires de fonctionnement ou le manque de financement. Surmonter ces freins en mémorisant précisément les caractéristiques du client permet d'augmenter le nombre de transactions par client, d'accroître la marge unitaire et la fidélité du client.

Gestion de clientèle

Le fait de nommer des directeurs de clientèle responsables de portefeuilles de clients différents et identifiables individuellement. Ces clients sont distingués selon leurs valeurs et groupés selon leurs besoins.
Le directeur de clientèle a pour mission d'augmenter la valeur de son portefeuille. Il est habilité à contrôler toutes les formes de communications adressables ou interactives vis-à-vis des clients de son portefeuille. Un client appartient à un et un seul portefeuille.

Voir aussi *Marketing 1:1*, *Responsable opérationnel*, *Attaque d'un marché pilotée par la clientèle*, et *Portefeuille*.

GSF — Gestion des stocks par le fournisseur

La gestion des stocks assurée par le fournisseur est un processus selon lequel l'entreprise vendeuse gère elle-même l'inventaire des produits que ses client ont acheté chez elle. La GSF inclut le plus souvent une prestation selon laquelle le stock du client est automatiquement reconstitué par le fournisseur sans que soit nécessaire un bon de commande ou un traitement supplémentaire.

Imbrication des opérations

Imbriquer le fonctionnement de l'entreprise avec celui du client.
Donner au client les bons outils pour qu'il puisse concevoir lui-même son propre support, assurer son suivi et son adressage, etc.
Faire remplir au client certaines fonctions qui autrement seraient du ressort de l'entreprise.
Le but est de permettre au client d'assurer un meilleur contrôle du service rendu.

Interface de dialogue

Une manière exacte et commode pour le client de préciser exactement ses besoins.
Aspect important de la personnalisation de masse.

Loi de Moore

Du nom de Gordon Moore, l'un des fondateurs de Intel, qui a constaté que le nombre de transistors qui peuvent être comprimés en un seul pouce au carré de silicium, est multiplié par deux à peu près tous les 18 mois.

Marketing 1:1

Le marketing 1:1 (le « One-to-One ») se fonde sur la part de client et non plus simplement sur la part de marché.
Il ne s'agit plus de se concentrer sur un seul produit et de le vendre au maximum de consommateurs qui ont précisément ce besoin.
Le spécialiste du marketing 1:1 se concentre sur un seul consommateur à la fois pour lui vendre le maximum de produits possible, tout au long de la durée de vie de la relation commerciale.
Les hommes de marketing traditionnel créent un produit et essayent de trouver des clients pour ce produit.
Le spécialiste 1:1 établit des liens avec un client et recherche des produits qui correspondent précisément à ce client individuel.

Marketing basé sur la connaissance

Exploitation des informations venant des clients individuels dans le but de maximiser l'intérêt mutuel qui résulte de la relation entretenue entre un client et l'entreprise.
Exploitation des données pour proposer à un client des produits complémentaires ou pour lever les freins qui empêchent de faire davantage de chiffre d'affaires avec un client.
Changement qui consiste à ne plus apprécier l'information clientèle pour sa valeur de revente mais à la considérer comme un actif commercial capital, un avantage compétitif comptable qui résulte de la profonde connaissance qu'une entreprise a de ses clients.

Marketing de « l'intérêt bien-compris »

Utilisation des caractéristiques individuelles du client pour lui proposer la meilleure offre, en cours actuellement dans l'entreprise, et ceci que le client ait eu ou non connaissance de cette offre.
L'opérateur de téléphone longue distance pratique un marketing de l'intérêt bien-compris s'il est capable de repérer le programme optimal qui fera économiser le maximum d'argent à un client, en fonction de ses habitudes téléphoniques, puis d'inscrire ce client dans ce programme.

Matrice de capacité de l'entreprise

Une matrice en deux dimensions qui mesure la souplesse d'une entreprise sur deux axes :

- la production, la logistique, les services (l'entreprise fabrique-t-elle des produits et des services standardisés ou les personnalise-t-elle selon les besoins individuels?)
- la communication (diffuse-t-elle à toute sa clientèle les mêmes messages de manière uniforme ou s'adresse-t-elle et communique-t-elle à chaque client de manière individuelle ?)

Voir *Matrice de différenciation des clients.*

Matrice de différenciation des clients

Une matrice en 2 dimensions qui évalue les clients de l'entreprise selon
(a) la diversité de leur valeur pour l'entreprise (la courbe de valeur est-elle pentue ou plate?) et
(b) la diversité de leurs besoins vis-à-vis de cette entreprise (chacun des clients désire-t-il quelque chose de différent ou la majorité des clients veulent-ils la même chose ?).

Voir aussi *Matrice de capacité de l'entreprise, Courbe de valeur, Différenciation par les besoins.*

Millésime

Tous les clients acquis dans la même année, ou au cours d'une campagne de recrutement, peuvent être regroupés à l'intérieur d'un même millésime.
L'entreprise obtient le taux de rétention d'un millésime en calculant le pourcentage de clients d'un millésime donné qui sont conservés par rapport à l'effectif d'origine de ce millésime.

Obstacles

Les barrières internes qui s'élèvent contre l'adoption du 1:1. Généralement, ces barrières sont de nature assez prévisible : culture maison, structure et organisation, système d'évaluation et de motivation, canaux de distribution, coûts et technologie. Des restrictions d'ordre légal ou réglementaire peuvent dans certains cas aussi représenter un véritable défi.

Part de client

À la différence de la part de marché, « la part de client » représente le pourcentage de chiffre d'affaires que détient l'entreprise sur le flux d'activité d'un client en particulier, au cours de la durée de vie de ce client dans l'entreprise.
C'est la valeur actualisée du client par opposition à sa valeur stratégique.

Pay Per View

Système de péage pour l'accès à un programme de télévision ou la connexion au réseau. Cette technique est liée à la notion d'offre explicite : les publicitaires adressent des messages publicitaires individuels aux téléspectateurs ou aux personnes connectées qui ont accepté de donner des renseignements sur eux-mêmes.
Ils sont censés lire ou regarder le message de l'annonceur.

Personnalisation de masse

Production de masse de produits et de services, à l'unité ou en une très faible quantité, selon un rapport coût-efficacité satisfaisant.
Personnalisation de routine.

Phase de transition

La manière la moins perturbatrice qui soit pour transformer une entreprise attaquant un marché de masse en une entreprise 1:1 centrée vers le client.
Cela demande d'entourer les CPP d'une cloison étanche. Puis au fur et à mesure que la technologie et les capacités d'expansion de l'entreprise le permettent, déplacer progressivement la clôture, afin d'inclure des clients aux valeurs de plus en plus faibles.
Voir *Clôture*.

Portefeuille

Un groupe de clients dont la responsabilité incombe au directeur de clientèle ou au directeur de portefeuille.
Chaque groupe se distingue par la diversité de sa valeur pour l'entreprise et par la diversité de ses besoins.
La notion de portefeuille est différente de celle de segment. Les segments sont obtenus en éclatant une population ou un marché en petits groupes. Certains d'entre eux se chevauchent, ce qui fait qu'un client peut se trouver en même temps dans plusieurs segments à la fois.
Les portefeuilles démarrent avec quelques clients individuels, puis intègrent progressivement d'autres clients, de façon individuelle et exclusive.

Aucun client ne peut appartenir à plusieurs portefeuilles à la fois. Un seul directeur de clientèle est tenu responsable de l'augmentation de la valeur d'un client particulier.

Profondeur

L'économie de profondeur est le contraire de l'économie d'échelle. L'échelle représente la largeur ou la dimension des activités d'une entreprise. Tandis que la profondeur mesure l'étendue de la compréhension ou de la relation avec un client individuel.

Produit de base

Le produit ou le service de base qu'une entreprise a vocation à fournir.
Un produit de base se caractérise par sa taille, sa configuration, son style, sa couleur, et ainsi de suite.
S'il s'agit d'un service, ses caractéristiques porteront sur la durée, la fréquence, son champ d'action, etc.

QQJ

Synonyme de Qualité du produit, Qualité du service et Juste prix.
Nécessaire mais pas suffisant pour créer une part de client et une Espérance de Gain.
Voir *Qualité égale.*

Qualité égale

À une certaine époque, l'entreprise qui affichait une qualité supérieure en terme de produit et de service était considérée clairement comme leader sur son marché.
Aujourd'hui, alors que les entreprises, dans tous les secteurs d'activité, accordent davantage d'attention à l'aspect qualité, celle-ci est devenue un critère de succès indispensable mais pas suffisant.
Dans la plupart des secteurs, la qualité est devenue elle-même une caractéristique du produit et de ce fait, n'offre qu'un faible avantage concurrentiel.

Relation d'apprentissage

Une relation privilégiée qui se noue entre une entreprise et son client et qui se nourrit d'une remontée d'informations régulière et suivie de la part du client. L'entreprise est alors en mesure de satisfaire de plus en plus précisément les besoins individuels du client.

Elle utilise la technologie de personnalisation de masse pour créer sur mesure un produit ou un service qui corresponde aux besoins réels du client.
Lorsque le client et l'entreprise nouent une relation d'apprentissage, chaque nouveau cycle d'interaction suivi de personnalisation montre au client combien il lui est facile de traiter avec cette entreprise.
En définitive, cela renforce la fidélité du client vis-à-vis de l'entreprise. Car, si le client devait récréer une relation analogue avec une autre société, il devrait réapprendre au concurrent ce que cette entreprise connaît déjà.

À mesure que la relation d'apprentissage s'intensifie, le client y trouve des avantages accrus, ce qui cimente sa fidélité et protège par conséquent la marge de l'entreprise.
Voir *Barrière à la sortie.*

Responsable opérationnel

Évolution naturelle de la fonction de chef de produits ou de programme, le rôle du responsable opérationnel est de trouver, d'acheter ou de développer les produits dont le directeur de clientèle a besoin pour satisfaire les besoins de son client.
La première mission du responsable opérationnel est de décider d'acheter ou de fabriquer.
Voir *Alliance stratégique.*

Rétention

Tout ce qui concoure à empêcher les clients de quitter l'entreprise.
Effort consacré à conserver les clients sur une plus longue période.
Contraire de l'attrition.
Voir *Attrition.*

Troc explicite

Face à l'encombrement croissant des médias, il est de plus en plus difficile de communiquer avec un client ou un prospect particulier.
Grâce aux médias 1:1 (adressables et interactifs), une entreprise peut concevoir pour un client donné des « trocs » individualisés pour récompenser le client qui y consacrera du temps, de l'attention et se manifestera en retour.

Troc implicite

Les publicitaires se servent des médias de masse pour capter l'attention des lecteurs et des téléspectateurs qui consomment des programmes et des contenus éditoriaux. Ceux-ci sont exposés aux messages publicitaires qui financent le programme ou la revue. Mais comme les médias de masse ne sont pas interactifs, il est impossible de dire si un client a réellement vu le message.

Valeur actualisée

C'est la valeur actuelle du client, fondée sur la somme des profits nets attendus, tels que des versements mensuels. On parle aussi d'*Espérance mathématique de marge.*

Valeur stratégique

Le chiffre d'affaires potentiel, à long terme, qu'un client peut faire avec une entreprise, si celle-ci pouvait étendre à son maximum les occasions données au client de venir se fournir chez elle.
Un tel développement survient lorsque :

1) l'entreprise obtient une part de client plus importante au détriment de son concurrent
2) le client se trouve lui-même en pleine expansion
3) le client devient lui-même plus rentable en adoptant de nouvelles habitudes qui soient favorables à l'entreprise.

Var — Revendeur à valeur ajoutée

Présent le plus souvent dans les secteurs des biens d'équipement et des technologies de l'information, le Var vend et installe le matériel à un prix majoré, mais apporte de la valeur ajoutée à la vente (souvent avec un coût supplémentaire) en fournissant différentes activités de conseil pour le client, spécialement dans le domaine de l'intégration de réseaux.

Mise en pages : Clic Info - 3-5, rue René Cassin - 28000 CHARTRES

Achevé d'imprimer : JOUVE Paris

N° d'éditeur : 1899

N° d'imprimeur : 257860N

Dépôt légal : Juin 1998

Imprimé en France